D0308606

MARIE-ANTOINETTE
LA SOUVERAINE
MAUDITE

Catalogage avant publication de Bibliothèque et Archives nationales
du Québec et Bibliothèque et Archives Canada

Saunders, Danny, 1980-
Les reines tragiques
Sommaire: t. 2. Marie-Antoinette, la souveraine maudite.
ISBN 978-2-89585-075-5 (v. 2)
1. Marie-Antoinette, reine, épouse de Louis XVI, roi de France, 1755-1793 -
Romans, nouvelles, etc. I. Titre. II. Titre: Marie-Antoinette,
la souveraine maudite.
PS8637.A797R44 2010   C843'.6   C2010-940412-2
PS9637.A797R44 2010

© 2010 Les Éditeurs réunis (LÉR).

Les Éditeurs réunis bénéficient du soutien financier de la SODEC
et du Programme de crédits d'impôt du gouvernement du Québec.

Nous remercions le Conseil des Arts du Canada
de l'aide accordée à notre programme de publication.

Nous reconnaissons l'aide financière du gouvernement du Canada
par l'entremise du Fonds du livre du Canada pour nos activités d'édition.

Édition :
LES ÉDITEURS RÉUNIS
www.lesediteursreunis.com

Distribution au Canada :
PROLOGUE
www.prologue.ca

Distribution en Europe :
DNM
www.librairieduquebec.fr

 *Suivez Les Éditeurs réunis sur Facebook.*

Imprimé au Canada

Dépôt légal : 2010
Bibliothèque et Archives nationales du Québec
Bibliothèque nationale du Canada
Bibliothèque nationale de France

DANNY SAUNDERS

LES REINES TRAGIQUES

Volume 2.

MARIE-ANTOINETTE LA SOUVERAINE MAUDITE

LER

LES ÉDITEURS RÉUNIS

À mon conjoint, Frédéric.

« *Le premier crime de la Révolution*
fut la mort du Roi, mais le plus affreux
fut la mort de la Reine. »

François-René, vicomte de Chateaubriand

« *La mort de la Reine fut un crime pire*
que le régicide. »

Napoléon Ier, empereur des Français

AVANT-PROPOS

Aucune reine de France n'a autant attisé la colère du peuple que Marie-Antoinette. Pourtant, les historiens contemporains tentent désespérément de rétablir la réputation de celle qui périt sur l'échafaud en 1793. Détestée par ses sujets, la souveraine française ne semblera pas prendre au sérieux l'opinion populaire. « L'Étrangère », sobriquet donné par ses adversaires, souffrira énormément de son innocence. Elle sera abandonnée par tous et méprisée par les défenseurs de la Révolution française. Jamais une tête couronnée du royaume de France n'aura été si honnie de son peuple et si mal comprise de sa famille.

Ce roman historique, de la collection « Les reines tragiques », ne se veut en aucun cas une biographie sur Marie-Antoinette. Beaucoup d'écrivains, dont plusieurs de renom, ont largement écrit sur la vie tumultueuse de l'épouse du roi Louis XVI de France. *Marie-Antoinette, la souveraine maudite* est davantage une histoire romancée sur l'intimité de la souveraine. Malgré tout, de nombreux faits sont réels et quelques-unes des lettres qui figurent dans ces pages ont bel et bien été rédigées par elle ; cette femme n'était nullement préparée aux intrigues de

8

la très protocolaire Cour royale du château de Versailles.

Vivez les années de gloire de celle qu'on surnomma « l'Autrichienne » et qu'on a critiquée pour son goût pour la mode, ses aventures amoureuses, ses positions politiques et son penchant pour la dépense. Une apothéose vertigineuse que les révolutionnaires républicains lui feront payer par le sang en la guillotinant.

PREMIÈRE PARTIE

Les années fastes

CHAPITRE I
Une étrangère à la Cour royale de France

Château de Versailles, France, 1770

« ON RACONTE qu'elle est aussi jolie que la Sainte Vierge. »

« Henriette, gardez votre langue dans votre poche », chuchota la plus âgée des servantes.

« Notre bon dauphin a trouvé chaussure à son pied », ajouta pour sa part Joséphine.

Alors que les hommes et les femmes du château de Versailles se hâtaient à préparer la venue de la promise du dauphin de France, Antonia de Habsbourg-Lorraine quittait avec empressement son pays natal. Non pas qu'elle voulait se sauver de sa famille, bien au contraire, mais la princesse impériale devait poursuivre son destin. La fille de l'impératrice Marie-Thérèse d'Autriche avait été l'objet de réconciliation entre les deux grandes familles régnantes. Les Habsbourg-Lorraine, illustre dynastie germanique, exerçait depuis des générations leur autorité sur les régions du Saint-Empire, ce qui incluait l'Autriche-Hongrie. Tout aussi puissante, la famille des Bourbon était à la tête des royaumes de France et d'Espagne. Outre leur

12

position privilégiée, un autre point les unissait : la religion catholique. Ces chefs de famille étaient de fidèles défenseurs de la sainte Église de Rome. Sacrés monarques par l'autorité du souverain pontife, ils avaient promis devant Dieu de servir les enseignements du pape en tout temps. Afin de faire face à la montée du protestantisme, venue principalement de l'Angleterre et de la Prusse, l'impératrice autrichienne et le roi français espéraient énormément de cette union conjugale. Leurs enfants représentaient un gage d'amitié entre les deux couronnes. Mais surtout, ils incarnaient la continuité de leur lignée royale. Rien au monde n'était plus important pour solidifier un pacte politique entre des nations que de sacrifier un membre inférieur de la dynastie. Marie-Antoinette l'avait compris et s'était préparée pendant toute son enfance à accomplir la mission que l'Être suprême lui avait donnée.

« Madame, nous venons de franchir les limites de Vienne », annonça sa dame de compagnie.

« Croyez-vous, ma chère, que la France m'aimera ? » demanda la jeune Autrichienne.

« Nul doute, Votre Altesse Impériale. »

Heureuse d'entendre la réponse de sa favorite, Marie-Antoinette rêvassait à sa nouvelle vie. Elle avait entendu tellement de choses au sujet du royaume des Bourbon qu'elle ne pouvait se faire une idée fixe de ce qui l'attendait. Certains prétendaient que Paris regorgeait de philosophes et d'artistes, ce qui plaisait à la fille des Habsbourg. D'autres affirmaient que la capitale française comptait une multitude de penseurs et de révolutionnaires. Enfermée dans sa prison dorée autrichienne, elle n'avait jamais fait face à la critique populaire. Comment pourrait-elle vivre dans un pays où le peuple porte des jugements sur leurs souverains ? La future dauphine espéra ne pas avoir à affronter ce genre de situations.

Âgée de quatorze ans, Marie-Antoinette n'avait que très rarement quitté les murs des résidences impériales d'Autriche. Jusqu'à ce jour, elle avait partagé sa vie entre le château de Schönbrunn et le palais de la Hofburg. Entourée de sa famille, la jeune archiduchesse ne s'était souciée des problèmes politiques de l'Europe. Certes, ses parents lui avaient offert une éducation sérieuse mais assez rudimentaire, comparativement à ses frères. Son apprentissage se limitait à la danse, à la musique, au maintien et au paraître en public. Elle maîtrisait peu les langues de l'époque : l'allemand, l'italien, le français et le latin. Vraisemblablement, la fille des monarques autrichiens n'était pas prête à se retrouver à la tête d'un État aussi puissant que la France. Pour l'instant, la princesse était promise à l'héritier du trône, mais elle savait qu'un jour elle devrait s'asseoir aux côtés de son époux pour régner sur le royaume des Bourbon. Mesurait-elle l'ampleur de la tâche qui l'attendait ?

« Johanna, croyez-vous que la France compte d'aussi jolies montagnes que celles d'Autriche ? »

14

interrogea l'archiduchesse en admirant les gigantesques monts qui se dressaient à côté d'elle.

« On raconte qu'au sud du royaume des Bourbon on y trouve des montagnes enneigées toute l'année », répondit l'autre femme.

Curieuse de voir ces monstres blancs, Marie-Antoinette retomba dans ses rêveries habituelles. Vêtue d'une robe rose, d'un petit collier de perles et d'une cape de satin blanc, la fiancée de Louis de Bourbon regardait par la petite fenêtre de son carrosse les paysages qui défilaient devant ses yeux. L'hiver avait laissé place au printemps et certains arbres bourgeonnaient de partout. Rien n'était plus ravissant que les forêts qui se réveillaient après avoir dormi pendant la saison froide. Même l'odeur du printemps redonnait le sourire aux plus malheureux. La jeune Autrichienne repensait aux folles journées ensoleillées en compagnie de ses sœurs. Les filles Habsbourg étaient étroitement liées les unes aux autres. Elles étaient les meilleures amies que la Terre puisse avoir. Les princesses passaient leurs journées entières ensemble. Jamais elles n'avaient été séparées plus d'une semaine. Leur vie prenait désormais un chemin bien différent. La plupart d'entre elles épousèrent de puissants seigneurs en dehors de l'Empire autrichien. L'une deviendra régente des Pays-Bas, l'autre duchesse de Parme et une autre sera couronnée reine de Naples et des Deux-Siciles. Les sœurs viennoises ne se reverront qu'à de rares occasions. *Rien ne sera plus comme avant*, se convainquit Marie-Antoinette.

« Madame, nous arrivons près de l'île aux Épis », annonça la dame de compagnie.

L'Autrichienne approcha son visage de la fenêtre et regarda la cavalerie qui se tenait près de l'entrée d'un bâtiment minuscule. Les hommes portaient les couleurs du Saint-Empire et tenaient à leurs bras des armes. Elle eut l'étrange sentiment de franchir une étape importante de sa jeune existence. Soudain, le véhicule freina devant un sentier parsemé de cailloux. Ce dernier menait directement à la porte en bois du bâtiment.

« Votre Altesse Impériale, vous devez entrer à l'intérieur », l'informa Johanna.

D'un air incertain, Marie Antoinette se leva, sortit la tête par la portière et descendit doucement du carrosse. Elle replaça sa robe et se dirigea lentement vers l'endroit désigné. Une poignée de gardes escortèrent la princesse à l'intérieur de la bâtisse. Lorsqu'elle y pénétra, la jeune Habsbourg eut l'impression de franchir un pas vers l'inconnu. Non, ce n'était pas simplement une impression. Elle comprenait qu'elle entrait sur un territoire qui n'était pas le sien.

« Marie-Antoinette, veuillez vous départir de vos vêtements et de tous vos biens personnels », ordonna une vieille femme à l'accent français.

« Pourquoi ? »

16

« Nous ne tolérons aucun objet étranger sur la future reine de France », répondit sèchement l'une des dames vêtues de noir.

La future dauphine se sentait sale, comme si elle incarnait le mal. D'un geste maladroit, elle ôta sa robe et son bijou avec l'aide de sa dame de compagnie. L'archiduchesse n'était pas à l'aise à l'idée de se mettre à nu devant des étrangères. Lorsque la jeune femme fut dépouillée de ses vêtements autrichiens, une servante lui remit une robe bleue de coupe française. Elle enfila rapidement le morceau de tissu. La vieille femme fit le tour de Marie-Antoinette en examinant son cou, ses cheveux, sa taille et ses bras. Elle demanda à la future dauphine de présenter ses mains. La jeune Habsbourg s'exécuta volontiers. *La promise semble parfaite*, pensa la Française.

« Marie-Antoinette, vous deviendrez une princesse française. Oubliez votre vie à la Cour impériale des Habsbourg. Dès aujourd'hui, un destin exceptionnel vous attend auprès des Bourbon. La frivolité de Schönbrunn n'est pas de mise à Versailles », précisa-t-elle sur un ton inquiétant.

Marie-Antoinette ressentit un frisson lui traverser le corps. Les paroles de la Française lui enlevèrent le peu de sécurité qui lui restait. Elle aurait voulu s'enfuir à toutes jambes. Mais cela était impossible. Elle n'avait d'autre choix que de poursuivre son chemin vers la Cour royale de Louis XV. Sa mère, la rigide Marie-Thérèse, impératrice d'Autriche, lui avait fait comprendre que sa mission était d'épouser le fils du souverain français. Advienne que pourra, elle remplirait cette tâche quasi divine.

« Madame, je suis prête… nous pouvons poursuivre », lança l'Autrichienne en levant la tête.

La vieille femme et les deux autres Françaises qui l'accompagnaient firent quelques pas vers le fond de la pièce. Elles ouvrirent une porte et sortirent du lieu d'un pas décidé. L'une d'elles se retourna et ordonna de la main à Marie-Antoinette de les suivre. La jeune princesse fit ses adieux à Johanna et déposa sa chaussure droite sur l'herbe humide.

« Votre Altesse Royale, vous voilà en sol du royaume de France », dit la vieille femme.

En traversant le minuscule bâtiment, Marie-Antoinette avait quitté son pays natal. L'archiduchesse d'Autriche n'était plus. Dès cet instant, habillée d'une robe française, elle devenait la promise du dauphin des Bourbon, la future reine de France et de Navarre. L'Étrangère leva les yeux vers le ciel et implora Dieu de la guider dans ses pas.

« Veuillez vous dépêcher, Marie-Antoinette, vous êtes attendue au château de la Muette », s'écria l'une des Françaises.

Elle n'eut pas le temps de savourer cet instant. Rapidement, la jeune femme prit place dans un carrosse en bois. Il était plus spacieux et plus richement décoré que celui dans lequel elle avait quitté

18

l'Autriche. Un cortège composé de six cavaliers prit le chemin de Paris. Tout le long du trajet, Marie-Antoinette se fit petite sur son siège. Elle savait que le regard des autres femmes épiait chacun de ses mouvements. Assise entre les deux Françaises, l'Étrangère médita en silence. Jamais une route ne lui parut aussi longue que celle sur laquelle la voiture roulait en ce moment.

Rendue au château de la Muette, la résidence royale qui a été le centre de plusieurs faits historiques, Marie-Antoinette descendit lentement du véhicule. Elle contempla la beauté de l'imposant bâtiment qui se dressait fièrement devant elle. Un jardin fleuri de toutes sortes de couleurs accueillit la future dauphine de France. L'Étrangère ne pouvait que se soumettre devant ce chef-d'œuvre architectural.

« Marie-Antoinette, le roi a décidé que vous resteriez ici le temps des préparations du mariage princier », déclara la vieille dame.

« Est-ce que mon futur époux séjournera ici également ? »

« Absolument pas ! » répondit la femme sur un ton tranchant.

Il avait été convenu par l'étiquette de la Cour royale que l'Autrichienne resterait quelques semaines au château de la Muette. Entre-temps, des conseillers viendraient lui rendre visite pour la guider dans sa nouvelle vie. Seule une infime quantité de serviteurs seraient à son service. Tant que Marie-Antoinette n'était pas officiellement mariée à Louis, elle n'était pas encore une princesse de la Maison royale des Bourbon. La jeune femme se situait entre deux vies : celle au château de Schönbrunn et celle au château de Versailles. Ayant renoncé à ses droits et à ses titres sur la couronne des Habsbourg, et étant en attente des privilèges à titre de dauphine de France, elle était sans titulature officielle. En se mariant avec le fils du roi Louis XV, elle perdait ses titres de princesse impériale et d'archiduchesse d'Autriche ainsi que celui de princesse royale de Hongrie et de Bohême. Mais selon l'impératrice Marie-Thérèse, le sacrifice en valait la peine. En devenant l'épouse du dauphin de France, Marie-Antoinette serait assise sur le trône de l'un des plus prestigieux royaumes d'Europe.

Un soir de début de mai, l'Étrangère prit place sur un banc dans les jardins. En regardant le ciel étoilé, elle repensa à son enfance auprès de ses sœurs et de ses frères. Leurs nombreuses escapades dans les parterres des résidences impériales, leurs éclats de rire devant les maladresses du vieux jardinier viennois et leurs promenades à chevaux dans les forêts autrichiennes : de doux souvenirs que la jeune femme garderait jalousement dans sa tête.

Alors que la chaleur se faisait de plus en plus sentir sur Paris, la journée du mariage princier approcha. Le 14 mai, une escorte de plusieurs dizaines de cavaliers se présenta devant les portes principales du château de la Muette. Une femme se tenait parmi

20

les hommes. Lorsque Marie-Antoinette sortit à l'extérieur, elle reconnut la vieille française. Son visage n'avait guère changé. *Toujours aussi méprisante*, pensa l'Autrichienne. L'Étrangère avança jusqu'au carrosse et s'assit sur l'un des bancs en cuir.

« Votre Altesse Royale, j'espère que vous avez apprécié votre séjour au château de la Muette », s'informa la femme.

« Absolument, ma chère », répondit hypocritement Marie-Antoinette.

En vérité, elle avait versé des larmes à plusieurs occasions. Arrachée à son pays natal, dépouillée de ses objets personnels et abandonnée seule pendant près d'un mois, elle trouva le choc fort cruel pour une jeune femme comme elle. Le vrai changement restait toutefois à venir.

En parcourant les rues de Paris, la future dauphine regardait attentivement les paysages qui se présentaient. Des églises, des maisons, des marchés publics, des boutiques, des cours d'eau, des boisés et, bien sûr, des Français. Elle se demanda si son peuple l'aimerait. Si ses sujets seraient fiers de l'avoir comme reine. *Nul doute*, se convainquit-elle. La naïveté de ses quatorze ans l'aveuglait terriblement. C'était mal connaître la France que de croire que les Français accepteraient une inconnue comme souveraine. Ce royaume avait vécu des guerres de religions, des conflits politiques et des conquêtes territoriales. Voir une Autrichienne assise sur le trône des Bourbon n'était pas l'image idéale que le peuple espérait pour son avenir.

« Madame, voyez-vous ces hommes et ces femmes ? Ils seront vos sujets lorsque votre époux héritera du trône royal », dit la vieille femme dans l'espoir de détecter un signe de faiblesse chez la jeune Autrichienne.

Marie-Antoinette ne fit pas attention aux paroles de la Française. Que pouvait-elle raconter de si intéressant qu'elle-même ne savait déjà ?

Quelques instants plus tard, le carrosse quitta les rues bondées de la capitale et se dirigea vers la campagne. Étonnée par la nature qui semblait prendre vie, l'Étrangère ne savait plus où jeter son regard. Plein de bourgeons jaillissaient des arbres, des tiges de fleurs sortaient de la terre encore mouillée, des animaux gambadaient dans les champs et de coquettes maisons se dressaient ici et là. Marie-Antoinette se sentait davantage à son aise dans les campagnes qu'au sein des villes grouillantes.

« Que font ces braves gens dans les champs ? » demanda-t-elle.

« Le printemps signifie la semence pour les fermiers. Ici, la terre est d'excellente qualité et permet aux sujets de Sa Majesté de nourrir le royaume », répondit l'autre femme avec un certain intérêt.

22

« Qu'adviendrait-il si la terre venait à être capricieuse ? »

« Le royaume en souffrirait gravement », lança la Française.

Soudain, le silence retomba entre la jeune femme et son interlocutrice lorsqu'elle vit surgir au loin un immense bâtiment. Plus le carrosse approchait, plus la bâtisse prenait de l'ampleur. Jamais les yeux de l'Autrichienne n'avaient vu pareil bâtiment. Certes, le château de Schönbrunn faisait l'envie de plusieurs souverains européens, mais ce qui se dressait devant elle le surpassait totalement.

« Dites-moi, qu'est-ce cette résidence ? »

« Le château de Versailles. C'est ici que le roi et sa cour vivent. »

Versailles, ce nom lui était familier. Tant de fois elle avait entendu ce mot sur les lèvres de sa mère. On racontait même qu'il était le plus imposant de toute l'Europe. Autrefois une simple petite bâtisse de chasse pour les monarques français, Louis XIV en avait fait sa résidence de prédilection. Des centaines de fenêtres et de portes paraient les murs de la résidence. Des statues et des sculptures merveilleuses ornaient les parterres qui étaient resplendissants. La richesse du château de Versailles symbolisait la grandeur de la France.

Le cortège franchit la grille principale et pénétra à l'intérieur du domaine royal. Des dizaines de courtisans dispersés suivirent des yeux le carrosse de l'Autrichienne. Tous avaient une opinion sur la future dauphine de France. Même s'ils ne l'avaient pas encore rencontrée, les membres de la noblesse étaient en colère du fait que leur prince n'épousât pas une des leurs. Pourquoi s'unir à une princesse du Saint-Empire germanique ? Vraiment, Marie-Antoinette n'était pas la bienvenue parmi eux.

Lorsque le véhicule s'immobilisa devant l'entrée centrale du château de Versailles, la garde royale traça un chemin à la promise du dauphin. L'Autrichienne sortit du carrosse, suivie de la vieille femme, et poursuivit sa route jusqu'aux portes de l'édifice du centre. Un homme, vêtu de rouge, vint accueillir l'Étrangère.

« Madame, soyez la bienvenue au château de Versailles. Sa Majesté le roi vous accordera un entretien en après-midi. Jusque-là, vous êtes invitée à vous rendre à vos appartements. Leurs Altesses Royales, vos futures belles-tantes, viendront vous saluer », l'informa l'individu à la perruque un peu décoiffée.

Marie-Antoinette n'eut pas le temps de répondre que l'homme s'était déjà éloigné. Se sentant un peu perdue, elle suivit un domestique sans ouvrir la bouche. Il la conduisit jusqu'à une superbe chambre. Les murs étaient décorés de dorure et de tapisseries toutes plus magnifiques les unes que les autres. Un mobilier reluisant remplissait chaque recoin de la pièce. Mais ce qui frappa d'abord le regard de l'Autrichienne, c'était la vue grandiose qui s'offrait à elle. Les fenêtres, aux dimensions gigantesques, donnaient directement sur une partie des jardins du domaine. Amoureuse des fleurs, la jeune femme était émerveillée par tant de beauté. Certes, la splendeur du bâtiment attira son attention, mais c'était davantage les parterres multicolores qui piquèrent sa curiosité.

Après un long moment, Marie-Antoinette quitta la fenêtre et se précipita vers le lit, un meuble imposant orné de rideaux beiges. Rendue au pied du lit, elle sauta dans les couvertures froides. Allongée sur le dos, l'Étrangère se mit à réfléchir à son destin. Née autrichienne, elle deviendrait dans quelques jours l'épouse de l'héritier du trône des Bourbon. Celle qui n'avait jamais rencontré son futur mari se demanda si la vie en couple lui conviendrait. Dans son pays natal, elle était une femme plutôt indépendante. Marie-Antoinette et ses sœurs formaient un clan tellement inclusif qu'elle doutait pouvoir s'offrir à une seule personne, en l'occurrence son époux. Mais avait-elle d'autre choix ? Sa mère l'avait formée à devenir la meilleure compagne qu'un homme puisse rêver. Comme d'habitude, elle ferait selon les désirs de l'impératrice Marie-Thérèse d'Autriche. Sur ces pensées, la jeune femme ferma les paupières et s'endormit.

Alors que le soleil éclairait l'endroit de tous ses feux, quelqu'un frappa à la porte de la chambre de l'Étrangère. Elle n'eut pas le temps de se lever qu'un domestique vêtu de l'uniforme blanc et or aux armes du royaume de France tourna la poignée. L'instant d'après, un défilé de courtisanes pénétra à l'intérieur. Pas moins de huit femmes, richement habillées, firent un vacarme pour annoncer leur entrée. Parmi ces dernières, trois se démarquèrent. Surnommées « Mesdames tantes », les filles du roi Louis XV étaient reconnues pour leur mauvaise langue. La princesse Adélaïde, la patronne du trio, s'avança vers l'Autrichienne. Debout, près de son lit, Marie-Antoinette demeura immobile. Gênée par l'attitude des dames de la Cour royale, elle ne savait trop comment réagir.

« Vous êtes plutôt jolie… malgré votre corps squelettique », s'écria la tante de son futur époux en l'examinant de la tête aux pieds.

« Vous avez raison », déclarèrent en signe d'appui les deux autres sœurs.

« Mesdames, puis-je connaître votre identité ? » demanda Marie-Antoinette avec timidité.

Toutes les femmes présentes éclatèrent de rire en entendant les paroles de l'Étrangère.

« Bien sûr, ma chère enfant. Je suis la princesse Adélaïde, et voici mes sœurs, les princesses Victoire et Sophie. Nous sommes les tantes de Louis, votre promis. »

« Comment dois-je vous appeler ? » s'enquit l'Autrichienne.

26

« Simplement "tantes" », répondit l'autre avec un sourire mesquin.

Heureuse de rencontrer les premiers membres de sa belle-famille, Marie-Antoinette serra la princesse entre ses bras. Ce geste fit sursauter Adélaïde, mais surtout le cortège de dames présentes. Jamais n'avaient-elles vu une princesse de sang royal se retrouver dans une situation aussi fâcheuse. Consciente qu'elle venait de faire une maladresse, Marie-Antoinette retira aussitôt ses bras.

« Veuillez m'excuser, tante Adélaïde. »

« Je vois que mes sœurs et moi aurons beaucoup à accomplir pour faire de vous une dauphine convenable », répliqua sur un ton autoritaire la fille de Louis XV.

Sur cette première rencontre, les demoiselles prirent congé de Marie-Antoinette et retournèrent à leurs occupations. À nouveau seule, l'Autrichienne laissa couler une larme sur son visage. Pour elle, il n'y avait rien d'offensant à démontrer de la joie à la tante de Louis. L'Étrangère avait mal agi et se sentait idiote d'avoir fait ce geste en public. Tout lui était inconnu, elle devait apprendre à vivre selon l'étiquette de Versailles. Habituée à passer ses longues journées à s'amuser avec ses sœurs, elle était maintenant l'objet de fixation de toute la Cour royale. L'Autrichienne retourna vers les fenêtres et regarda le ciel bleu. *Antoinette, tu dois te ressaisir*, dit-elle en elle-même. *Dans deux jours, tu deviendras l'épouse du dauphin de France. Tu ne peux te permettre de mettre la Couronne dans l'embarras*. La jeune femme ressentit une douleur au ventre. La nervosité lui rongeait l'intérieur. Au même moment, quelqu'un frappa encore à sa porte. Cette fois-ci, elle eut le temps de se retourner et de replacer sa robe.

« Madame, Sa Majesté le roi vous convie à lui tenir compagnie sur l'heure du repas », lui annonça un domestique.

« Bien, dites à Sa Majesté que je le remercie. »

Les portes se refermèrent de nouveau et le silence revint envahir la pièce. C'était le moment de faire bonne impression auprès du souverain et de sa cour. L'Étrangère n'allait pas laisser échapper une si belle occasion. Elle se hâta de sonner une clochette afin de bénéficier de l'aide de deux dames de compagnie. Rapidement, les servantes arrivèrent aux appartements de Marie-Antoinette.

« Mesdames, j'ai besoin d'une robe pour ce soir. Je prendrai part au repas du roi », dit-elle.

Pendant une partie de l'après-midi, la future dauphine essaya plusieurs robes. Soucieuse de bien paraître auprès de Louis XV, elle prit un temps fou à choisir le bon vêtement. Finalement, le tissu tant convoité se présenta sous les yeux de l'Autrichienne. Une robe pourpre, soigneusement décorée de dentelle blanche, assortie d'un scintillant collier de diamants. Pour agrémenter le tout, une coiffe de plumes de paon aux couleurs brillantes. Satisfaite de

28

ses trouvailles, Marie-Antoinette – aidée de ses dames de compagnie – enfila sa toilette.

Lorsqu'elle fut prête, un cortège de dames et de cavaliers l'escorta jusqu'à la salle où se tenaient le roi et ses nombreux courtisans. L'endroit était bondé de personnes et un vacarme étourdissant envahissait les lieux. Des hommes et des femmes ricanaient, d'autres discutaient à haute voix. Des musiciens essayaient de créer une ambiance, sans trop de réussite. Des tables, surmontées de nappes beiges, étaient installées en forme de fer à cheval. Jamais Marie-Antoinette n'avait vu autant de gens assister à un repas, aussi royal fut-il.

« Mon enfant, venez vous asseoir près de moi », hurla le roi en invitant de la main l'Autrichienne.

Enthousiasmée par l'attention que le monarque lui manifesta, la future dauphine exécuta aussitôt sa demande. Elle s'approcha de Louis XV et lui fit la révérence. Le souverain fut charmé par l'élégance de la fille de l'impératrice Marie-Thérèse.

« Quel joli visage avez-vous, ma chère », dit-il pour adoucir l'atmosphère.

À ces paroles, les courtisanes – jalouses de Marie-Antoinette – chuchotèrent des méchancetés. Les unes riaient de sa coiffe, les autres se moquaient de son physique. La future dauphine entendit leurs médisances, mais elle n'en fit pas de cas. Son objectif ultime était de s'attirer les bonnes grâces de Louis XV et, à ce chapitre, elle avait largement réussi. Un valet lui indiqua une place entre les princesses Adélaïde et Sophie. Le roi se trouvait directement face à elle. Marie-Antoinette aurait aimé être plus près mais, pour l'instant, elle s'en conviendrait.

« Mesdames tantes, je vous salue », dit-elle machinalement en prenant place entre les deux filles du monarque.

« Vous êtes en beauté, ma chère », balbutia la plus âgée des princesses royales.

« Vous êtes bien aimable, tante. »

Après avoir échangé quelques formalités avec ses convives, le roi entama la première bouchée. Ce geste autorisait les invités à prendre part au repas. Terrorisée par les autres membres de la noblesse, Marie-Antoinette mit un certain temps avant d'avaler sa nourriture. Elle regarda délicatement autour d'elle. Tant de loups et de louves qu'elle devrait affronter pour bien garder la tête sur les épaules. L'Autrichienne comprit dès ce moment qu'elle n'était pas l'une des leurs. Probablement qu'elle ne le serait jamais. L'Étrangère savait désormais que ses ennemis n'étaient pas tous de l'autre côté de la frontière. Elle était jeune et naïve, mais elle n'avait nullement l'intention de se faire prendre au piège.

« Dites-moi, chère tante Adélaïde, qui est-ce ? » demanda Marie-Antoinette en désignant la femme aux côtés du roi.

30

« La putain royale », répondit amèrement la fille du souverain.

« Que voulez-vous dire ? »

« La comtesse du Barry est la maîtresse de notre père le roi. Elle a envoûté le monarque et ses courtisans. Il n'en demeure pas moins qu'elle est une menace pour les Bourbon et la Couronne royale. »

∅

Jeanne Bécu, plus connue sous la titulature de comtesse du Barry, avait été présentée au roi Louis XV en 1768. Alors âgée de vingt-cinq ans, la jeune roturière représentait un souffle nouveau dans la triste existence du souverain français. Ce dernier avait perdu plusieurs membres de sa famille au cours des années précédentes : une fille, un petit-fils, une épouse et une maîtresse. Madame Bécu, née d'une mère domestique et d'un père du même rang social, avait débuté sa carrière comme vendeuse dans une boutique luxueuse. Ambitieuse, elle réussira à rencontrer le roi et à le charmer. Sans titre, elle convainquit un noble de l'épouser et, par l'entremise du souverain, elle l'éloignera dans ses terres. Aristocrate et pupille de Louis XV, la comtesse du Barry prendra les règnes du cœur royal jusqu'à sa mort, en 1774.

∅

Marie-Antoinette décida dès lors de classer la favorite du roi dans la catégorie des ennemis à abattre. Si les tantes de son futur époux détestaient cette femme, elle, la nouvelle venue, devait en faire autant.

Tout le long du repas, l'Étrangère échangea avec les personnes présentes dans la salle. Elle passa un instant avec un duc breton, un autre avec une baronne de la région de Marseille. Tant bien que mal, elle essaya de se tailler une place au sein de ces requins affamés. Innocemment, elle se croyait en sécurité auprès des princesses de la Cour royale.

Lorsque la soirée se termina, alors que la lune éclairait la nuit depuis un bon moment déjà, Marie-Antoinette prit congé et se retira dans ses appartements privés. Seule à nouveau, elle plongea son regard dans la fenêtre de sa chambre. La blancheur de l'astre lunaire se reflétait sur les eaux calmes des bassins de Versailles. En sol français depuis un mois, la jeune femme s'ennuyait cruellement du château de Schönbrunn. Elle avait saisi qu'à la Cour impériale d'Autriche se cachaient des vautours, mais elle n'était que l'archiduchesse, fille d'empereur, et non la future épouse de l'héritier du trône le plus convoité d'Europe. À cette pensée douloureuse, elle laissa échapper une larme sur sa joue rose.

« Antoinette, ressaisis-toi... Tu dois épouser Louis dans deux jours », se dit-elle à haute voix.

Avec l'aide de servantes, la jeune femme ôta sa lourde toilette. Lorsque les domestiques se retirèrent, elle s'agenouilla devant son lit et fit le signe de la croix.

« Ô Seigneur, aidez-moi à surmonter cette épreuve. Accompagnez-moi dans mon rôle de dauphine et d'épouse. Au nom du Père, du Fils et du Saint-Esprit. »

Exténuée par cette première journée, elle s'endormit très rapidement.

Malgré la fatigue énorme qui l'accablait, Marie-Antoinette se réveilla en sueur à plusieurs moments. L'inquiétude de vivre au château de Versailles perturbait son sommeil. Une foule d'images, toutes plus angoissantes les unes que les autres, se bousculaient dans la tête de l'Autrichienne. Celles qui revenaient le plus souvent mettaient en scène les sœurs du roi. Dans chaque cauchemar, les tantes de son futur époux la poussaient dans un trou noir ou la retenaient sous l'eau. La jeune femme avait une crainte atroce de ces dames.

Le matin du 15 mai, très tôt, les courtisanes de la Cour royale firent leur entrée dans les appartements de l'Étrangère. Encore sommeillante, celle-ci ouvrit difficilement les yeux. Décidément, la nuit avait été trop courte et Marie-Antoinette le ressentait.

« Ma chère enfant, vous devrez vous habituer aux rigueurs de Versailles », dit d'une voix désespérée la princesse Adélaïde.

Au son de cette voix, l'Autrichienne sentit un frisson lui traverser le corps. Ce n'était pas un cauchemar, la fille de Louis XV se tenait réellement près d'elle. D'un geste machinal, Marie-Antoinette se redressa sur son lit, regarda autour de la pièce et referma les yeux un bref instant. *Le cirque recommence*, se dit-elle. La jeune femme posa le pied droit sur le plancher glacé, suivi du pied gauche. Elle sortit du lit et tendit les bras. L'Étrangère attendit que les rites du protocole reprennent de plus belle.

« Que faites-vous, ma chère ? » s'enquit l'une des princesses.

« Ma chère tante, j'attends qu'on m'habille. »

« Sans vous avoir donné un bain ? Peut-être qu'à Schönbrunn la famille impériale ne se soucie guère de leur apparence, mais ici, à Versailles, nous nous faisons un devoir d'être présentable en public. Surtout les membres de sexe féminin », ajouta la femme.

Gênée par sa maladresse et humiliée par les propos de la fille du roi, Marie-Antoinette s'excusa de sa bêtise. Aussitôt, les servantes la guidèrent vers le bain. Située au milieu d'une petite pièce étroite et glacée, la cuve remplie d'eau attendait patiemment l'Étrangère. Entourée de ses futures belles-tantes et de quelques domestiques, l'Autrichienne – vêtue d'une robe blanche, mince et quasi transparente – plongea son corps dans le liquide tiède. Mal à l'aise de se retrouver presque nue devant autant de personnes, elle ferma les yeux pour les oublier.

Pendant ce temps, trois femmes au service du château épongèrent délicatement chaque membre du corps frêle de Marie-Antoinette. L'une se chargea des jambes, l'autre des bras et la dernière du visage. Alors que la promise du dauphin se laissait laver, les trois princesses se tenaient debout non loin d'elle.

« Marie-Antoinette, nous devons nous hâter afin de vous préparer pour la cérémonie du mariage. Comme vous le savez, vous épouserez notre bien-aimé neveu demain. Pour l'occasion, la future dauphine de France doit connaître sur le bout des doigts les rites du mariage. »

Toujours incommodée par sa quasi-nudité, l'Autrichienne écoutait tant bien que mal les paroles de la princesse Adélaïde. Elle n'ouvrit pas les yeux, non pas par manque de respect, mais plutôt par timidité.

« Mon enfant, m'écoutez-vous lorsque je vous parle ? » lança la femme en élevant le ton.

« Bien sûr, princesse Adélaïde. »

« Bien ! Tout d'abord, lorsque vous serez convenablement vêtue, nous nous rendrons dans la chapelle pour vous enseigner la démarche souhaitée. Par la suite, une couturière viendra vous rencontrer dans votre petit salon pour vous faire essayer certaines robes. Des vêtements que j'ai soigneusement choisis pour vous. Des bijoux vous seront proposés ainsi qu'une coiffe pour la cérémonie. N'oubliez pas, en devenant membre de la famille royale, vous devez dégager une image à la hauteur de la France. Enfin, je m'assurerai moi-même de vous informer sur les devoirs d'une dauphine, notamment pour la continuité du trône. M'avez-vous bien comprise ? » demanda la fille de Louis XV d'un air intimidant.

« Absolument, ma future tante », répondit la jeune femme en ouvrant les yeux.

« Je reviendrai lorsque la future dauphine sera en mesure de sortir de ses appartements », lança la princesse Adélaïde aux domestiques.

En regardant les filles du roi quitter la pièce, Marie-Antoinette sentit l'inquiétude s'évaporer. Lorsqu'elle se retrouvait dans la même pièce qu'Adélaïde, une grande anxiété lui rongeait l'intérieur. La tante du dauphin était l'une des pires personnes qu'elle avait rencontrées dans sa vie. *Je dois me ressaisir, car la princesse fera partie de ma vie pour un long moment*, se répéta-t-elle.

« Veuillez me laisser seule, je vous prie », ordonna l'Étrangère.

« Madame, la princesse Adélaïde… »

La servante la plus âgée n'eut pas le temps de terminer sa phrase que Marie-Antoinette apporta une précision.

« Dans mes appartements, c'est moi qui donne les directives. »

36

« Bien, Madame », répliquèrent en cœur les domestiques.

À nouveau seule, Marie-Antoinette referma les yeux non pas par intimidation, mais plutôt pour se détendre. Elle savait qu'une longue journée l'attendait. L'Autrichienne ressentit une douleur à la tête. Des élancements lui firent atrocement mal. Elle plongea sous l'eau quelques instants afin d'apaiser sa souffrance. La jeune femme ne se posa pas de questions, car elle connaissait la raison de ces maux. En repensant à l'Autriche, elle versa une larme chaude sur sa joue moite. Rien ne serait plus jamais pareil. L'archiduchesse n'était plus, et la dauphine s'annonçait prochainement. Elle avait un avenir hors du commun et rien ni personne ne pourrait changer son destin. Il ne lui restait plus qu'à s'y soumettre humblement.

Lorsqu'elle eut terminé de se laver, Marie-Antoinette fit sonner une petite clochette dorée. Trois servantes, habillées de blanc, entrèrent dans les appartements de l'Étrangère. Elles aidèrent la future dauphine à sortir de la baignoire et à s'éponger. L'une d'elles amena une jolie robe jaune brodée de ficelles argentées.

« Une merveille ! » s'exclama la jeune femme.

Aidée de ses servantes, elle enfila le vêtement sans trop de difficulté. L'Autrichienne déposa ses petits pieds fins dans les souliers assortis. La cadette des domestiques, après avoir peigné avec soin une perruque blanche, déposa la coiffe sur la tête de Marie-Antoinette.

«Vous êtes splendide», s'écria la princesse Adélaïde en pénétrant dans la pièce.

Au son de cette voix, l'Étrangère se retourna illico. Elle ressentit de nouveau la nervosité l'envahir.

«J'ai pour vous un bijou à la hauteur de votre beauté», dit la femme en s'avança vers la future dauphine.

Elle sortit d'un petit sac en velours un délicat collier de perles blanches. La fille de Louis XV prit soin de l'accrocher elle-même au cou de la promise de son neveu.

«Voilà la finition», déclara-t-elle en souriant.

«Vous êtes bien gentille, ma belle-tante», répondit en guise de remerciement la jeune femme en glissant ses petits doigts sur le bijou.

«Je ne l'ai pas fait pour vous, ma chère, mais pour mon neveu», répliqua froidement la princesse.

Ces paroles atteignirent directement le cœur de Marie-Antoinette. Il était plus qu'évident que la famille royale n'était pas prête à l'accueillir à bras grands ouverts.

«Maintenant que vous êtes présentable en public, nous devons poursuivre notre journée. Mes sœurs nous attendent à la chapelle royale. Sur place, nous vous montrerons la démarche acceptable pour le mariage royal. »

« Bien, Madame ! » laissa échappé à voix basse la jeune femme.

Entourée de la princesse Adélaïde, de domestiques et de deux soldats, Marie-Antoinette quitta ses appartements. Elle traversa de longs couloirs richement décorés et s'émerveilla de tant de splendeur. Depuis son arrivée, elle n'avait pas eu le privilège de contempler les lieux. Épiée constamment et confinée dans sa chambre, c'était la première fois qu'elle pouvait admirer l'endroit à la lumière du jour. Rien ne semblait comparable entre le château de Schönbrunn et celui de Versailles. Décidément, le royaume de France rayonnait de richesse et de beauté.

Pour éviter aux courtisans de voir la future dauphine, la fille du roi emprunta des passages peu fréquentés. Elle souhaitait ainsi non pas ménager sa future nièce, mais plutôt ne pas tomber sur Louis. Le dauphin ne devait nullement voir sa promise, c'était la tradition, et comme la Cour royale française se nourrissait du protocole, elle n'allait pas passer outre à cette façon de faire.

Après un long moment, le cortège arriva enfin devant les portes de la chapelle royale. Un garde ouvrit ces dernières et tous entrèrent à l'intérieur. Là encore, Marie-Antoinette fut étonnée par les décors prestigieux de l'endroit. Des vitraux étincelants, un plancher de marbre reluisant, des colonnes de marbre imposantes et un chœur époustouflant. Les objets de culte étaient en or massif et regorgeaient de pierres précieuses. Au fond du chœur se tenait un immense crucifix en bois sur lequel agonisait un christ en or. *Voilà mon destin !* se surprit à penser l'Autrichienne.

Pendant une partie de l'avant-midi, les princesses enseignèrent à la future dauphine les procédures à suivre lors de la cérémonie du mariage. Elles lui montrèrent les pas dans l'allée centrale, la démarche royale et les paroles à prononcer devant le prélat de l'Église catholique romaine. Adélaïde s'assura que chaque mouvement et chaque mot fut parfait. Son père, Louis XV, l'avait mandatée pour assumer cette responsabilité importante. Ce n'était sûrement pas une petite Autrichienne naïve qui viendrait à bout d'elle. Les répétitions se déroulèrent jusqu'à ce que la fille du roi fût entièrement satisfaite. Heureusement, l'Étrangère assimila assez rapidement ce que les femmes lui apprirent.

« Ma chère enfant, je crois que nous avons réussi avec vous. Vous devez maintenant retourner à vos appartements, une couturière vous y attend. Elle vous fera essayer des vêtements et prendra vos mensurations afin de vous confectionner une robe digne de l'événement », précisa la princesse Adélaïde.

Aussitôt que les directives de la tante de Louis furent données, Marie-Antoinette – et une partie du cortège – retourna à sa chambre. Tous réempruntèrent les mêmes passages afin de ne pas croiser le chemin du dauphin.

Dans les appartements de l'Autrichienne, quelques femmes attendaient Marie-Antoinnette. La promise s'avança vers elles et grimpa sur un petit tabouret en bois. L'Étrangère était fin prête pour la prise de ses mensurations. La couturière, une vieille femme à la peau brunâtre, prit les dimensions de la taille, de la poitrine, du cou, des bras et des jambes de la future épouse. Elle ne prononça aucun mot pendant la durée de l'exercice. Lorsque la couturière eut terminé, elle fit un signe à l'une de ses assistantes. Celle-ci répondit à ce geste en apportant cinq robes toutes plus jolies les unes que les autres.

« Madame, voici les vêtements que la princesse Adélaïde a choisis pour vous. Afin de vous confectionner la toilette appropriée, nous aimerions connaître les couleurs que vous préféreriez. »

En descendant du tabouret, Marie-Antoinette regarda chacune des merveilles en tissu. Le choix semblait extrêmement difficile à faire. Elle savait que tous les yeux se tourneraient vers elle et qu'elle ne devait nullement déplaire à la famille royale. Finalement, l'Autrichienne décida de la couleur idéale : un pourpre pâle. Pas trop voyant, mais d'une élégance garantie.

« Bien, Madame ! Nous devons également choisir la coiffe que vous porterez », suggéra l'assistante.

Là encore, cinq modèles de perruque lui furent présentés. Parmi eux, un modèle se démarquait. La coiffe était plus haute et habilement agencée. L'extravagance de la chevelure l'intéressait au plus haut point.

Lorsque chaque détail fut réglé, la couturière et ses auxiliaires quittèrent les lieux. Elles avaient besoin de toute la journée et de toute la nuit pour créer la robe de la future dauphine.

Se croyant libre pour un repos bien mérité, Marie-Antoinette fut déçue de voir la princesse Adélaïde entrer dans ses appartements.

« Avez-vous rencontré la couturière ? » demanda-t-elle.

« Oui ! J'ai choisi la robe et la coiffe. »

« Et le bijou ? » s'informa Adélaïde.

« Le bijou ? Je crois qu'il serait plus convenable de ne pas en porter », répondit l'Étrangère.

La fille de Louis XV éclata de rire.

« Voyez-vous ça ? Madame se croit experte dans l'image de la famille royale. »

« Non, ma chère belle-tante », répliqua Marie-Antoinette en transpirant.

« Petite idiote ! C'est moi qui décide de ce qui est convenable ou pas. Vous porterez un collier, des boucles d'oreilles, une bague ainsi qu'un bracelet comme je l'ai demandé », dicta la femme.

Humiliée et honteuse, l'Autrichienne baissa la tête et rougit. La princesse venait – encore une fois – de la rendre mal à l'aise.

« Je vous ferai apporter les bijoux en fin d'après-midi. Vous les porterez demain lors du mariage. Me suis-je bien fait comprendre ? »

« Absolument, Madame ! » murmura Marie-Antoinette, quasi en larmes.

« Je vous laisse pour le repas. Je vous attends en début d'après-midi, dans les jardins. Alors que nous ferons notre promenade, je vous expliquerai ce que le royaume de France attend de vous », conclut la princesse.

L'Étrangère n'eut pas le temps d'ouvrir la bouche que la fille de Louis XV quitta les lieux.

La jeune femme, afin de ne pas rencontrer son futur époux, était confinée dans ses appartements. Pour cette raison, un valet vint lui apporter son repas. Même si le plateau contenait de succulents morceaux de viande, des fromages alléchants et du pain frais, elle ne toucha pas à son assiette. L'Autrichienne était désemparée, car la cérémonie du mariage arrivait à grands pas. Si une maladresse de sa part venait gâcher l'événement, toute la famille royale lui en tiendrait rigueur. Sa mère, la sévère Marie-Thérèse, serait déshonorée. Rien qu'à cette pensée, elle eut mal au ventre. La promise appliqua sa main sur son abdomen et se tortilla de douleur. Se sentant très mal, elle s'allongea sur le lit un bon moment. Puis ses paupières se fermèrent petit à petit. Fatiguée de toute cette agitation, elle tomba dans un sommeil profond. Marie-Antoinette oublia même qu'elle devait rencontrer la princesse Adélaïde dans les jardins de Versailles.

« Madame ! Madame, réveillez-vous », chuchota doucement une jeune fille aux cheveux blonds.

L'Autrichienne se réveilla, un peu confuse, et reprit ses esprits.

« Que se passe-t-il ? »

« La tante du dauphin vous attend dans les jardins », répondit l'enfant d'une voix calme.

À ces mots, Marie-Antoinette bondit du lit aussitôt. *Faire attendre la princesse doit être sûrement la pire chose à faire pour la mettre en colère*, se dit-elle.

« Je vous remercie, ma chère. Qui êtes-vous au juste ? » demanda l'Étrangère.

« Je suis Marguereth, la fille de l'ambassadeur de Suède. Mon père est en compagnie du roi. Je me promenais dans les jardins et j'ai entendu la princesse exiger votre présence. Je suis venue vous avertir », expliqua-t-elle.

« Comment êtes-vous entrée ici ? »

44

« J'ai mon petit secret… Je vous le dévoilerai la prochaine fois. Pour l'instant, la princesse s'impatiente », précisa la jeune fille.

D'un pas accéléré, Marie-Antoinette s'empressa de rejoindre la tante de son futur époux. Elle traversa à vive allure les corridors du château et sortit par l'une des portes menant directement aux jardins royaux. Préoccupée par la réaction d'Adélaïde sur son retard, elle ne remarqua pas les milliers de fleurs multicolores et ne sentit pas les parfums mélangés des lieux.

« Vous voilà enfin, ma chère », soupira la fille du roi de France.

« Veuillez m'excuser, Madame », répondit l'Autrichienne sur le bout des lèvres.

La princesse renvoya sa dame de compagnie qui se tenait à ses côtés. Elle souhaitait s'entretenir en privé avec la promise afin de l'humilier sans témoin.

« Venez, Marie-Antoinette ! Je profiterai de notre balade pour vous décrire en détail les attentes de la Couronne envers vous. »

Les deux femmes, l'une à côté de l'autre, marchèrent lentement dans les couloirs de fleurs. L'endroit était calme, hormis quelques chants d'oiseaux qui égayaient les lieux. Bien que l'été ne fût pas encore là, les journées étaient plus chaudes que lors des années précédentes. Les fleurs et les arbres les plus précoces avaient déjà dévoilé leur beauté. Seul un petit vent frais rappelait que le printemps n'était pas encore terminé.

« Ma chère enfant, le royaume de France est l'une des terres les plus anciennes d'Europe. Depuis des siècles, la Couronne royale s'efforce de montrer une image parfaite. Les sujets du roi ont besoin de croire que les membres de la famille royale sont sans reproche. Me comprenez-vous bien ? » demanda la femme en serrant légèrement le poignet de l'Étrangère.

« Absolument, chère tante », répliqua à voix basse la future dauphine.

« Le royaume de France a vécu plusieurs drames politiques et religieux. Le trône de mon père doit survivre à toutes ces épreuves. L'une des tâches, sinon la plus importante, de la future reine de France est de donner un héritier. La survie de la royauté passe par la succession, et successeur il y a lorsque naît un fils. Donc, vous, Marie-Antoinette, devez vous assurer de donner naissance à un enfant le plus rapidement possible. Remerciez le ciel de ne pas être dans un royaume anglais. Là-bas, les reines sont décapitées pour ne pas avoir rempli cette mission », déclara la princesse en prenant soin d'effrayer l'Étrangère par ses paroles.

Après son discours sur le rôle de l'épouse du futur roi, Adélaïde décrivit minutieusement le processus de l'acte sexuel. Marie-Antoinette, trop naïve et encore jeune, écouta chacune des paroles de la fille de Louis XV.

46

Vers la fin de l'après-midi, elles retournèrent à l'intérieur de la résidence royale. L'Étrangère se dirigea vers ses appartements, alors que la Française rejoignit ses sœurs. Encore une fois, tout fut fait pour qu'aucun contact visuel n'ait lieu entre Louis et Marie-Antoinette.

Seule dans sa chambre, la fille de l'impératrice d'Autriche s'assit sur un fauteuil, non loin d'une fenêtre. Le soleil éclairait la pièce et les dorures reluisaient de toute part. La scène était magnifique et apaisait Marie-Antoinette. Tant de choses se bousculaient dans la tête de la jeune femme. Les Bourbon et sa famille espéraient tellement de sa personne. Comment pouvait-elle être à la hauteur de leurs attentes ? L'Autrichienne ne pouvait revenir en arrière, il lui était impossible d'échapper à son destin. La future dauphine devait y faire face, aussi difficile fut-il.

Au moment où ses pensées se dissipaient, un visiteur fit son apparition dans ses appartements. Marie-Antoinette le reconnut immédiatement et fut soulagée de revoir un visage familier.

« Ambassadeur ! » s'exclama l'Étrangère.

« Votre Altesse Royale », dit l'homme en guise d'introduction.

« Mon brave, je ne suis pas encore la dauphine de France, répliqua-t-elle. Cessez de dire "Altesse Royale" »

« Madame, ce sera chose faite dès demain. »

Après avoir déposé un léger baiser sur la main de la jeune femme, le diplomate autrichien prit place sur un fauteuil, près de la future épouse de Louis.

⚜

L'ambassadeur d'Autriche en France, Florimond-Claude, comte de Mercy-Argenteau, occupait ce poste depuis 1766. Proche allié de Marie-Thérèse d'Autriche, il jouera le rôle d'espion de l'impératrice auprès de Marie-Antoinette. Le comte renseignera la Cour impériale sur chaque geste de la dauphine. Homme de carrière, il souhaitera voir la promise tirer les ficelles du royaume de France. En dehors de sa vie publique, l'ambassadeur fréquentera la cantatrice française Rosalie Levasseur, dont il sera amoureux.

⚜

« Marie-Antoinette, je suis ici pour vous transmettre les dernières directives de votre mère, Sa Majesté l'impératrice. Comme vous le savez, l'Empire compte sur vos habilités de femme pour tirer profit de votre position auprès du roi Louis XV. Vous n'êtes pas sans savoir que le royaume de France occupe une place névralgique au sein de l'Europe. Pour cette raison, l'Autriche a besoin que le souverain devienne un allié de la cause impériale. Vous comprenez ? » interrogea-t-il.

48

« Bien sûr ! Me croyez-vous si dépourvue de sens que je ne puisse saisir la tâche que ma mère attend de moi ? » répliqua-t-elle sur un ton désinvolte.

« Absolument pas, Madame », répondit l'homme du tac au tac.

Ne souhaitant pas froisser Marie-Antoinette, le comte de Mercy-Argenteau changea de sujet illico.

« Madame, comment trouvez-vous Versailles jusqu'à maintenant ? Vous sentez-vous à votre aise ? »

L'Étrangère ne savait trop que répondre à ces questions. Si elle disait la vérité, ses propos seraient rapportés à sa mère et, la connaissant, elle en subirait les conséquences. Le mensonge était de mise dans cette situation plus que délicate.

« Je me porte à merveille, monsieur l'ambassadeur », dit-elle hypocritement.

« Je suis soulagé d'entendre vos paroles et soyez assurée que l'impératrice le sera également. »

Après ces quelques échanges, le diplomate autrichien prit congé de Marie-Antoinette.

Durant toute la soirée, un défilé interminable de courtisans vint saluer celle qui deviendrait leur future reine. Des nobles, des hommes d'Église et des membres de la famille royale se déplaçaient un à un dans les appartements de la fille de l'impératrice d'Autriche. Outre certains visages des Bourbon,

Marie-Antoinette ne connaissait personne. Par respect pour le protocole, elle accepta la présence de ces intrus jusqu'à tard dans la soirée. Lorsque les portes se refermèrent enfin, la jeune femme tomba immédiatement dans un profond sommeil. Rien ne pouvait la sortir de ce repos plus que mérité.

Le 16 mai 1770, très tôt, les princesses royales vinrent réveiller la promise du dauphin de France. Ce matin-là était le plus important de la jeune vie de Marie-Antoinette. Elle était sur le point de fixer son destin : épouser le petit-fils de Louis XV. Cela signifiait aussi se plier au rigide protocole de la Cour royale et perdre toute liberté. L'Autrichienne le savait et ne pouvait faire autrement que de se soumettre à la bonne volonté des Bourbon.

Une armée de domestiques, de servantes et de dames de compagnie fourmillaient dans les appartements de la jeune femme. Chaque personne avait une tâche à accomplir afin de préparer la mariée. Le tout se déroulait sous la supervision autoritaire de la princesse Adélaïde. La robe, confectionnée en toute hâte, l'attendait sur un mannequin en bois. Comme le défendait la tradition, aucun homme n'était autorisé à pénétrer dans les lieux. Pendant que toutes ces femmes s'affairaient à rendre convenable l'apparence de l'Étrangère, comme le disait la fille du roi, la future dauphine passait en revue les enseignements appris la veille : la démarche, les paroles et le style. Une nervosité incontrôlable envahit soudainement la jeune femme.

« Marie-Antoinette, retenez-vous... Votre corps tremble affreusement. Ne nous faites pas honte, ma chère », s'écria d'une voix brusque la tante de l'héritier.

Marie-Antoinette essaya de se ressaisir du mieux qu'elle pouvait. Il lui était difficile de se calmer vu la pression sans relâche que les filles du roi exerçaient sur elle.

Au bout d'un long moment, la mariée fut enfin prête pour la cérémonie. Elle portait une longue robe pourpre, agrémentée de ficelles blanches ainsi que de deux petits souliers beiges. Sur sa tête, l'Étrangère portait une volumineuse coiffe blanche ornée de bijoux en or. Tel que l'avait décidé Adélaïde, la future reine de France était parée de splendides bijoux appartenant à la Couronne royale.

« J'ai peine à le croire, mais nous avons réussi à faire de vous une princesse. D'un vilain petit canard, vous voici un cygne rayonnant », déclara la femme en souriant de satisfaction.

Entre-temps, un valet frappa aux portes de la chambre de la future dauphine pour lui annoncer que l'heure du mariage était arrivée.

Afin de ne pas retarder la cérémonie, Marie-Antoinette, escortée des princesses royales et de gardes, se rendit à la chapelle du château de Versailles. Pendant son passage, des hommes et des femmes se prosternèrent. En s'unissant au dauphin de France, elle devenait un membre à part entière de la famille royale. Cette position – enviée par plusieurs courtisanes – signifiait l'ultime consécration, outre celle de devenir reine.

Des gardes costauds ouvrirent les deux immenses portes du temple religieux. Marie-Antoinette ferma les yeux un instant, prit une grande respiration et avança lentement à l'intérieur de la chapelle. Lorsque l'Autrichienne rouvrit les yeux, elle fut stupéfaite de constater la multitude de personnes qui s'y étaient entassées. La jeune femme sentit des dizaines de regards se fixer sur elle. Une chaleur accablante étourdissait la future dauphine. Un nombre incalculable de bougies éclairaient les lieux. Des drapeaux représentant les régions du royaume de France étaient accrochés aux murs. *Marie-Antoinette, sois forte*, se répéta-t-elle. Elle poursuivit son trajet jusqu'au pied de l'autel. À ses côtés se tenait le dauphin Louis de France, duc de Berry, son époux. Pour la première fois, la fille de l'impératrice d'Autriche voyait celui qui partagerait le restant de sa vie. Il semblait tellement timide et inconscient de la responsabilité qui l'attendait. Âgés de quatorze et quinze ans, les deux époux royaux ne se connaissaient pas. L'amour ne faisait nullement partie de leur union, seule la prospérité des couronnes française et autrichienne comptait.

᷍

Louis Auguste de France a vu le jour le 23 août 1754, au château de Versailles, au sein d'une famille nombreuse. Petit-fils du roi Louis XV, il a reçu le

52

titre de dauphin à la mort de son père, le prince Louis-Ferdinand, alors qu'il n'avait que onze ans. Sa mère, la princesse Marie-Thérèse de Saxe, est également décédée quelques années plus tard. Très tôt, il a été éduqué selon une rigueur à l'image du protocole royal français. Le jeune Bourbon a reçu un enseignement dispensé par de grands penseurs et philosophes qui lui ont inculqué des idées modernes. Véritable pantin de la Cour royale, il a été forcé d'épouser l'archiduchesse d'Autriche.

∅

Agenouillés devant l'archevêque de Reims, les deux mariés attendaient sagement les paroles de l'homme d'Église. Silencieuse, Marie-Antoinette n'avait aucune notion du temps. Elle se retrouvait aux côtés de celui qui partagerait sa vie, mais ne le connaissait nullement. Ce qu'elle ignorait, c'était qu'il vivait autant d'inquiétude qu'elle.

« Nous sommes tous réunis ici aujourd'hui pour l'union de deux enfants du Seigneur, prononça d'une voix forte le catholique. Devant Dieu et les Hommes, cet homme et cette femme veulent remplir leurs devoirs royaux et conjugaux que le destin leur a donnés. Vous, Marie-Antoinette Johanna de Habsbourg-Lorraine, ici présente, acceptez-vous de prendre pour légitime époux Louis Auguste de Bourbon ? »

Un silence plana dans la chapelle du château de Versailles. Tous attendaient avec impatience les vœux de l'Étrangère. Le roi Louis XV fronça les sourcils, sa maîtresse, la comtesse du Barry, souriait du coin des lèvres, l'ambassadeur autrichien se retenait d'exploser de joie alors que les princesses royales baissèrent la tête, espérant presque le désistement de la fille des Habsbourg.

Isolée dans ce monde d'hypocrites, la jeune mariée aurait voulu s'éclipser dans les jardins pour échapper à cette cérémonie. Pourquoi n'avait-elle pas été promise à un seigneur autrichien ou un autre allemand ? Ce dernier mariage, plus près de la réalité de Schönbrunn, aurait sûrement été un meilleur parti. Cette réflexion parut presque interminable aux yeux du représentant du Vatican.

« Vous, Marie-Antoinette Johanna de Habsbourg-Lorraine, ici présente, acceptez-vous de prendre pour légitime époux Louis Auguste de Bourbon ? » répéta sur un ton plus autoritaire l'archevêque de Reims.

Totalement désemparée en cet instant précis, elle ne savait plus comment réagir. Ses mains devinrent moites et son visage pâlit en un clin d'œil. Décelant l'état d'âme de son épouse, le dauphin lui prit délicatement la main et la serra contre lui. Par ce geste rassurant, la jeune femme reprit espoir en l'avenir. L'homme qu'elle connaissait à peine lui tendait la main. Peut-être que tout n'était pas perdu. Plus forte grâce à cette complicité subite, Marie-Antoinette était prête à s'engager.

54

« Moi, Marie-Antoinette Johanna de Habsbourg-Lorraine, j'accepte pour légitime époux Louis Auguste de Bourbon », répondit-elle solidement.

À ces paroles, le catholique sourit et s'adressa au petit-fils du roi de France.

« Vous, Louis Auguste de Bourbon, ici présent, acceptez-vous de prendre pour légitime épouse Marie-Antoinette Johanna de Habsbourg-Lorraine ? »

« Moi, Louis Auguste de Bourbon, j'accepte pour légitime épouse Marie-Antoinette Johanna de Habsbourg-Lorraine », dit le Français sans broncher.

« Au nom de Dieu, je vous déclare mariés. Que le Tout-Puissant bénisse votre union et qu'il vous protège. Au nom du Père, du Fils et du Saint-Esprit », prononça l'homme d'Église.

Marie-Antoinette se tourna vers son époux et ce dernier fit de même vers elle. Ils échangèrent un regard complice et se sourirent. La scène fut remarquée par Louis XV, qui fut rempli de satisfaction de voir son sang s'unir à celui du Saint-Empire germanique.

De leur côté, les filles du roi – obligées de constater la venue officielle de l'Autrichienne au sein de la famille royale – ne purent faire autrement que d'afficher des airs désapprobateurs.

Par ce mariage, l'Étrangère reçut les titres de dauphine de France et de duchesse de Berry. Admise à la Cour royale française, Marie-Antoinette espérait s'y intégrer en accomplissant du mieux qu'elle pouvait ses nouvelles fonctions.

CHAPITRE II
Les mauvaises influences sur la dauphine

Château de Versailles, France, 1770-1774

LES JOURS suivant le mariage princier ne furent pas de tout repos pour Marie-Antoinette. Elle devait participer à plusieurs festivités en vue de célébrer leur union : des banquets en compagnie de dignitaires étrangers, des danses au sein de la noblesse française et des rencontres formelles avec les hommes d'Église. Même le peuple cria sa joie de voir leur dauphin s'unir à une femme pour la continuité de la Couronne royale. Malheureusement, le soir du 30 mai, une bousculade mortelle éclata sur la place Louis-XV. Plus d'une centaine de personnes moururent alors que la fête se voulait un moment de réjouissance pour le royaume.

Marie-Antoinette, nouvelle dauphine de France, essaya de remplir du mieux qu'elle pouvait sa tâche au sein de la famille royale. Sans cesse surveillée par les tantes de son époux, elle ressentait souvent des maux de tête atroces. Outre les filles du roi, qui se montrèrent intraitables, les responsabilités attribuables à sa charge étaient très exigeantes pour elle. Il ne se passait pas une journée sans que l'Étrangère s'endormît avec l'esprit perturbé. La jeune femme

58

devait garder la faveur de Louis XV, l'attention du dauphin, la sympathie – plutôt chancelante – des courtisans, le soutien de sa mère et le respect des princesses royales.

L'une des grandes inquiétudes de l'Autrichienne avait trait au devoir conjugal. La femme de l'héritier du trône de France se devait de donner naissance à une lignée d'enfants, principalement de sexe masculin. Malheureusement, Louis ne lui sera d'aucune aide, car il était plutôt ignorant en matière d'acte sexuel. Lorsqu'il partageait le lit de sa femme, il fermait les yeux aussitôt que les deux époux étaient sous les couvertures.

Un matin d'été 1770, alors que Marie-Antoinette se promenait dans les jardins avec son petit chien – cadeau de Louis XV –, la princesse Adélaïde alla la rejoindre.

« Ma chère, voilà quelques mois que vous êtes à Versailles. Quel est votre sentiment au sujet de la cour ? » lui demanda-t-elle gentiment.

« Il m'est difficile de trouver une réponse à votre question », répondit la jeune femme.

« Pourquoi ? »

Marie-Antoinette interrompit sa promenade et se tourna vers la tante de son époux.

« Vous, Adélaïde, quelle est votre opinion à mon sujet ? » interrogea la dauphine en fixant la fille du roi dans les yeux.

« Si vous étiez moins entêtée et que vous me laissiez vous introduire aux bonnes mœurs de la Cour royale…, vous pourriez peut-être convenir à la tâche », lança sans broncher l'autre femme.

« Vous ne m'aimez pas ! » s'écria Marie-Antoinette.

« Calmez-vous, ma chère enfant ! ordonna Adélaïde. Je n'ai nullement laissé entendre que je vous détestais. Je dis que si vous manifestiez plus de reconnaissance envers la Couronne, en l'occurrence mon père, le roi, mon neveu, le dauphin, et mes sœurs, vous gagneriez en respect », ajouta-t-elle en souriant du coin des lèvres.

« Je m'efforce de remplir chacune de mes responsabilités face à la famille royale. Comment pouvez-vous me juger si sévèrement ? » dit l'Étrangère sur le bord d'éclater.

« Vous n'êtes pas à Schönbrunn, ici ! Vous êtes au château de Versailles. Ici, les membres de la famille royale ont des obligations au-delà de leur petite personne. La Couronne française est l'une des plus puissantes d'Europe et, si elle le demeure, c'est en partie grâce à la lourde tâche que ma famille s'oblige à s'acquitter sans pleurnicher. »

Muette, Marie-Antoinette s'excusa et prit congé de la princesse. Elle se dirigea en toute hâte vers ses appartements pour y trouver refuge. Cette discussion mouvementée l'avait rendue nerveuse et incertaine de ses pensées. Elle devait se retrouver seule pour réfléchir aux propos de la terrible fille de Louis

XV. Si l'Autrichienne souhaitait entrer dans les rangs des Bourbon, elle devait obligatoirement plaire à Adélaïde. Cette dernière, la préférée du roi, celle du dauphin et l'aînée des princesses, représentait son salut. Il n'y avait aucun doute, l'Étrangère devait s'attirer la sympathie de cette femme.

❧

Adélaïde, née Marie Adélaïde de Bourbon, a vu le jour en 1732, à Versailles. Sixième enfant du roi Louis XV et de la reine Marie Leszczyska, la princesse demeurera célibataire toute sa vie. Dotée d'un caractère fort, elle assumait le rôle de chef auprès de ses sœurs. La fille du souverain refusa d'accepter la liaison de son père, d'abord avec Madame de Pompadour et par la suite avec la comtesse du Barry. Solitaire, Adélaïde puisera ses forces dans la musique. Elle était le pilier de la famille royale et la gardienne du protocole, si lourd à Marie-Antoinette.

❧

Les semaines passèrent et Marie-Antoinette essaya vivement de se faire accepter par la Cour royale. Elle posa à maintes reprises des gestes pouvant se traduire par un soutien incontestable à la famille royale. Mais aucun d'eux ne fit changer Adélaïde d'opinion au sujet de sa belle-nièce. Désespérée, l'Autrichienne alla de plus en plus souvent aux réceptions parisiennes. Rejetée par Versailles, elle trouva du réconfort au sein de l'aristocratie de la capitale. Elle aimait côtoyer ces gens qui l'estimaient davantage que la Cour royale. Mais ses fréquentations, loin de l'aider à gagner le respect de la princesse Adélaïde, lui causèrent bien des ennuis.

Un soir, alors que Marie-Antoinette rentrait au château de Versailles, la fille aînée du roi l'accosta dans l'un des corridors.

« Vous êtes la honte de la famille royale. Si j'étais le roi, je vous ferais retourner en carrosse vers votre maudite Vienne », avait chuchoté Adélaïde dans le creux de l'oreille de l'Autrichienne.

À l'hiver 1771, alors que Marie-Antoinette souffrait d'une affreuse grippe, le dauphin supplia ses tantes de tenir compagnie à son épouse. Il devait se rendre dans le sud du royaume pour signer des traités avec les seigneurs qui y détenaient des territoires et, pour cette raison, il ne pouvait s'occuper de sa femme. C'est sans trop de plaisir qu'elles acceptèrent la demande de leur neveu. Les princesses restèrent auprès de la dauphine, lui administrant les remèdes nécessaires à sa guérison. La situation dura près d'une semaine et les médecins s'affairaient à sortir la jeune femme de cette terrible maladie. Heureusement, la santé de l'Autrichienne reprit le dessus et revint à la normale.

Après cet épisode, l'attitude de Marie-Antoinette changea radicalement. Elle continua à fréquenter les soirées parisiennes, mais elle sut s'imposer davantage à la Cour royale. La jeune femme fragile et incertaine de ses sentiments avait fait place à une femme plus ambitieuse et déterminée à s'allier les princesses royales, en particulier Adélaïde. L'occasion de prouver aux filles de Louis XV qu'elle pouvait être l'une des leurs se présenta en mars 1771. Alors que l'Étrangère se tenait au milieu des courtisans dans la galerie des Glaces du château de Versailles, la maîtresse du roi fit son entrée. Elle se dirigea vers Marie-Antoinette dans l'espoir qu'elle lui adresse la parole. Ainsi que le dictait le protocole, la dauphine devait faire le premier signe si une courtisane voulait échanger quelques propos avec elle. C'était le moment idéal pour gagner la confiance des princesses royales. Si elle ignorait la comtesse du Barry, les tantes de son époux ne pourraient que se réjouir de la compter parmi elles. Comme prévu, la maîtresse du roi s'approcha de la fille de l'impératrice d'Autriche. Mais, au même instant, cette dernière se retourna pour discuter avec l'ambassadeur d'Espagne. Non pas qu'elle souhaitait avoir un échange important avec lui, mais bien pour montrer en public son indifférence face à la putain royale, comme la surnommait la princesse Adélaïde. Humiliée par ce geste disgracieux, la comtesse du Barry quitta la pièce sur-le-champ.

« Ma chère nièce, votre attitude est digne de l'épouse de notre bien-aimé Louis », avait lancé l'aînée des princesses royales.

Maintenant que Marie-Antoinette avait gagné les bonnes grâces d'Adélaïde, elle espérait se faire amie avec le reste des Bourbon. Les gentilles paroles prononcées par la fille du roi donnaient la permission aux têtes fortes de la Cour royale de compter l'Autrichienne comme une alliée. Malheureusement, le manque de respect de la dauphine envers la maîtresse du souverain se rendit jusqu'aux oreilles du roi. Ce dernier, déçu du geste de l'Étrangère, en glissa quelques mots à l'ambassadeur d'Autriche-Hongrie.

Deux jours plus tard, le comte de Mercy-Argenteau rendit visite à Marie-Antoinette dans ses appartements. Seule comme à l'accoutumée, elle accueillit le diplomate autrichien.

« Votre Altesse Royale, votre comportement envers la comtesse du Barry a irrité Sa Majesté le roi. Vouloir gagner les faveurs de la princesse Adélaïde ne vous donne pas le privilège de remettre en question les choix du souverain. Agir de la sorte prouve devant la Cour royale que vous reconsidérez votre allégeance envers le roi », dit-il d'une voix à peine voilée de colère.

« Suffit ! Je suis la dauphine de France et il est de mon privilège de ne pas apprécier cette catin », répondit l'Autrichienne en levant les bras vers le ciel.

« Madame, vous manquez de respect envers votre mère, l'impératrice. Vous savez, tout comme moi, que Marie-Thérèse désapprouve votre geste totalement dépourvu de sens. Certes, vous détestez la comtesse du Barry, mais le roi, lui, le détestez-vous ? » demanda l'ambassadeur.

« Absolument pas ! Vous savez très bien que j'ai la plus grande estime pour Louis XV. Il est mon roi et le grand-père de mon époux », lança-t-elle.

« Alors, pourquoi agir de la sorte ? » répliqua l'homme.

Elle garda le silence un moment, regarda vers l'une des fenêtres et se retourna vers le comte de Mercy-Argenteau.

« Je n'ai aucune réponse à vous transmettre. Si j'ai déplu au roi et à ma mère, je m'en excuse au plus profond de mon cœur, mais je n'ai pas le loisir de me mettre à dos la princesse Adélaïde. »

« Et le souverain ? » s'enquit-il.

Marie-Antoinette demeura muette et fit signe au diplomate autrichien de quitter les lieux. L'homme obéit et sortit, songeur, des appartements de la dauphine.

Au fil des semaines, l'Étrangère se mit à fréquenter régulièrement les princesses royales. Elle se promenait dans les jardins avec les tantes de son mari, prenait ses repas avec elles – sauf celui du soir, que la jeune femme réservait au petit-fils du roi – et jouait à des jeux de cartes en leur compagnie. Une amitié de convenance était née entre les Bourbon et la Habsbourg. L'intégration de l'Autrichienne semblait bien se dérouler, au plus grand bonheur du dauphin Louis. La relation entre les deux époux semblait elle aussi s'améliorer. Amateur de chasse, l'héritier restait malgré tout au château de Versailles les dimanches afin de se retrouver auprès de sa femme. Ils échangèrent davantage entre eux et avaient du plaisir à rire ensemble. Louis accompagnait même Marie-Antoinette lors de ses sorties dans les soirées parisiennes. L'Autrichienne semblait avoir trouvé sa place au sein de cette famille austère.

À l'hiver 1772, un froid inhabituel s'abattit sur le royaume de France, et plusieurs habitants – mal préparés devant une telle catastrophe – perdirent la vie pendant la saison enneigée. Les régions les plus touchées se situaient au nord de la capitale. Malgré cette situation dramatique, la dauphine donna un gigantesque banquet au château de Versailles. Plus d'une centaine de nobles des quatre coins du royaume participèrent aux festivités. Lors de l'événement, des artistes présentèrent des pièces théâtrales et jouèrent de la musique, des acrobates montrèrent leur agilité, des cuisiniers renommés confectionnèrent des plats tous plus succulents les uns que les autres et les femmes portèrent leurs plus belles toilettes pour l'occasion. Parmi les membres de la famille royale, seuls Louis et Marie-Antoinette manifestèrent leur présence. Le roi et ses filles désapprouvèrent ce banquet parce que le peuple vivait des moments difficiles et qu'il était mal venu de dépenser des sommes aussi considérables pour ce type de divertissements. Amoureux de sa femme, le dauphin fit la sourde oreille aux récriminations de ses proches et appuya l'Étrangère.

Dès le lendemain, la nouvelle de la fête courut dans les rues de Paris et se rendit jusque dans les régions touchées par la catastrophe. Ce geste inconscient de Marie-Antoinette choqua les paysans et aggrava sa mauvaise réputation auprès du peuple. Déjà mal-aimée par les Français depuis son mariage, et même au-delà, l'Autrichienne jeta de l'huile sur le feu en ignorant la douleur de ses sujets. Informé de la colère des Français, le roi Louis XV convoqua l'épouse de son petit-fils.

« Ma chère enfant, le banquet que vous avez donné semble avoir offusqué certains de mes sujets. Croyez-vous qu'il était de circonstance de festoyer alors qu'une catastrophe s'était abattue sur les paysans du nord ? » demanda poliment le souverain.

« Votre Majesté, mon cœur souffre de voir que la mort a amené certains de vos sujets vers le paradis. Même si la petite fête entre amis n'avait pas eu lieu, le froid aurait tout de même fait ses ravages. »

Abasourdi par la réponse de la dauphine, Louis XV demeura muet un instant. Lorsqu'il reprit la parole, le roi se fit plus persuasif dans ses propos.

« Marie-Antoinette, êtes-vous consciente que les membres de la famille royale ont le devoir de donner l'exemple... surtout en période difficile ? Votre attitude relativement au drame qu'ont vécu mes sujets dans le nord du royaume me déçoit profondément. »

Surprise par le ton autoritaire du grand-père de son époux, l'Autrichienne demeura bouche bée.

Elle avait contrarié le souverain, geste impardonnable à la Cour royale.

« Veuillez m'excuser, Votre Majesté. Jamais je n'ai voulu nuire à l'image de la famille royale, surtout pas à la vôtre », pleurnicha Marie-Antoinette.

Louis XV fit signe à l'un de ses valets de reconduire l'Étrangère vers ses appartements. Durant tout le trajet, la jeune femme pleura à chaudes larmes. Elle avait agi en idiote et le roi en avait été témoin. Comment pourrait-elle regagner l'estime du souverain ?

Toute la soirée, Marie-Antoinette fit les cent pas dans sa chambre. Elle avait même refusé de prendre part au repas en compagnie de la famille royale. La honte s'était emparée d'elle et refusait de la quitter. Dépourvue de solutions, l'Autrichienne réclama la présence de l'ambassadeur de son pays natal. Aussitôt averti, le comte de Mercy-Argenteau se précipita auprès de la fille de Marie-Thérèse d'Autriche. Malgré la nuit tombante, l'homme se fit un devoir de conseiller la jeune dauphine française.

« Vous voilà, mon ami. J'ai tellement besoin de votre aide, ambassadeur. »

Debout près du foyer allumé, l'Étrangère laissa couler une petite larme sur sa joue en baissant la tête un bref instant. Elle la releva à nouveau et regarda le comte droit dans les yeux.

« J'ai agi en parfaite sotte auprès du roi. Je crois que Sa Majesté le roi est très déçu de mon geste », précisa-t-elle avec humilité.

« Qu'avez-vous fait, Marie-Antoinette ? » demanda poliment le diplomate.

« Le froid qui s'est abattu sur le nord du royaume a causé beaucoup de dégâts dans les familles de paysans. Inconsciente, j'ai organisé un fête alors que les sujets de Sa Majesté souffraient de cette catastrophe », expliqua la jeune femme.

« Je vois, votre jugement n'a pas été des plus éloquents en cette période difficile pour les paysans du nord, mais le roi comprendra lorsque vous vous excuserez », répondit le comte de Mercy-Argenteau.

« Il est là, le problème, j'ai rencontré Louis XV, mais je me suis ridiculisée… J'ai répondu des âneries au souverain sans réfléchir aux mots qui sortaient de ma bouche. »

Embêté par les paroles de la dauphine, l'homme ferma les paupières. Quelle insignifiance avait-elle encore dite ? L'image de l'impératrice en souffrirait-elle ? Pourquoi devait-il encore sauver cette Autrichienne dépourvue de toute intelligence ? L'ambassadeur s'approcha de la jeune femme et la fixa du regard.

« Votre Altesse Royale, vous devez peser vos mots avant de les dire ouvertement. Pensez aux conséquences que ces paroles peuvent avoir sur la relation entre l'Autriche et la France. Votre mère... »

« Cessez de parler de ma chère mère », s'écria l'Étrangère.

« Marie-Antoinette, n'oubliez jamais que vous êtes ici par l'entremise de l'impératrice. Soyez plus respectueuse de l'aide de votre mère, répliqua-t-il. Je disais donc, votre mère compte sur vous pour entretenir une amitié forte entre les deux puissances européennes », poursuivit l'homme.

Marie-Antoinette s'éloigna du diplomate et se réfugia auprès d'une des fenêtres. Elle admirait le ciel étoilé. La jeune femme aurait tout donné pour se retrouver auprès de ces astres lumineux. Tout semblait si calme là-haut.

« Parfait ! Que me suggérez-vous, ambassadeur ? » interrogea-t-elle sur un ton confiant.

« Tout d'abord, vous annoncerez à Sa Majesté que vous souhaitez vous rendre dans les villages du nord du royaume pour apporter du réconfort aux sujets du roi. Par la suite, éloignez-vous du château de Versailles quelques jours afin de vous faire oublier de vos ennemis. Enfin, lors de votre retour auprès de la famille royale, soyez une nouvelle dauphine remplie de sens politique », lui exposa-t-il avec le plus grand calme.

70

L'Autrichienne se déplaça dans la pièce avant de s'asseoir dans un fauteuil. Elle demeura silencieuse pendant un long moment.

« Vous avez raison, ambassadeur ! Je ferai exactement selon les suggestions que vous venez de me soumettre », dit Marie-Antoinette, satisfaite de la solution du diplomate.

Après avoir fait la révérence à la dauphine, l'homme retourna à ses affaires courantes. Quant à l'Étrangère, elle se dévêtit et prit place dans son lit afin de trouver le sommeil. Déterminée, l'épouse de l'héritier des Bourbon se rendrait dans le nord de la capitale.

Le lendemain matin, très tôt, Marie-Antoinette se réveilla avec la ferme conviction d'agir pour le mieux. Avec l'aide de ses dames de compagnie, elle fit l'inventaire des vêtements et des accessoires qu'elle aurait besoin pour son déplacement. Convenablement vêtue, l'Autrichienne se rendit auprès du dauphin. Étant sur le point de quitter la résidence pour aller à la chasse, Louis fut étonné d'apprendre la nouvelle initiative de son épouse. Il l'encouragea fortement et lui donna tout son soutien. Heureuse de l'attitude du petit-fils du roi, elle était convaincue de son geste. L'Étrangère réclama une courte audience avec Louis XV. Ce dernier accepta à contrecœur.

« Votre Majesté, j'ai pris conscience de la gravité de mes gestes. Pour cette raison, j'ai décidé d'agir promptement pour l'image de la famille royale. Je me rends sur-le-champ dans la région du désastre afin de réconforter les sujets de Votre Majesté », expliqua-t-elle sans broncher.

L'attitude inattendue de la dauphine charma le souverain et il ne put retenir sa joie de voir l'épouse de Louis agir de la sorte.

« Votre Altesse Royale, vous m'étonnez... Je suis plus qu'émerveillé d'entendre vos paroles. Soyez assurée de toute mon admiration devant votre projet plus qu'intéressant », répondit Louis XV au plus grand bonheur de la jeune femme.

Afin d'épauler l'Autrichienne dans sa démarche, le roi lui octroya une escorte ainsi que des ressources financières.

Marie-Antoinette quitta le château de Versailles le 25 février 1772 pour se rendre dans les villages français du nord du royaume. Pour son déplacement, elle fut accompagnée par deux de ses dames de compagnie ainsi que par une poignée de soldats. L'Étrangère profita du trajet pour en apprendre davantage sur les régions que le cortège traversa. Elle était déterminée à se familiariser avec le royaume que dirigerait un jour son époux. La France n'était pas l'Autriche et la fille des Habsbourg l'apprenait à ses dépens.

« Regardez, Sophie ! » lança Marie-Antoinette à la plus jeune des favorites.

72

La dame de compagnie chercha du regard l'intérêt qui piquait la curiosité de sa maîtresse. Elle finit par remarquer un groupe de jeunes étrangers attroupés autour d'une petite fontaine en pierre. La scène semblait bien ordinaire aux yeux de la favorite, mais signifiait beaucoup plus pour la femme du dauphin.

« Vous ne semblez pas comprendre mon étonnement. Voyez-vous, ma chère Sophie, ces jeunes gens sont des sujets de ma mère. »

La dame de compagnie, intriguée, fixa à nouveau le groupe. Malgré toute sa bonne volonté, elle ne parvint pas à voir la différence entre eux et de jeunes Français.

« Madame, je suis sûrement idiote car je ne vois aucun détail qui puisse supposer qu'ils sont des Autrichiens », dit la favorite sur un ton humilié.

L'Étrangère ordonna au cocher de changer sa trajectoire afin de s'approcher de la petite fontaine en pierre. Arrivée près du groupe de jeunes, Marie-Antoinette descendit du carrosse.

« Dauphine, il n'est pas prudent de vous exposer en public », s'écria le chef des soldats.

Elle fit la sourde oreille, déposa le pied sur le sol gelé et se dirigea lentement vers le groupe en question.

« Êtes-vous autrichiens ? » demanda-t-elle dans sa langue maternelle.

Les jeunes gens se retournèrent et lui répondirent à l'unisson par l'affirmative. Effectivement, Marie-Antoinette avait vu juste et était heureuse de retrouver des compatriotes. La dauphine – sous le couvert de l'anonymat – échangea quelques mots avec les Autrichiens. Cette courte conversation redonna de la joie à l'Étrangère, elle qui en avait cruellement besoin. Depuis son départ de Vienne, la fille de l'impératrice d'Autriche n'avait discuté qu'avec l'ambassadeur de son pays natal. Elle n'avait pas eu le plaisir de revoir des sujets impériaux.

Après cette courte distraction, l'escorte reprit son chemin vers sa destination. Émue d'avoir parlé avec ses semblables, Marie-Antoinette ferma les paupières et fit défiler des images autrichiennes de son enfance dans sa tête. La jeune archiduchesse avait vécu ses plus belles années au château de Schönbrunn. Entourée de ses sœurs et de ses frères, elle se savait aimée et choyée. Personne dans ses proches ne lui voulait du mal et aucun danger ne pouvait lui arriver. La famille impériale était adorée par ses sujets et jamais Marie-Antoinette n'avait ressenti de la haine envers elle. Ici, au royaume de France, tous semblaient la détester. Malgré ses efforts pour se faire accepter, rien ne fonctionnait à son avantage. Cette fois-ci, son déplacement dans le nord prouverait hors de tout doute son intention de s'intégrer au sein de la Cour royale française. L'Autrichienne espérait tant que ce geste puisse lui accorder les bonnes grâces de la famille royale.

74

Alors que le soleil s'estompait lentement, le cortège arriva près d'un petit village. Enclavé dans une vallée enneigée, l'endroit était curieusement tranquille. On n'entendait aucun bruit et aucun habitant ne circulait dans les environs. Fatiguée et affamée, Marie-Antoinette ordonna au cocher de pénétrer dans les lieux. Non loin d'une église, une auberge semblait prête à accueillir les voyageurs.

« Nous allons nous arrêter ici, j'ai besoin de prendre un bon repas et de boire également », expliqua l'Étrangère.

Aussitôt, la dauphine sortit dehors et se dirigea vers le bâtiment d'apparence douteuse. Les dames de compagnie ainsi que les soldats l'escortèrent jusqu'à l'intérieur. L'auberge était déserte, seul un petit homme sans cheveux se tenait debout derrière un comptoir en bois. Affamée, Marie-Antoinette insista auprès de ses gardes pour se rassasier avant de poursuivre leur route. Obéissant aux directives de sa maîtresse, le chef des soldats exécuta l'ordre sans discuter. Ils prirent place dans un coin de la bâtisse et se reposèrent du long trajet. Assise au milieu de ses dames de compagnie, l'Autrichienne commanda un repas composé de volaille et de vin. Les autres l'imitèrent afin de ne pas la contrarier.

« Où sommes-nous, ma chère Sophie ? » demanda la dauphine.

« J'ai cru lire en franchissant le portail que nous étions à Grandvilliers », répondit la favorite.

« Grandvilliers ? Je n'ai jamais entendu mot sur ce petit village », répliqua Marie-Antoinette.

Curieuse d'en connaître davantage sur les lieux, l'Étrangère questionna l'aubergiste alors qu'il déposa les plats sur la table. Ce dernier, peu bavard, prononça quelques mots sur le bout des lèvres. La femme du dauphin ne reçut que des miettes de renseignements. Rien de bien intéressant, sinon que le cortège n'était plus très loin de sa destination. La commune d'Amiens, petite ville du nord, avait été terriblement touchée par l'intempérie des dernières semaines. En se rendant sur place, la jeune femme pourrait échanger avec les sujets du roi Louis XV. Ce geste prouverait son dévouement pour la Couronne et son intérêt pour le peuple français. L'arrêt à l'auberge dura tout au plus le temps de déguster le repas.

« Votre Altesse Royale, je vous suggère que nous reprenions notre chemin immédiatement. La nuit risque de tomber rapidement si nous tardons », informa le chef des soldats.

« Vous avez raison, mon ami.

« Partons maintenant », acquiesça Marie-Antoinette.

Après avoir payé le propriétaire de l'auberge, l'Autrichienne et sa suite se dirigèrent vers le carrosse. Alors que l'escorte s'apprêtait à quitter les lieux, une tempête subite éclata.

« Sophie, nous ne pouvons reprendre le trajet par un si mauvais temps. Nous devrons passer la nuit ici », dit la dauphine.

Constatant l'impossibilité de rouler sous cette neige abondante, le chef des soldats ne pouvait que se plier aux ordres de sa maîtresse. L'épouse de Louis, ses dames de compagnie et les soldats retournèrent à l'intérieur du bâtiment. Sophie loua trois chambres à l'aubergiste et tous montèrent à l'étage. Marie-Antoinette s'enferma dans sa pièce sombre, les favorites firent de même et les hommes également. Exténuée, l'Étrangère regarda par les carreaux sales de l'unique fenêtre et s'interrogea sur son avenir. Que lui réservait la vie ? Deviendrait-elle reine de France un jour ? Retournerait-elle bientôt en sol autrichien ? Tant d'interrogations et si peu de réponses. Face à son avenir incertain, Marie-Antoinette pria Dieu de la guider vers le bon chemin. Après cette prière, elle s'allongea sur le lit inconfortable. Ses paupières, déjà lourdes, se fermèrent illico.

Alors qu'elle était profondément endormie, l'Autrichienne se fit réveiller abruptement. Un homme, armé d'un couteau tranchant, la tenait fermement sur l'oreiller. Une odeur d'alcool émanait de lui. Dans la noirceur, la jeune femme ne pouvait identifier l'individu qui la terrorisait. Couchée sur le lit, elle ne pouvait se débattre et encore moins s'échapper. Si elle avait osé crier, l'homme lui aurait tranché la gorge dans un vif mouvement.

« Ma jolie, vous semblez aimer les bijoux. Curieuse coïncidence, moi aussi, dit l'agresseur sur un ton provocateur. Sans faire de gestes que vous pourriez regretter, ma belle, donnez-moi tout de suite les objets et aucun mal ne vous arrivera », ajouta-t-il.

Seule devant cet individu robuste, elle obéit et retira son collier, ses bagues et ses autres ornements en or. La dauphine lui remit doucement ses précieux objets en versant quelques larmes. Non pas qu'elle pleurât pour ses bijoux, mais par peur devant une agression aussi gratuite. Maintenant que l'homme avait entre ses mains son trésor, il voulait arracher la dignité de sa prisonnière.

« Vous êtes très alléchante, ma jolie. Il y a un moment déjà que je n'ai pas goûté aux plaisirs de la chair... » lança-t-il.

Dépourvue devant la force de son agresseur, Marie-Antoinette le supplia de ne pas lui faire de mal. Sourd aux demandes de sa victime, il déposa sa main humide sur la poitrine de la jeune femme. L'homme pouvait lui tâter les seins à travers son corsage. Excité par les formes de la dauphine, il était décidé à exécuter sa sale besogne.

« Vous allez voir ce qu'est un mâle, ma chère. Vous en redemanderez, j'en suis persuadé », dit l'agresseur, la bouche dégoulinant de salive.

Marie-Antoinette tremblait de tout son corps. Que pouvait-elle faire ? Elle se débattait sur le lit, mais il n'y avait rien à faire, l'homme était surexcité. Soudain, alors qu'elle croyait que tout était perdu, quelqu'un frappa à sa porte.

« Madame, puis-je entrer pour vous parler ? Je dois vous informer sur un sujet de la plus haute importance », chuchota Sophie à travers la porte en bois.

Pris au dépourvu, l'agresseur sentit son cœur battre la chamade. Il leva la tête, regarda dans chaque coin de la chambre. Visiblement, il ne pouvait se cacher sans être vu. Désespéré, l'inconnu ouvrit la fenêtre et se tourna vers l'Autrichienne.

« Nous nous reverrons, ma jolie, et lorsque ce sera le moment, je vous trancherai la gorge comme une truie », dit-il sur un ton menaçant.

L'homme se jeta en bas de l'étage. La neige, qui tombait de plus belle, effaça toutes les traces qu'il avait laissées derrière lui. Encore sous le choc, Marie-Antoinette émit quelques sons en gémissant. Inquiète de ne pas entendre sa maîtresse lui répondre, la favorite ouvrit la porte, qui n'était pas verrouillée.

« Madame, êtes-vous réveillée ? » demanda doucement la dame de compagnie.

Sophie avança lentement vers le lit de la dauphine. Elle déposa sa main sur le bras froid de sa maîtresse.

« Ne me faites pas de mal », se plaignit Marie-Antoinette.

« Madame, c'est moi, Sophie, votre amie. »

Troublée par la réaction de sa souveraine, la favorite se dirigea vers un petit meuble et prit un chandelier sur lequel tenait une bougie. Elle l'alluma grâce au feu du minuscule foyer qui chauffait la pièce. La dame de compagnie s'approcha de l'Autrichienne, et plus la lumière éclairait Marie-Antoinette, plus la servante pouvait constater la frayeur qui glaçait tout le corps de la dauphine. Cette dernière tremblotait sur le lit. Son corsage était déchiré et son visage, en larmes.

« Madame, que s'est-il passé ? » murmura Sophie.

Paniquée de voir la femme de l'héritier du trône dans un tel état, la favorite hurla aux autres dames de compagnie d'accourir dans la pièce. Alarmés par les cris, les soldats se dépêchèrent, eux aussi, à se rendre dans la chambre de Marie-Antoinette. Jamais les suivantes de la dauphine n'avaient vu leur maîtresse dans une telle vulnérabilité. L'Autrichienne, qui reprit ses esprits, expliqua, énervée, ce qu'elle venait de vivre. Informés du drame, les femmes et les hommes qui accompagnaient la fille de l'impératrice d'Autriche prirent la situation en main. Pendant que les soldats essayèrent de retrouver l'agresseur autour de l'auberge, les favorites consolèrent la jeune femme. Elles l'aidèrent à changer de toilette et à retrouver son calme.

« Sophie, si vous n'étiez pas venue me voir... j'aurais laissé ma dignité dans ce drame atroce. Je vous le jure, vous m'avez sauvé la vie, ma chère amie », balbutia Marie-Antoinette.

Le reste de la nuit passa vite et chacun demeura éveillé afin de veiller à la sécurité de la dauphine de France. La scène repassa en boucle dans la tête de l'Étrangère. Elle remercia le Tout-Puissant de l'avoir protégée dans cette épreuve épouvantable.

Dès l'aube, après avoir réglé les frais d'héberge-ment, Marie-Antoinette et sa suite quittèrent Grandvilliers. Le cortège sortit du village en direc-tion d'Amiens. Le chef de la garde espérait arriver dans la commune en milieu de journée. Le temps, malgré un froid hivernal, semblait calme. C'était le moment de reprendre la route sans perdre un instant. Le reste du trajet se déroula sans anicroche. Marie-Antoinette, encore bouleversée de sa mésaventure, affichait une certaine sérénité. Son rang au sein de la famille royale l'obligeait à cacher ses émotions en public.

« Faites-nous la lecture de poésie, ma chère amie », demanda avec le sourire la jeune femme en regardant l'une de ses favorites.

Cette dernière prit aussitôt le petit livre beige et l'ouvrit. La dame de compagnie tourna les pages un moment et s'arrêta enfin sur l'une d'elles. Afin d'en rendre la lecture vivante, la suivante débuta avec entrain un long poème, celui que préférait l'Autri-chienne. Durant ce temps, Marie-Antoinette admirait le paysage blanc qui défila devant ses yeux étonnés.

Le carrosse pénétra à l'intérieur de la commune d'Amiens alors que le soleil était à son zénith. Les lieux fourmillaient de personnes et les boutiques étaient bondées de clients. Le cortège, qui avançait prudemment, se dirigea vers le palais épiscopal. L'hôte de la dauphine pendant son séjour était nul autre que l'évêque d'Amiens. Le sympathique prélat avait accepté avec empressement d'accueillir l'épouse de l'héritier des Bourbon. Monseigneur Gabriel de La Motte voyait en cette occasion une manière de sensibiliser la famille royale au sort des malheureux. Le carrosse s'arrêta devant les portes du majestueux édifice. Debout, dans l'entrée, attendait patiemment l'homme d'Église. Marie-Antoinette, emmitouflée dans son manteau, sortit du véhicule. Elle s'avança vers le religieux, lui baisa la main en signe d'obéissance à Dieu.

« Votre Altesse Royale, soyez la bienvenue à Amiens », dit l'évêque en guise d'introduction.

« Soyez assuré de mon respect pour votre gentillesse à m'accueillir dans votre résidence », répondit poliment la dauphine.

Gelés par le froid, les invités entrèrent à l'intérieur du palais épiscopal. L'endroit resplendissait de tableaux illustrant des épisodes des Saintes Écritures. Le mobilier, plutôt dégarni, dévoilait toute la richesse des lieux.

« Veuillez excuser la simplicité de l'endroit. Pour une dame de votre rang, je suis gêné, et je m'en confesse, de vous recevoir en ces lieux », affirma Monseigneur de La Motte.

Sophie, qui regardait chaque recoin du bâtiment, était bouche bée devant tant de luxe. Alors que l'Église catholique s'évertuait à se décrire comme étant l'Église de Dieu, elle regorgeait de biens. Déjà peu encline à croire aux paroles du Saint-Père, la favorite était désabusée de constater le style de vie des serviteurs du Christ.

Les domestiques du prélat apportèrent les malles de la dauphine dans ses appartements. Les soldats, eux, se postèrent aux entrées du palais épiscopal pour sécuriser les lieux. Quant aux dames de compagnie, elles aidèrent leur maîtresse à changer de vêtements. En début de soirée, il était prévu que l'évêque et la dauphine se rendent dans un petit couvent pour rencontrer des malades.

Lors du repas, l'Autrichienne échangea quelques propos avec le chef de l'Église de Rome du diocèse d'Amiens. C'était pour elle le moment idéal d'en apprendre davantage sur cette région de France. Ayant un bagage plutôt rudimentaire sur le royaume, la jeune femme espérait enrichir ses connaissances. Heureux d'aider la dauphine, le prélat traça un portrait détaillé de la situation géopolitique d'Amiens et des environs. Un peu confuse de recevoir tant de renseignements à la fois, elle fit comme si de rien n'était et écouta les paroles du religieux.

Après avoir mangé à leur faim, Monseigneur de La Motte et Marie-Antoinette ainsi que leur escorte se rendirent au couvent le plus près. Sur place, l'Autrichienne resta muette de voir autant de malheureux couchés dans de petits lits de fortune.

« Il y a combien de pauvres gens qui dorment ici ? » interrogea-t-elle.

« Quelques dizaines… peut-être plus ! La tempête qui s'est abattue sur Amiens a été une grande épreuve pour de nombreux paysans », répondit tristement l'évêque.

La fille de l'impératrice d'Autriche fut touchée d'entendre les gémissements des malades et déchirée par tant de souffrance. *Pourquoi Dieu avait-il puni ses pauvres hommes ainsi que ses pauvres femmes ?* se demanda-t-elle. La dauphine avançait lentement en direction des lits. Rendue à proximité, elle vit les sujets du roi se tordre de douleur. Elle sentit la gorge lui serrer. L'Étrangère tourna la tête pour s'éloigner de cette scène et remarqua dans un coin sombre de cette grande et vaste pièce un petit lit. Elle se dirigea vers la couchette et constata qu'une jeune fille y était allongée. Prise de compassion, l'épouse de Louis mit sa main près du visage de la fillette. Surprise, elle sentit la peau glaciale de l'enfant sur la sienne.

« Monseigneur, cette jeune fille est gelée », laissa-t-elle échapper.

« Madame, la petite est souffrante. Nous l'avons retrouvée nue et inconsciente dans la neige », intervint une religieuse.

« Que va-t-il lui arriver ? » s'inquiéta la dauphine.

« Je crois qu'elle sera rappelée à Dieu très bientôt », ajouta l'homme d'Église.

Marie-Antoinette, les yeux fixés sur le visage pâle de la malheureuse, laissa couler une larme sur sa joue. La situation précaire de l'enfant la torturait et elle ne pouvait rien pour l'aider.

« Pourquoi fait-il si froid ici ? » lança l'Étrangère en se retournant vers l'évêque.

« Madame, nous n'avons pas les moyens d'acheter du bois… De plus, notre foyer est trop petit pour réchauffer toute la pièce », répondit-il.

« Sophie, allez immédiatement chercher ma bourse au palais épiscopal », dit Marie-Antoinette.

La favorite exécuta aussitôt l'ordre de sa maîtresse. Lorsqu'elle revint, elle remit le sac en velours à la dauphine.

« Monseigneur, voici des pièces d'or. Achetez du bois et réchauffez les lieux. Assurez-vous du confort de ces pauvres paysans », ordonna-t-elle.

Ce geste fut remarqué par un jeune universitaire parisien en visite chez des amis. Pendant que la dauphine discutait avec les familles des malades, il sortit propager la nouvelle dans les rues d'Amiens.

Après avoir passé un long moment au couvent, Marie-Antoinette, fatiguée de sa journée et de la nuit atroce qu'elle venait de vivre, demanda à retourner au palais épiscopal. Elle salua une dernière fois les religieuses et sortit du bâtiment. À sa grande surprise, une petite foule s'était massée devant le portail de l'édifice. Des hommes, des femmes et des enfants crièrent : « Dieu bénisse la dauphine ! » Totalement désemparée, l'Étrangère salua de la main les sujets du souverain qui l'acclamaient. C'était la première fois depuis son arrivée au royaume de France qu'on l'aimait. Deux années s'étaient écoulées et jamais elle n'avait été si satisfaite d'être dauphine de France. La jeune femme riait aux éclats, brandissait la main et saluait de la tête. Par ce rassemblement soudain, l'Autrichienne venait d'atteindre le but qu'elle s'était fixé : la reconnaissance du peuple. L'amour que les paysans lui démontraient se rendrait jusqu'à Versailles. Le roi et la cour en seraient informés et seraient obligés de la respecter.

« Voyez-vous, Sophie, ils m'aiment ! »

Plus terre à terre, la dame de compagnie savait que l'humeur du peuple français était aussi capricieuse que la température. Avant d'être au service de Marie-Antoinette, elle avait travaillé pour une duchesse espagnole qui avait péri par meurtre. Cette dernière, détestée par les catholiques, fut égorgée dans son sommeil par un fanatique. La favorite ne savait que trop bien que l'amour du peuple envers ses dirigeants était aussi éphémère qu'une rose.

86

Malgré tout, Sophie ne pouvait détruire le bonheur de sa maîtresse. Pour la première fois, elle voyait l'Autrichienne rire. Elle ne pouvait assumer la charge de mettre fin à ce moment de joie. La suivante fit mine de rien et participa aux acclamations de la foule.

Lorsque l'attroupement se dispersa enfin, la dauphine retourna à la résidence de l'évêque d'Amiens. Encore sous le choc de l'émotion, la fille de l'impératrice d'Autriche se réjouissait d'avoir accompli sa mission.

« Demain, nous visiterons les quartiers malfamés de la commune et remettrons des pièces d'or au peuple », suggéra-t-elle.

« Madame, croyez-vous que le fait de donner ces sommes aidera vraiment le sort de ces malheureux ? » se risqua à demander Sophie.

« Avez-vous une meilleure solution, ma chère ? » répliqua l'Étrangère.

La dame de compagnie ne répondit pas et l'excitation de sa maîtresse se poursuivit.

Tel qu'il fut décidé, le 27 février 1772, Marie-Antoinette visita les quartiers les plus pauvres d'Amiens. Sur son passage, les foules se rassemblaient en grand nombre. Elle était devenue la bien-aimée du peuple. Chacun l'acclamait et tendait la main pour avoir une pièce d'or. Bientôt, dans toute la région, les sujets n'avaient plus que le nom de

Marie-Antoinette sur les lèvres. Ce petit manège se répéta jusqu'au 1er mars, moment du départ de la dauphine pour le château de Versailles. Au moment de quitter le palais épiscopal, l'épouse de l'héritier du trône des Bourbon remit un petit coffre rempli de pièces d'or à l'évêque, lui faisant jurer d'utiliser cette aide pour les démunis de la commune.

Le trajet du retour se fit plus rapidement. Certes, le temps semblait favorable à la circulation sur les chemins, mais la véritable raison résidait dans la détermination de la dauphine à rejoindre son époux. Louis lui avait cruellement manqué pendant son voyage dans le nord du royaume. Son absence de quelques jours lui parut une éternité. Un début d'amour prenait naissance dans le cœur de Marie-Antoinette. Elle n'avait découvert ce sentiment que la veille de son départ pour Amiens. Alors qu'elle était sur le point de s'endormir, le visage du dauphin lui apparut soudainement. L'Autrichienne ressentit une tristesse de le savoir si loin. Elle-même fut surprise de s'ennuyer de cet homme qu'elle ne connaissait que très peu. Malgré tout, la fille de l'impératrice Marie-Thérèse était déterminée à sauver son mariage. *La naissance d'un enfant, un garçon surtout, pourrait sûrement me faire aimer du dauphin*, pensa-t-elle.

CHAPITRE III
La nouvelle reine de France

Château de Versailles, France, 1774-1775

DEUX ANS après son séjour dans le nord du royaume de France, Marie-Antoinette demeurait fort populaire dans cette région. Les paysans d'Amiens, n'ayant pas oublié la générosité de la dauphine, restèrent loyaux envers l'Étrangère. À plusieurs occasions, la fille des Habsbourg reçut la visite de l'évêque d'Amiens. Chaque rencontre permettait à la jeune femme de s'informer sur la population et leur état. Elle avait appris que la jeune enfant, celle qui était sur le point de mourir, survécut à son malheur. La fillette fut amputée d'un bras et d'une jambe à cause de la gangrène, mais vivait pleinement son quotidien. Lors des passages du prélat au château de Versailles, l'épouse de Louis lui remettait une petite bourse remplie de pièces d'or. Remerciant le ciel de la bienveillance de l'Autrichienne, l'homme d'Église retournait dans sa commune aider les misérables.

Les habitants de la région d'Amiens portaient un amour considérable à Marie-Antoinette, ce qui n'était pas le cas dans le reste du royaume. Tant les paysans que les nobles la détestaient. La haine était plus manifeste dans la capitale française. On rejetait sur le compte de l'Étrangère chaque problème que vivait la France. La jeune femme était consciente de cela, mais elle était convaincue que l'opinion publique changerait un jour ou l'autre, tout comme cela s'était produit dans le nord du royaume. *Rien n'est impossible*, aimait à se répéter l'Autrichienne.

Âgée de 18 ans, épouse du dauphin Louis et membre de la famille royale depuis quatre ans, Marie-Antoinette ne se sentait toujours pas acceptée au sein de la Cour de France. Malgré toutes ses tentatives de séduction, la jeune femme ne gagna aucune considération des filles de Louis XV. Pourtant, contrairement aux directives de sa mère, Marie-Thérèse d'Autriche, l'Étrangère ne se lia pas d'amitié avec la comtesse du Barry. En agissant ainsi, elle espérait obtenir la confiance des princesses royales, mais rien de la sorte ne se concrétisa. Le souverain, pour sa part, estimait énormément l'épouse de son petit-fils. Les répercussions du séjour de l'Autrichienne à Amiens lui avaient permis de découvrir une Marie-Antoinette différente. Peut-être était-il le seul à voir ce visage caché de la jeune femme ? Il appréciait beaucoup la présence de l'Étrangère, au plus grand désespoir de ses filles. Il n'était pas rare que Louis XV assiste à des représentations théâtrales en compagnie de sa maîtresse, de son héritier et de l'Autrichienne. En bonne épouse, Marie-Antoinette jouait la comédie lorsqu'elle se trouvait en présence de la comtesse du Barry afin de plaire au roi.

Un soir de janvier 1774, alors que la famille royale se trouvait à l'Opéra de Paris, l'ambassadeur de Suède se rendit dans les loges de Louis XV. Une discussion cruciale sur les relations entre les royaumes de France et de Suède, plutôt fragiles sur la scène diplomatique, était nécessaire pour entretenir ce qui restait de cette bonne entente. Pour l'occasion, le représentant du roi Gustave III était accompagné d'un jeune noble scandinave. Lorsque ce dernier fut présenté au souverain français, son apparence physique attira l'attention de Marie-Antoinette. Assise non loin de Louis XV, elle prit plaisir à regarder le comte Hans Axel de Fersen. Il avait les yeux gris, le teint pâle – moins que celui de l'Autrichienne – et une bouche bien découpée. Élégant, il avait un sens raffiné de l'habillement. Cachée derrière son éventail fleuri, l'Étrangère admirait la beauté du jeune homme. Il ne semblait pas l'avoir remarquée. Elle en fut très déçue. Que pouvait-elle faire ? Soudain, une idée lui effleura l'esprit. La dauphine fit tomber sur le plancher son éventail. Le comte suédois, qui venait de voir la scène, se pencha et ramassa l'objet.

« Madame, je crois que vous avez échappé ceci », dit-il à Marie-Antoinette en lui tendant son bien.

« Vous êtes bien aimable, monseigneur », répondit-elle en lui adressant un sourire charmant.

Les deux se regardèrent un long moment dans les yeux ; le fils des Bourbon remarqua même leur regard qui semblait vouloir s'éterniser.

« Comment trouvez-vous Paris ? » demanda Louis dans le but d'interrompre le charme que l'un opérait sur l'autre.

« J'adore les lieux… Paris est un endroit tellement vivant et tourné vers la modernité », s'émerveilla Hans Axel de Fersen.

Ne désirant pas déranger le roi dans sa sortie publique, l'ambassadeur de Suède fit signe à son protégé de le suivre. Le jeune homme fit la révérence à Louis XV et salua poliment le dauphin. Il déposa délicatement ses lèvres sur la main de Marie-Antoinette.

« Votre Altesse Royale, j'espère vous revoir un jour », dit-il.

« Seul Dieu le sait ! » répliqua l'Autrichienne.

ℐ

La relation entre la dauphine et l'héritier des Bourbon s'était peu à peu améliorée. Les sentiments de la jeune femme à l'égard de son époux grandissaient de jour en jour. Elle aimait Louis et le lui manifestait souvent. Sa plus grande preuve était de l'accompagner occasionnellement lors de ses escapades en chasse. Amoureuse de la nature, elle profitait de ses séjours en forêt pour admirer les paysages. Les hommes partaient à dos de cheval pour traquer le gibier, alors que les femmes s'adonnaient à leur passe-temps préféré, les rumeurs croustillantes de la Cour royale. L'Autrichienne était plutôt une excellente adepte de ces histoires de couchette. Pour sa part, côté intime, elle essayait ardemment d'attirer les faveurs sexuelles de son époux, mais en vain. Ce dernier, tout juste âgé de 19 ans, avait le sens de la débrouillardise très peu développé sur le plan du devoir conjugal. Non pas que Marie-Antoinette ne l'attirait pas, bien au contraire, mais par ignorance de la chose sexuelle. Il était fréquent que le dauphin rejoigne sa douce moitié dans ses appartements. Ils aimaient se retrouver ensemble, seuls et loin du protocole de Versailles. Une complicité s'était tissée entre eux au fil des mois. Malgré leur jeune âge, ils avaient décidé de vivre pleinement leur amour. Lui n'avait d'yeux que pour elle. L'Étrangère ne vivait sa joie qu'à travers les sentiments qu'elle ressentait pour son époux. Louis, manifestement plus réservé, allait fréquemment aux soirées mouvementées de sa bien-aimée. Par sa présence, il voulait montrer son dévouement envers Marie-Antoinette. Chaque fois qu'il avait l'occasion de se retrouver aux côtés de son épouse, cela était pour lui un plaisir immense.

Le bonheur du couple princier prendra fin en mai 1774 à la suite de la grave maladie du roi. Atteint d'une infection du sang, Louis XV demeura alité plusieurs jours. Âgé de soixante-quatre ans, mal en point, le souverain voyait ses derniers jours lui échapper brusquement. Après un long règne de près de soixante ans, le grand-père du dauphin décéda le 10 mai, en après-midi. Totalement indifférent à l'annonce de la mort du souverain, le peuple attendait avec impatience la venue du jeune Louis sur le trône des Bourbon. Ce dernier, apeuré par la lourde tâche qui l'attendait, s'enferma une journée entière dans sa chambre.

« Madame, le roi refuse de se montrer devant la cour », s'exaspéra le délégué du parlement de Paris.

Consciente de l'image négative que le geste de son époux pouvait avoir sur le royaume de France, l'Autrichienne se rendit aux appartements de Louis. Elle espérait le convaincre de sortir de son mutisme et d'affronter son destin.

« Louis, ouvrez ! C'est votre épouse qui vous implore de l'écouter », s'écria l'Étrangère à travers les portes closes.

Après une brève hésitation, le nouveau souverain accepta de laisser entrer sa bien-aimée. Maintenant seuls, les deux époux échangèrent des paroles d'encouragement.

« Louis, vous êtes le roi de France. Vous avez des responsabilités à assumer envers la Couronne et envers votre peuple. Vous ne pouvez demeurer muet devant la France tout entière », dit Marie-Antoinette en effleurant la nuque de son époux royal.

« Ma chère, êtes-vous consciente de la situation délicate dans laquelle nous sommes désormais ? » répondit amèrement le jeune homme.

« Absolument ! Voilà la raison principale qui nous pousse à nous présenter devant la Cour royale afin de taire les mauvaises langues », répliqua-t-elle.

Le roi s'approcha de la fenêtre, regarda par la vitre et poussa un long soupir. Comment, lui, pouvait-il régner sur le royaume de France ? Il était si jeune. Certes, depuis des années il avait reçu une éducation d'héritier et un apprentissage rigoureux sur son rôle en tant que roi, mais il ne s'était jamais vraiment arrêté à l'idée de monter si tôt sur le trône. Soudain, il ressentit un malaise lui engourdir le bras gauche. La douleur ne dura qu'un moment.

« Louis, réagissez ! » lança, impatiente, la fille de l'impératrice d'Autriche.

Le souverain se retourna, fixa son épouse dans les yeux et prit une grande respiration.

« Marie-Antoinette, à titre de reine de France et d'épouse dévouée, j'attends de vous une totale collaboration. Je ne pourrai nullement remplir ma tâche de roi si vous ne m'aidez pas. Devant Dieu, nous nous sommes promis l'un à l'autre », conclut-il.

La jeune femme s'approcha de Louis, lui déposa un baiser sur la joue et le regarda à son tour.

« Absolument, mon époux ! »

Satisfait des paroles de l'Autrichienne, le souverain sortit de ses appartements et se dirigea vers la galerie des Glaces. Ce long couloir, décoré de miroirs, était le lieu de rassemblement des courtisans du château de Versailles. Louis souhaitait affronter la noblesse et le clergé afin de montrer sa force. Non loin, Marie-Antoinette écoutait fièrement le discours de son époux. Elle avait quitté son pays natal dans le but de monter sur le trône des Bourbon, aux côtés de Louis. Aujourd'hui, son avenir commençait et son influence devenait officielle. Vêtue d'une robe bleue et d'une coiffe de perles, la souveraine regardait les nobles s'affairer autour du roi comme une meute de loups. Elle comprit, en analysant la scène, que son principal devoir – outre celui de donner des enfants à la Couronne – serait de protéger son époux. Elle, l'Étrangère, devait s'assurer d'éloigner Louis des pièges de ses ennemis.

Les semaines qui suivirent le décès de Louis XV furent chargées pour le nouveau couple royal. Il y eut les obsèques du défunt roi, la composition du Conseil des ministres, la rencontre avec le clergé et l'analyse des finances du royaume. Le souverain travailla avec acharnement sur chacun des dossiers sur lesquels il se pencha. La fougue de sa jeunesse lui permettait de régler plusieurs problèmes mineurs.

Marie-Antoinette assista à plusieurs réunions des ministres. Elle avait même proposé, sur l'avis de sa mère par l'entremise du comte de Mercy-Argenteau, des candidatures à ces hautes fonctions. Lorsque l'Autrichienne le pouvait, elle conseillait son époux sur certaines décisions importantes qu'il devait prendre. Très rapidement, avec l'autorisation de Louis, la souveraine ordonna à la comtesse du

Barry de quitter le château de Versailles. La maîtresse du défunt roi fut rejetée par la Cour royale et bannie de toutes les cérémonies en présence du couple régnant. Ce geste de la part de Marie-Antoinette fut salué par les princesses royales et la Couronne des Habsbourg. L'Étrangère souhaitait asseoir son autorité à Versailles et la favorite de Louis XV devenait plus que gênante.

La première année du nouveau couple royal se déroula merveilleusement bien. Les sujets du royaume de France aimaient leur roi, un peu moins leur reine, mais ils ne le manifestaient pas ouvertement encore ; les membres de la noblesse respectaient Louis XVI, toléraient l'Étrangère ; et les représentants du clergé louangeaient le souverain, tout en acceptant son épouse. Couramment, l'ambassadeur d'Autriche rencontrait Marie-Antoinette pour la conseiller, disait-il. La jeune femme était fort occupée par ses fonctions de souveraine. Malgré tout, elle assistait souvent à des pièces de théâtre à Paris. Elle raffolait de se faire aduler en public, surtout par le milieu des artistes. Certains d'entre eux voyaient en la reine une protectrice des arts et des lettres.

L'avènement crucial du début du règne de Louis XVI fut son couronnement royal à la cathédrale Notre-Dame de Reims. Comme la tradition l'obligeait, les nouveaux souverains devaient recevoir l'huile sacrée des mains du plus puissant prélat du royaume de France. Hautement pompeuse, cette cérémonie avait lieu chaque fois qu'un monarque

montait sur le trône, et ce, depuis Pépin le Bref au
VIIIe siècle. Il avait été décidé que le couronnement
se déroulerait le 11 juin 1775. Pour Louis XVI et
Marie-Antoinette, il s'agissait là d'une occasion en
or de prouver aux autres puissances d'Europe la
grandeur des Bourbon.

La reine élabora le programme de cette journée si
cruciale pour eux. Entourée de personnes en qui elle
avait pleinement confiance, l'Autrichienne prépara
pendant des mois chaque détail de l'événement. Le
trajet du cortège royal, les musiciens, la décoration
intérieure et extérieure de la cathédrale, les invités,
les vœux, les vêtements, le banquais et leur sécurité.
La fille des Habsbourg ne voulait pas moins que le
couronnement royal le plus prestigieux d'Europe.
Tout fut prêt pour le 11 juin.

Deux jours avant la cérémonie, le couple royal
avait rejoint le palais du Tau, résidence archiépisco-
pale de Reims. Pour assurer leur sécurité, les souverains avaient simulé un départ plus tardif afin de
déjouer les plans d'éventuels manifestants. Protégés
entre les murs de la demeure de l'archevêque, Louis
XVI et Marie-Antoinette profitèrent de cette
solitude pour solidifier leur union. Ils passèrent leurs
longues journées à se promener dans les jardins du
palais archiépiscopal. Le roi s'exerça à avoir une
démarche solennelle et répéta son discours pour la
cérémonie, alors que son épouse s'efforça de le
guider dans sa tâche.

« Croyez-vous que je serai un bon roi ? » demanda-t-il sans cesse à l'Autrichienne.

« Le meilleur ! répondait-elle du tac au tac. Vous poser la question est déjà un signe de votre jugement », aimait-elle ajouter.

La veille de l'événement, l'archevêque bénit en secret le couple royal. Cette initiative fut prise à la demande de Marie-Antoinette, qui tenait à la protection du Tout-Puissant. Elle n'était pas superstitieuse en temps normal, mais cette journée si attendue signifiait le début d'un règne qu'elle voulait le plus long et le plus prospère de l'histoire du royaume de France.

Le 11 juin 1775, très tôt, la fille des Habsbourg se réveilla en sursaut. Un vacarme provenant de l'extérieur du bâtiment l'arracha à son sommeil. Elle essaya de se rendormir, mais Morphée n'était plus au rendez-vous. La jeune femme sortit en douceur du lit et regarda son tendre époux encore endormi. Elle avait une certaine pitié pour lui, sachant le fardeau qu'il aurait désormais à porter. L'Étrangère se promit d'être à ses côtés, quelles que soient les épreuves qui se dresseraient sur leur chemin. Elle était une Habsbourg, donc, par définition, une battante. Dès sa plus tendre enfance, ses parents lui avaient enseigné la détermination et le courage. Ces deux qualités, la souveraine les comptait parmi ses forces.

Elle profita de ses quelques moments de solitude pour prier le Seigneur. L'Autrichienne s'agenouilla devant un imposant crucifix où se tenait un christ agonisant. Accroché au mur, l'objet de culte représentait le fils de Dieu portant le péché de l'humanité. Un peu à l'image de ce dernier, le roi de France devait porter l'odieux de la couronne des Bourbon.

« Seigneur, protégez-nous de nos ennemis. Guidez nos pas. Veillez sur Louis, mon bien-aimé époux », chuchota-t-elle en implorant le divin.

Elle se releva, se tourna et fut surprise de constater que le roi se tenait debout près d'elle.

« Ma chère, pourquoi êtes-vous si inquiète ? Si Dieu m'a choisi comme souverain sur Terre, il ne peut que m'aider dans mes fonctions », dit Louis XVI en souriant à Marie-Antoinette.

« Vous avez raison… Je suis trop émotive, j'en conviens », affirma la jeune femme.

Louis s'approcha de l'Autrichienne et la serra très fort contre lui. Par ce geste de réconfort, il espérait convaincre la souveraine de sa non-vulnérabilité. Elle crut à son jeu, mais lui, il savait pertinemment qu'il n'en était rien. Le fils des Bourbon ressentait une nervosité agaçante lui ronger l'intérieur. Que pouvait-il faire ? Il était le roi et il ne devait montrer aucune faiblesse, même à son épouse.

Vers huit heures, les dames de compagnie de la reine se présentèrent au palais archiépiscopal. Elles devaient seconder la souveraine dans sa préparation à la cérémonie. Réunies dans une chambre du dernier étage, les favorites se hâtèrent de donner le bain à Marie-Antoinette. Par la suite, elles la vêtirent d'une robe jaune expressément commandée de Milan par la couturière de la garde-robe royale. Les manches, coupées aux coudes, laissaient voir les avant-bras de l'Autrichienne. D'une blancheur angélique, ils dévoilaient la féminité de la jeune femme. La poitrine fut mise en évidence par une dentelle blanche qui n'avait nullement comme fonction de cacher son buste. Quelques perles et diamants étaient parsemés ici et là sur le vêtement. La souveraine avait choisi comme coiffe une perruque volumineuse en hauteur. Pour embellir le tout, elle porterait un bracelet en or, des bagues assorties de pierres précieuses, un collier de diamants et une longue traîne en velours bleu.

Le roi se présenta auprès de la reine vers 8 h 45. Il fut agréablement étonné de voir la splendeur de Marie-Antoinette.

« Un ange descendu du ciel », s'écria-t-il.

« Louis, arrêtez, vous me gênez », répondit la reine en cachant son visage derrière sa main.

Le roi, pour sa part, portait un vêtement bleu recouvert de fleurs de lys dorées. Un collant blanc dissimulait ses petites jambes. Pour donner l'impression d'être plus grand, le souverain se chaussa d'escarpins plus hauts qu'à l'ordinaire. Tout comme son épouse, il tirait une traîne en velours bleu derrière lui. Pour tout bijou, le fils des Bourbon arborait fièrement le collier de l'Ordre royal de

Saint-Louis. Le couple régnant, en parfaite harmonie, resplendissait de beauté et d'élégance.

En privé, les souverains rencontrèrent l'archevêque de Reims pour finaliser un dernier détail.

« Votre Majesté, souhaitez-vous toujours vous faire couronner roi de France et de Navarre comme vos successeurs ? » questionna l'homme d'Église.

Depuis des générations, les monarques français s'appropriaient le trône de Navarre. Situé au sud-ouest du royaume des Bourbon, le territoire conquis par les forces de Paris avait laissé un goût amer aux perdants. Ces derniers, de nature rebelle, n'appréciaient guère la domination française. Souligner leur défaite lors du couronnement royal signifiait – sur le plan diplomatique – une prise de position ferme de Louis XVI.

« Le royaume de Navarre appartient à la Couronne française. Il m'est impossible de l'ignorer ou de le cacher. Dieu m'a fait roi de France et de Navarre, qu'il en soit ainsi », conclut-il.

Le cortège du souverain et de son épouse quitta le palais archiépiscopal escorté par une dizaine de chevaux montés par les gardes royaux. Entre-temps, le prélat et les dames de compagnie de Marie-Antoinette avaient rejoint les invités. Seuls dans le carrosse, les deux époux échangèrent des regards de soutien. Conscients de l'avenir qui se dressait devant eux, ils devaient s'épauler mutuellement. Sans en avoir réellement discuté, le roi et la reine comprenaient que la couronne serait lourde à porter. Contrairement à son grand-père, Louis XVI partageait avec joie son rang avec l'Autrichienne. Il voulait une reine, non pas une potiche. À ses yeux, la fille des Habsbourg n'était pas uniquement destinée à engendrer des enfants. Elle assumerait également le pouvoir royal, tant sur le plan politique que militaire. Le roi avait une confiance aveugle en la jeune femme et elle le lui rendait bien.

« Ma chère, vous êtes la clé de voûte de ma vie. Sans vous, je ne pourrai remplir mon devoir envers la Couronne », lui dit-il en serrant les mains froides de l'Étrangère entre les siennes.

Marie-Antoinette déposa un léger baiser sur la joue de l'homme qui partageait sa vie afin de le rassurer. Ironiquement, la mort de Louis XV servit d'élément déclencheur entre les deux mariés. Jamais ils n'avaient été si proches émotionnellement.

Tout le long du parcours entre la résidence de l'archevêque de Reims et la cathédrale Notre-Dame, une foule acclamait le monarque et son épouse. Des hommes, des femmes et même des enfants frappaient dans leurs mains, riaient et chantaient devant le cortège.

« Vive le roi ! Vive la reine ! » criaient-ils au passage du carrosse.

Lorsque les souverains arrivèrent enfin devant les gigantesques portes de l'église, le véhicule s'immobilisa net. Un jeune soldat ouvrit la portière, Louis

XVI descendit le premier suivi de Marie-Antoinette. Leurs sujets, toujours en délire, les accueillirent devant la façade de la cathédrale. Le roi et la reine avancèrent du même pas jusqu'à l'intérieur de l'immense temple. Plus de trois cents invités, debout devant leur banc, les applaudirent à l'unisson. Nerveux, le fils des Bourbon devint pâle et en sueur. Témoin de l'état de son époux, l'Autrichienne lui prit la main pour le rassurer. Tous deux traversèrent l'allée centrale du bâtiment historique. Tant de souverains avaient reçu le sacre en ces lieux. Le couple royal prit place sur deux fauteuils placés devant le chœur. Assis, ils tournaient le dos à l'assistance mais regardaient Dieu dans les yeux.

Illuminée de toute part, la cathédrale Notre-Dame resplendissait de beauté. Des cierges blancs étaient fixés au mur, de longs fanions – représentant les armoiries de chacune des régions françaises – étaient suspendus aux nombreux piliers de marbre, des banderoles de fleurs multicolores pendaient aux bancs en bois et des tissus bleus aux couleurs royales recouvraient le plancher du chœur de l'église. Dans les nefs de gauche et de droite, des chorales de jeunes adultes chantaient des hymnes en latin.

L'archevêque de Reims avait été choisi pour présider la cérémonie du couronnement royal. Le vieil homme était un intime de la Maison des Bourbon. Au cours des dernières années, il avait célébré le mariage du dauphin avec la dauphine et octroyé les sacrements lors du décès de Louis XV. Charles Antoine de La Roche-Aymon était l'un des prélats les plus puissants du royaume de France. Il était entièrement dévoué à la Couronne et se faisait un devoir de protéger la famille royale. Pour l'occasion, l'homme d'Église fut secondé par ses collègues des diocèses voisins.

Dans l'assistance, on comptait les plus hauts dignitaires de Paris. Il y avait les ministres du roi ; les ambassadeurs étrangers, notamment ceux d'Espagne, de Savoie, de Prusse, d'Autriche, des royaumes nordiques et même celui de la lointaine Russie ; les princes de sang, frères de Louis XVI ; les princesses royales, tantes du monarque ; les membres de la noblesse française, surtout courtisans de Versailles ; les dirigeants des armées du royaume ; les dames de compagnie de la reine ; et, bien sûr, des membres de la famille des Habsbourg. Vêtus de leurs plus beaux costumes, les invités attendaient avec impatience le début de la célébration religieuse.

« Nous sommes tous réunis ici aujourd'hui pour couronner notre bien-aimé Louis XVI, roi de France et de Navarre », dit en guise d'introduction le cardinal.

Un silence se fit entendre dans la cathédrale. Marie-Antoinette, en attente de cette journée mémorable depuis sa tendre enfance, écoutait attentivement les paroles du prélat.

« Louis Auguste de Bourbon, petit-fils de notre défunt roi Louis XV, Dieu vous a choisi pour porter la charge de vos ancêtres et celle du royaume de France. En cet instant, je vous le dis, le Seigneur

attend de vous de servir et de défendre sa sainte
Église », poursuivit le vieil homme.

Un religieux fit doucement signe de la main droite
à Louis XVI de s'agenouiller sur un petit cousin en
velours bleu. Ce dernier s'exécuta et deux valets
replacèrent avec soin la traîne du roi. Les mains
jointes, le souverain baissa la tête en signe de
soumission au Tout-Puissant. Les choristes entamèrent un chant religieux. Les hommes d'Église agitè-
rent de l'encens autour du fils des Bourbon.
L'archevêque de Reims s'avança vers le roi en levant
les bras. Il était suivi de deux prêtres, l'un tenant
entre ses mains une couronne dorée, assortie de
pierres précieuses, et l'autre la sainte ampoule
remplie de l'huile consacrée.

« Au nom du Seigneur, qui est mort sur la croix
pour nos péchés, l'Église de Rome reconnaît Louis
Auguste de Bourbon comme légitime roi de France
et de Navarre. Par cette huile sainte, laquelle fut
puisée dans l'eau qui servit au baptême du roi
Clovis, je vous confie la charge de défendre la foi et
les paroles de notre Sainte Mère, l'Église romaine »,
dit Charles Antoine de La Roche-Aymon en mouil-
lant le front de Louis du liquide sacré. Par cette
couronne, qui fut portée par vos pères, je vous sacre
roi de France et de Navarre et souverain des possessions françaises au-delà des montagnes et des
mers », ajouta-t-il en déposant la couronne royale
sur la tête du monarque.

Clovis Ier, roi des Francs, avait été le premier monarque de la France mérovingienne. Il était né vers 465 et avait rendu l'âme en 511, à Paris. Combattant acharné, il vainquit plusieurs ennemis étrangers. Par ses conquêtes, il agrandit le territoire royal. Saint Remi le baptisa à Reims, ce qui lança la tradition comme lieu de couronnement pour les rois suivants. À sa mort, ses fils se partagèrent le royaume en deux parties.

✑

Totalement subjuguée par la scène, Marie-Antoinette versa une pluie de larmes sur ses joues roses. La jeune femme n'avait jamais été témoin d'un événement aussi grandiose de toute sa vie. Voir son époux porter la couronne royale des Bourbon, une lignée de rois puissants, représentait le summum de la fierté qu'elle pouvait ressentir. La lèvre tremblante, elle ne pouvait cacher sa joie devant cette cérémonie si attendue.

Louis XVI se leva et se tint debout devant le petit coussin bleu. Il fit un sourire à l'Étrangère et cette dernière comprit qu'elle devait, à son tour, accomplir sa tâche. La fille des Habsbourg se leva – aidée de ses favorites – et se dirigea vers son époux. Elle s'agenouilla devant lui, pencha la tête et attendit la suite des choses.

« Devant le royaume de France et de Navarre, je vous couronne comme légitime reine », dit Louis XVI à haute voix.

108

Il prit la couronne des souveraines et la plaça au-dessus de la tête de Marie-Antoinette sans la déposer.

« Voici votre reine bien-aimée, Marie-Antoinette de France et de Navarre », ajouta-t-il.

Les chœurs entamèrent des hymnes en langue latine. L'Autrichienne, si contestée dans son pays d'adoption, devenait officiellement l'épouse du souverain et la reine de France. Ce moment, longuement préparé par l'impératrice d'Autriche, prenait enfin son envol et installerait la puissance des Habsbourg sur une bonne partie de l'Europe.

Louis XVI tendit la main à son épouse, l'aida à se relever et lui fit un sourire rassurant. Les souverains firent maintenant face à l'assistance. Le couple royal longea l'allée centrale main dans la main et se dirigèrent vers la sortie de la cathédrale Notre-Dame. Des chants angéliques résonnaient à l'intérieur du temple chrétien. Sur le parvis de l'église, ils saluèrent le peuple qui les applaudissait en signe d'approbation. Un soleil radieux rayonnait sur le couple royal. Soudain, une forte détonation déchira l'air.

« Protégez le roi et la reine ! » crièrent les gardes.

La foule assemblée sur les lieux courut dans toutes les directions, les enfants pleuraient et les femmes lançaient des cris de stupeur. Marie-Antoinette, affolée par la situation dramatique, chancela puis s'affaissa. Un deuxième coup de fusil se fit entendre parmi le vacarme causé par la consternation des gens. Des gouttelettes de liquide rouge aspergèrent le visage de la reine. Elle essuya ses joues avec ses mains frêles. Tremblante d'effroi, l'Étrangère regarda ses doigts tachés de sang qui dégoulinait. D'où provenait-il ? Elle ne ressentait aucune douleur. L'Autrichienne tourna la tête et vit allongé près d'elle le corps de son époux. La souveraine, bouleversée et terrorisée, se traîna jusqu'à Louis XVI. Penchée sur le visage de son époux, elle déposa lentement sa main ensanglantée sur le front du roi. Il était vivant. Elle pouvait lire la détresse dans ses yeux. Ses lèvres semblaient vouloir bouger. Marie-Antoinette approcha son oreille près de la bouche de son mari.

« Ma chère, je vous aime… », murmura l'homme, de peine et de misère.

Le souverain ferma les yeux en s'évanouissant. Ses vêtements étaient recouverts de sang. Sa couronne – dans l'action – était tombée par terre.

« Louis ! Louis… restez avec moi ! » hurla la jeune femme en proie à une crise d'hystérie.

À cet instant, une dizaine de soldats entourèrent le couple royal. Armés, les hommes protégèrent le roi et la reine. Quatre gardes transportèrent le corps de leur maître à l'intérieur du carrosse. Deux dames de compagnie sortirent de la cathédrale et empoignèrent la fille des Habsbourg par les avant-bras. Elles la guidèrent jusqu'à l'intérieur du bâtiment religieux. Toute la scène semblait se dérouler au ralenti. L'assistance, prise de panique, avait fait virevolter les bancs, et les cierges se retrouvaient en mille morceaux sur le plancher.

« Madame ! » s'écria Sophie afin de ramener sa maîtresse à la raison.

Rien ne fonctionnait, la reine était dans un état second. Les favorites escortèrent Marie-Antoinette vers la sacristie, pièce à l'arrière du chœur. La souveraine prit place sur un petit fauteuil. L'endroit était plutôt calme. Sans dire un mot, l'Autrichienne demeura immobile. Le visage de Louis XVI hantait ses pensées. Était-il mort ou vivant ? Cette journée avait si bien commencé et voilà que cette catastrophe venait ternir les cérémonies officielles. Impuissantes, les favorites restèrent debout près de la porte.

« Laissez-moi seule ! » ordonna la fille des Habsbourg.

Les suivantes se regardèrent, ne sachant trop comment réagir à la demande de leur maîtresse. Était-ce la chose à faire que de laisser la reine sans compagnie ?

« M'avez-vous entendue ? J'ai demandé à être seule », répéta Marie-Antoinette.

« Bien, Madame », répondirent les femmes d'une même voix.

Les favorites firent leur révérence en courbant légèrement le dos et en tenant entre leurs mains le bas de leur robe. Elles quittèrent la pièce rapidement, sans faire de bruit.

Assise de manière inconfortable, la souveraine revoyait les images atroces qui se bousculaient dans sa tête. Soudain, elle se rappela que son époux lui avait parlé. Il ne devait pas avoir rejoint le Seigneur s'il lui avait manifesté son amour.

« Louis ! » hurla l'Étrangère.

Aussitôt, les dames de compagnie pénétrèrent dans la sacristie en toute hâte. Alertées par le cri de la jeune femme, les suivantes s'attendaient à un autre malheur.

« Votre Majesté, que se passe-t-il ? » demanda Sophie.

« Mon amie, le roi n'est pas mort. Je veux être reconduite auprès de mon époux », dit l'Autrichienne sur un ton autoritaire.

Sur les ordres de la reine, on amena un carrosse devant la sortie arrière de la cathédrale. Un cocher, perché sur le toit du véhicule, attendait sa précieuse passagère. Après s'être assurées de la tranquillité des lieux, les favorites escortèrent leur maîtresse jusqu'à l'intérieur de la voiture. Elles avaient recouvert le corps ainsi que les cheveux de Marie-Antoinette d'un long manteau grisâtre.

L'Autrichienne se rendit tout d'abord au palais archiépiscopal de Reims afin de changer de toilette. Sur place, Sophie prendrait les informations nécessaires quant à l'emplacement exact où se trouvait Louis XVI. Il était plus qu'évident que, dans toute cette agitation, les proches collaborateurs du souverain avaient négligé les sentiments de Marie-Antoinette. Ils avaient emporté le corps du fils des Bourbon, laissant derrière eux la reine sans véritable soutien, et n'avaient guère montré de compassion à l'égard de l'épouse de la victime royale.

Grâce à l'appui inconditionnel de l'archevêque, l'Autrichienne fut renseignée sur le lieu qui servait de cachette improvisée pour son mari. À la sortie de la commune, un petit monastère de religieuses cloîtrées servait d'hôpital. Dès qu'elle fut en mesure de se rendre auprès de Louis XVI, l'Étrangère traversa Reims avec son cortège. Elle se rendit retrouver celui qui partageait son cœur.

Marie-Antoinette pénétra en toute hâte à l'intérieur du bâtiment. Elle ne remarqua pas les gens qui la saluaient au passage. L'Autrichienne arriva finalement près de la chambre de son époux. Devant la porte se tenait le chef du protocole, responsable des cérémonies du couronnement royal.

« Monsieur, je vous tiens entièrement responsable de cette journée affreuse. Non seulement la sécurité du roi a été négligée, mais vous m'avez traitée comme la dernière des paysannes. Croyez-moi, vous en payerez le prix, mon cher », lança-t-elle sans retenue au Français.

La reine entra dans la pièce étroite, mal éclairée, et se jeta au pied du lit de Louis XVI. Elle fondit en larmes en revoyant enfin l'homme qui partageait sa vie. Allongé sur un matelas inconfortable, le fils des Bourbon ouvrit difficilement les paupières.

« Marie… Marie… » prononça-t-il en balbutiant.

Au son de la voix du souverain, l'Étrangère se leva et prit place près de la tête de son époux. Il semblait si fragile, voire humain. Pour un successeur de Clovis, il était inconcevable que le roi de France puisse montrer des signes de faiblesse. Être humain était le pire d'entre eux.

« Mon cher Louis… dit-elle avec douceur. Je suis auprès de vous. »

Il ouvrit de nouveau les paupières.

« Marie… Vous m'avez manqué », enchaîna le jeune monarque.

À ces paroles touchantes, l'Autrichienne pleura à chaudes larmes. Elle croyait avoir perdu son époux et il était bien vivant, devant ses yeux. La reine remercia le ciel d'avoir épargné le roi. Le destin du couple royal ne faisait que commencer.

La convalescence de Louis XVI dura trois jours. Pendant ce court repos, Marie-Antoinette veilla sur le souverain avec diligence. L'épreuve qu'elle venait de vivre lui avait indiqué – sans aucun doute – qu'elle tenait réellement à son époux. Si Dieu lui

avait enlevé Louis, elle serait entrée au couvent pour
y terminer ses jours dans un deuil inconsolable.

À la suite du tragique événement, une enquête
avait permis de savoir qui était la cible exacte de
l'attentat. Ce n'était pas le roi, mais plutôt la reine
qui était visée dans cette histoire. L'homme – payé
par des opposants à l'Autrichienne – avait malheureusement raté la cible. À l'annonce de cette infor-
mation, la fille des Habsbourg fut prise de panique.
Pourquoi voulaient-ils l'abattre ? Sans réponse
concrète à cette question, Marie-Antoinette refusa
de sortir en public sans une garde rapprochée.
S'ajoutait à ce malheur la conduite impardonnable
du chef du protocole. C'est pourquoi elle exigea
qu'il soit démis de ses fonctions, sans compensation
financière. Le reproche le plus important que
l'Étrangère adressait au Français n'était pas la faille
dans la sécurité du couple royal, mais davantage la
manière dont il l'avait mise à l'écart. Louis XVI avait
été transporté dans un lieu sûr, alors qu'elle – reine
de France – n'avait pas été renseignée sur la situation. Par amour pour son épouse, le souverain
acquiesça à sa demande. Quant au tueur à gages,
après un procès arrangé, il fut condamné à la peine
de mort. La justice le fit pendre et son corps fut
brûlé aussitôt.

Pendant l'été 1775, Louis XVI et Marie-Antoinette
parcoururent le royaume de France. Les ministres
du monarque lui avaient fortement conseillé de
visiter les quatre coins du pays. D'une part, ce
voyage officiel permettrait au couple royal de faire la

connaissance de leurs sujets et, d'autre part, grâce à
la présence de la Couronne en terre parfois hostile,
de renforcer la domination française sur les territoires rebelles. Les souverains furent accompagnés
par les frères du roi, le comte d'Artois et le comte de
Provence. En juillet, ils visitèrent la Bretagne, la
Normandie, la Picardie – laquelle accueillit la reine
à bras grands ouverts –, la Champagne, la Lorraine
– moins royaliste –, l'Alsace et le Dauphiné. Le mois
suivant, le couple royal se rendit en Provence, au
Languedoc, en Guyenne, en Auvergne, dans les
régions du centre du royaume et au Poitou. Au
début de septembre, le souverain et ses frères visitèrent la Corse. Nouvellement acquise par la France,
l'île demeurait un endroit réfractaire à la domination des Bourbon. Pour cette raison, le roi avait
décidé que son épouse ne l'accompagnerait pas dans
ce voyage.

Marié depuis cinq ans, le couple royal n'avait
toujours pas d'enfant, donc pas d'héritier légitime.
L'Europe vivait des guerres intestines qui
menaçaient couramment le trône des Bourbon. Les
mauvaises langues de la Cour française – de plus en
plus nombreuses – clamaient haut et fort le proba-
ble problème de fertilité de Marie-Antoinette. Indif-
férente au début à ces qu'en-dira-t-on, elle se ravisa
lorsque l'ambassadeur d'Autriche lui fit part de la
grande inquiétude de l'impératrice Marie-Thérèse.
Celle qui avait donné naissance à une grande famille
espérait voir sa progéniture faire de même. La mère
de l'Étrangère lui reprocha sa frivolité, car elle
fréquentait régulièrement les soirées parisiennes, et

de ne pas remplir sa charge d'épouse royale. Les tantes de Louis XVI lui adressèrent également un message semblable. Certes, la reine aimait s'entourer d'artistes et de jeunes personnes, car elle pouvait s'évader et oublier les problèmes au château de Versailles. L'Autrichienne était la cause de chaque sujet de controverse, qu'il fût minime ou catastrophique. Si les moissons avaient été mauvaises, la faute incombait à l'Étrangère. Si une guerre était perdue par la France, la coupable était la fille des Habsbourg. Si une tempête s'abattait sur les bateaux des pêcheurs, c'était encore le nom de Marie-Antoinette qui revenait sans arrêt.

La souveraine accompagnait fréquemment le fils des Bourbon lors de ses sorties à Paris. Le couple royal remplissait ses devoirs envers la Couronne avec discernement et conviction. Sur ce point, rares sont ceux qui reprochaient à l'Étrangère de manquer à son rôle de reine de France. Elle participait souvent aux rencontres entre le roi et ses ministres. Assise sur un fauteuil, la jeune femme écoutait attentivement les conversations, quelquefois houleuses, avec un vif intérêt. Le soir, elle partageait ses opinions avec Louis XVI sur certains dossiers politiques. Lorsque les diplomates européens venaient offrir leur lettre de créance au monarque, la souveraine analysait le comportement des individus. Quand un ambassadeur semblait manifester une certaine hypocrisie, elle informait son époux de ses impressions.

Marie-Antoinette s'était créé une liste de responsabilités qu'elle s'attribuait à titre d'épouse royale. Outre de conseiller le roi sur des sujets aussi divers que les stratégies militaires et la couleur de ses habits, elle assumait pleinement la charge de rendre plus présente la culture française, tant dans le royaume qu'ailleurs sur le continent. La fille des Habsbourg avait gardé de bons souvenirs de ses soirées au château de Schönbrunn. À plusieurs occasions, de célèbres compositeurs et musiciens viennois rehaussaient les banquets donnés par l'empereur et l'impératrice d'Autriche. La jeune femme avait développé une certaine expertise dans le domaine de la musique et des arts de la scène. Enfant, l'archiduchesse était montée sur les planches et s'était illustrée devant la famille impériale. N'était-elle pas la comédienne favorite de son père ? Ce dernier l'encourageait souvent après ses courtes prestations.

« Si vous n'étiez pas née de sang impérial, vous auriez été une comédienne incroyable », lui disait souvent François Iᵉʳ.

Il en était tout autrement pour sa mère, qui détestait voir sa fille se donner en spectacle comme une vulgaire artiste de théâtre.

« Ma chère enfant, cessez ses absurdités devant la famille impériale. Vous n'êtes pas l'une de ces femmes ordinaires, mais la fille de l'empereur d'Autriche », fulminait Marie-Thérèse contre l'archiduchesse.

Une première discorde éclata entre le roi et la reine au printemps de 1776. Cette dispute avait pris naissance lors d'une soirée bien arrosée au château de Versailles. Marie-Antoinette, sous l'effet de la boisson alcoolisée, s'était laissé prendre par le jeu de séduction du frère du roi. Le comte d'Artois, homme manifestement attaché aux femmes, avait eu des gestes déplacés à l'égard de la souveraine. Inconsciente de la situation, elle n'avait nullement repoussé Charles-Philippe de France. Rapidement, la nouvelle fit le tour de la Cour royale et parvint aux oreilles sensibles de Louis XVI. Jaloux de nature, il sermonna son épouse sur un ton qui déplut à l'Autrichienne. Furieuse de l'attitude du monarque, elle quitta Versailles pendant une semaine. Accompagnée de deux de ses dames de compagnie, dont Sophie, et d'une poignée de soldats, elle se rendit dans le sud du royaume.

※

La reine de France et sa suite demeurèrent au château de Portes, situé dans le Languedoc. Loin des intrigues de la Cour royale, Marie-Antoinette profita pleinement de son séjour pour se refaire une santé physique et mentale. Le soleil printanier, l'air campagnard et les paysages montagneux permettaient à l'Étrangère d'oublier qu'elle était l'épouse du descendant d'une longue lignée de rois. C'était la seconde fois depuis son mariage que la jeune femme se retrouvait loin de Louis. Non pas par manque d'amour, mais par obligation personnelle. En 1772, la dauphine avait dû gagner l'estime de la famille royale – en particulier celle du roi Louis XV – afin de renforcer sa position auprès de l'héritier du trône. Cette fois-ci, la fille des Habsbourg devait prouver son innocence vis-à-vis du souverain. Se battre contre les rumeurs que les membres de la noblesse faisaient circuler était chose courante. Se battre contre son époux pour gagner du respect de sa part était rarissime. Femme de son temps, elle exigeait d'être reconnue à sa juste valeur. L'Autrichienne avait tout sacrifié pour s'unir à l'homme de sa vie. En retour, elle espérait une confiance de la part de ce dernier.

Sous le couvert de l'anonymat, la souveraine savoura chacune des journées qu'elle passait dans le sud du pays. Elle avait ordonné à ses favorites de ne pas parler, pendant son voyage, des affaires royales à des individus qu'elles rencontreraient. Dans le Languedoc, elle n'était plus la reine de France, mais simplement Marie-Antoinette. L'Étrangère passait ses journées entières à se balader dans les jardins et dans la forêt du château de Portes. Vêtue d'une robe simple et d'un chapeau de paille, elle jouait à la petite bourgeoise. Les soirs, elle et ses dames de compagnie organisaient des jeux de cartes jusqu'à l'apparition des étoiles.

Durant son séjour, la fille des Habsbourg fut l'invitée du marquis de Cévennes et de sa famille. Ami intime de l'impératrice d'Autriche, l'homme était bien connu de Marie-Antoinette et celle-ci avait un profond respect pour lui. Dans sa jeunesse, elle s'était liée d'amitié avec le fils cadet de ce dernier. Mais un malheur s'était abattu sur l'homme lorsque le bateau qui transportait son enfant fut détruit par un typhon. Aucun passager ne survécut à la catastrophe.

L'avant-dernière journée qui précéda le retour de la souveraine au château de Versailles, une autre amie de la famille du marquis fit halte à sa résidence. La princesse de Lamballe, d'origine piémontaise, vivait dans sa demeure parisienne depuis le décès de son époux. La reine fera la rencontre de Marie-Thérèse Louise de Savoie-Carignan sous un arbre fruitier. Tôt le matin, l'Étrangère avait décidé de faire ses prières dans la petite chapelle, près du château. Lorsqu'elle eut terminé, elle se dirigea vers ses appartements. Surprise par une pluie soudaine, elle eut le temps de trouver refuge sous les branches d'un arbre. Des milliers de gouttelettes s'écrasèrent sur le sol boueux. Au même instant, revenant d'une promenade dans la forêt, la princesse de Lamballe fut surprise à son tour par les soubresauts de la température. Passant à quelques pas de l'abri où se tenait Marie-Antoinette, elle décida de rejoindre l'Autrichienne pour se protéger de l'averse.

« Votre Majesté, puis-je partager votre refuge ? » demanda la Piémontaise.

« Faites, ma chère ! » répondit en souriant la souveraine.

« Madame, j'ai été informée de votre retour à Versailles prochainement. »

« Effectivement, je quitte Portes demain, en matinée. Malgré mon désir de rester ici, j'ai des obligations royales qui m'attendent auprès de mon époux », précisa l'Étrangère.

« Je dois également poursuivre ma route vers Paris. Des affaires urgentes doivent être réglées incessamment », expliqua la princesse.

Les deux femmes échangèrent longuement sur divers sujets. Une certaine complicité s'était établie dès cet instant.

« Chère princesse, passez me rendre visite au château de Versailles. Vous me semblez plutôt amusante et j'adore rire... », dit la reine alors que le ciel commençait à s'éclaircir.

Le soir avant son départ, Marie-Antoinette donna une petite réception dans la grande salle du château de Portes. Le marquis de Cévennes, sa famille, la princesse de Lamballe et quelques illustres personnages de la commune furent invités à la fête d'adieu. Des musiciens et des acrobates amusaient les convives et la souveraine riait aux éclats. Assise sur un divan, la fille des Habsbourg s'émerveillait devant cette prestation d'artistes.

« Princesse, quelle est votre opinion sur les hommes ? » interrogea l'Autrichienne en regardant le spectacle.

122

« Sans nous, ils ne pourraient prétendre être des hommes », répliqua en ricanant Marie-Thérèse Louise de Savoie-Carignan.

La reine tourna la tête vers son interlocutrice, lui sourit et laissa échapper un rire franc. La réponse de la Piémontaise l'avait enchantée et elle voyait en cette femme une alliée. *Enfin une amie avec qui m'entretenir lors de mes moments de tristesse*, pensa-t-elle.

Le 10 mai, tôt le matin, Marie-Antoinette et ses dames de compagnie montèrent dans le carrosse. Entourée de ses soldats, la souveraine s'apprêtait à retourner au château de Versailles. L'idée lui déplaisait au plus haut point, mais son rôle crucial auprès de Louis XVI l'obligeait à revenir à la Cour royale.

« Votre Majesté ! » s'écria la princesse de Lamballe en sortant de la demeure du marquis.

« Attendez ! » ordonna l'épouse du monarque aux hommes armés.

« Madame, je tenais à vous faire mes adieux avant votre départ. Voici une bague, elle a appartenu à ma mère, je vous la donne en signe d'amitié envers Votre Majesté », dit-elle en lui remettant le bijou doré.

L'Autrichienne prit le précieux objet et tendit la main à la Piémontaise.

« Soyez assurée de mes sentiments amicaux, ma chère Marie-Louise », répondit la souveraine.

Puis le cortège quitta les lieux en toute hâte. Le chemin du retour allait être long et Marie-Antoinette n'aimait pas se retrouver sur la route pendant la saison des pluies. Alors que le véhicule était bien lancé, elle se retourna et vit au loin sa nouvelle amie qui la saluait de la main. Depuis son entrée au sein de la famille royale, c'était la première fois qu'une personne l'estimait vraiment. *Avec la princesse de Lamballe comme confidente, peut-être que la vie à la cour serait moins pénible*, songea la jeune femme.

ℒ

Lorsque la reine revint au château de Versailles, le roi l'attendait dans ses appartements. Elle fut étonnée de voir son époux, assis sur son lit, guettant patiemment son retour.

« Votre Majesté ! » lui lança spontanément Marie-Antoinette.

« Ma chère, comment s'est déroulé votre séjour dans le sud du royaume ? » s'informa Louis XVI.

« Il fut agréable sur plusieurs aspects. Le marquis de Cévennes vous envoie ses amitiés », précisa-t-elle.

« Êtes-vous encore fâchée contre moi, ma douce ? » demanda le monarque.

Elle se jeta à ses pieds en pleurant toutes les larmes de son corps. Ému, le souverain déposa doucement sa main sur la chevelure grisâtre de sa bien-aimée.

124

« Pardon, Votre Majesté ! » balbutia la fille des Habsbourg.

« Non, ma chère. Relevez-vous, c'est moi qui ai eu tort de vous mépriser de la sorte », dit l'homme.

L'Étrangère se releva et prit place aux côtés de son époux. Il la serra fortement contre lui.

« Il ne faut plus jamais qu'une telle dispute n'éclate de nouveau. Sans vous, je meurs », ajouta le roi.

Les deux amoureux se regardèrent tendrement et s'embrassèrent langoureusement un bref instant. Il l'aimait et elle le savait. Cette courte séparation semblait les avoir rapprochés définitivement. Ils passèrent une partie de la journée à discuter dans la chambre de la souveraine. L'Autrichienne lui parla de ses interminables promenades dans les jardins et dans la forêt du château de Portes, des soirées à jouer aux cartes avec ses favorites et de sa rencontre avec la princesse de Lamballe. Elle lui décrivit l'amitié qui venait de germer entre elles. Louis lui proposa d'inviter Marie-Thérèse Louise de Savoie-Carignan lors d'une partie de chasse.

« Vous pourriez discuter pendant que nous, les hommes, chasserions le gibier », lui dit-il.

La réconciliation du couple royal arriva à point nommé, car les mauvaises langues de la cour commençaient à faire circuler des rumeurs d'infidélité de la part de la reine. Le retour de Marie-

Antoinette et leur apparition régulière en public firent démentir ces racontars.

Quelques jours passèrent et la vie normale de l'Étrangère reprit de plus belle. Ses devoirs envers la Couronne royale se poursuivirent ainsi que l'attente, de la part de ses proches, de la naissance future d'un prince héritier. Il ne se passait pas une journée sans que l'ambassadeur autrichien ne se pointe dans les appartements de la fille des Habsbourg pour lui faire part de l'impatience de Marie-Thérèse de voir sa progéniture engendrer un mâle. La requête de l'impératrice devenait de plus en plus fréquente et persistante. Même le roi semblait détester l'ingérence de sa belle-mère dans ses affaires privées. Il devenait plus que pressant de régler la situation. Mais comment ? La souveraine essayait vainement d'attirer son époux dans son lit, mais ce dernier était plutôt incompétent en ce domaine.

CHAPITRE IV
L'élégance royale à tout prix

Château de Versailles, France, 1776-1777

L'ÉTÉ 1776 marquait le début des amitiés, limitées en nombre, de Marie-Antoinette. En effet, seuls quelques privilégiés furent admis dans son cercle intime. Ce favoritisme déclenchera des tollés de la part de certaines personnes torturées par la jalousie. Des membres de la noblesse se plaindront ouvertement d'être négligés par la reine et sa suite.

La princesse de Lamballe, nouvellement installée dans sa résidence parisienne, fera acte de présence à la Cour royale à de très nombreuses occasions. Véritable amie de la souveraine, elle se verra même offrir une chambre au château de Versailles. L'identité de l'Étrangère commençait à se forger, au désespoir du comte de Mercy-Argenteau. Ce dernier, placé dans une situation délicate, devait constamment intervenir auprès de la souveraine pour lui faire entendre raison. Selon les dires de l'impératrice, Marie-Antoinette négligeait sérieusement les relations incertaines entre l'Autriche et la France. La fille des Habsbourg s'entourait sans cesse d'artistes et de libres penseurs. L'Église catholique considéra même ses fréquentations comme dangereuses pour la bonne conduite des affaires religieuses du royaume. Non, l'image de l'Autrichienne ne s'améliora en rien.

✑

Marie-Thérèse Louise de Savoie-Carignan, née le 8 septembre 1749, était membre d'une des plus importantes familles royales du centre de l'Europe. Les Savoie régnaient depuis plusieurs générations sur différentes régions du sud européen. Son père était prince de Carignan et sa mère, une noble de Hesse. Issue d'un milieu éduqué et fortuné, la Piémontaise était pieuse et avait un caractère fort. Malgré cette rigueur, elle était ricaneuse et toujours prête à faire la fête. Pâle et mince, elle rayonnait par le bleu de ses yeux. En 1767, elle fut promise au prince de Lamballe, un homme infidèle et sans jugement. L'année suivante, son époux décédera d'une maladie vénérienne. La jeune femme demeurera discrète pendant quelques années. Elle se consacrera à la religion chrétienne et aux bonnes œuvres de charité. Veuve et sans descendance, Marie-Louise de Savoie-Carignan fera couramment le trajet entre Paris, ville dynamique et de la mode, et Turin, lieu de résidence de plusieurs membres de sa famille.

✑

De plus en plus critiquée par la Cour royale, par les tantes du roi et par les prélats, Marie-Antoinette s'isola au sein de son cercle d'amis. Elle entretenait d'excellentes relations avec son époux – sauf sur le plan sexuel – et avec les deux frères de ce dernier. Par contre, la noblesse et le clergé n'avaient que peu de considération pour la souveraine. Jamais ils n'avaient accepté l'Étrangère comme l'une des leurs, et ils ne cherchaient pas non plus à faire des efforts pour qu'il en soit autrement. Sa famille, pour sa part, se servait d'elle comme pion politique pour surveiller les intérêts autrichiens. La mère de Marie-Antoinette se mêlait continuellement des affaires françaises. À l'aube de ses vingt et un ans, la fille des Habsbourg ne pouvait compter que sur la confiance d'un groupe restreint. Outre Louis XVI, qui partageait sa vie, son amie Marie-Louise de Savoie-Carignan, sa favorite Sophie et l'archevêque d'Amiens, elle ne faisait confiance à personne. Surtout pas à l'ambassadeur d'Autriche, pourtant le plus proche collaborateur de Vienne en France. Une certaine paranoïa s'était emparée de la reine et ne semblait pas vouloir s'atténuer.

Plus les semaines avançaient, plus l'épouse du monarque s'enfermait dans ses appartements. Seuls les privilégiés avaient accès à elle. Lors d'une promenade dans les jardins de Versailles avec le souverain, elle lui fit part de ses sentiments.

« Mon cher Louis, les membres de la Cour royale me méprisent », lui avait-elle dit sans ambages.

« Vous vous trompez, ma douce. Toute la France vous adore… », répliqua son époux.

« Vous faites erreur, Votre Majesté. Les seigneurs me haïssent, leurs épouses me jalousent, vos tantes ne m'aiment pas et les cardinaux voient en moi le mal incarné », ajouta-t-elle rouge de colère.

« Ma bien-aimée, vous êtes formidable, comment pourraient-ils vous détester ? »

Les paroles réconfortantes du souverain ne changèrent en rien le ressentiment que l'Autrichienne éprouvait dans son for intérieur. Elle n'avait aucune preuve formelle de l'aversion qu'on avait à son égard, mais elle savait pertinemment que ses craintes étaient réelles. Tant de fois elle avait aperçu les dames de la cour se moquer de sa personne, pensant le faire en cachette.

Au début de la saison hivernale, la reine de France dut changer sa garde-robe afin de mieux supporter le froid. Plusieurs couturières renommées de Paris furent conviées dans les appartements de Marie-Antoinette. Entourée de son amie, la princesse de Lamballe, et de sa dame de compagnie préférée, Sophie, l'Étrangère examina chacun des vêtements que les professionnels de la mode lui présentèrent. Des robes de couleurs hallucinantes, des chapeaux parsemés de plumes diverses, des chaussures originales et des accessoires multicolores.

« Dites-moi, Sophie. Que pensez-vous de cette robe bleue avec le collet en dentelle blanche ? » demanda la fille des Habsbourg à sa suivante.

« Parfaite ! » lui avait-elle répondu.

Par la suite, Marie-Antoinette convoqua souvent les couturières parisiennes. Les joailliers aussi eurent les faveurs de la souveraine. Il ne se passait plus une semaine sans que l'épouse du roi n'achète des vêtements et des bijoux. Rejetée par ses ennemis, elle trouva refuge et réconfort dans les plaisirs de la beauté et de l'apparence.

Outre ses dépenses ahurissantes pour ses toilettes, elle avait un faible pour les jeux de hasard. Plusieurs soirs par semaine, en compagnie de la princesse de Lamballe, l'Autrichienne perdait des sommes d'argent considérables. Inconsciente de la dette qui s'accumulait, la fille des Habsbourg augmentait chaque fois les mises. Informé par ses ministres de la situation embarrassante dans laquelle s'était mise la souveraine, Louis XVI ne voulait pas intervenir au risque de se brouiller avec son épouse. Toute cette agitation autour des dépenses engagées par l'Étrangère fut transmise par l'ambassadeur d'Autriche à Marie-Thérèse. Cette dernière, déçue des erreurs à répétition de son enfant, écrivit à la jeune reine.

Madame ma chère fille,

Je suis bien aise de vous savoir de retour et plus tranquille pour l'hiver ; à la longue, votre santé ne résistera pas à toutes ces courses et veilles ; si elles fussent encore en compagnie du roi, je me tairais, mais toujours sans lui et avec tout ce qui est de plus mauvais à Paris et de plus jeune que la reine, cette charmante reine étant presque la plus âgée de toute cette compagnie. Ces gazettes, ces feuilles, qui faisaient l'agrément de mes jours, qui marquaient les bienfaits et les traits les plus généreux de ma fille, sont changées : on n'y trouve que courses de chevaux, jeux de hasard et veilles, de sorte que je n'ai plus voulu les voir, mais je ne peux empêcher qu'on m'en parle, car tout le monde qui connaît ma tendresse pour mes enfants me parle, me raconte d'eux. J'évite souvent de me trouver en compagnie, pour ne pas entendre des choses affligeantes ; mais voilà une bien consolante chose, si rien n'empêche son exécution, c'est que l'empereur compte venir en France. Je peux me présenter la consolation que vous aurez de sa visite, et que vous profiterez des moments qu'il se trouvera avec vous et de ses conseils. Il en est bien capable, et son amitié pour vous ne vous laissera rien à désirer.

Marie-Thérèse

Malgré les lettres, plus nombreuses que jamais, Marie-Antoinette n'entendit rien. Elle n'écoutait ni les conseils de sa mère ni ceux du comte de Mercy-Argenteau. La jeune femme était reine de France et voulait que son entourage la considère ainsi. De plus, que faisait-elle de mal à part jouer quelques pièces par soir ?

L'arrivée des premières neiges fut l'occasion, pour les membres de la famille royale, de se rendre au château de la Muette. Le roi, la reine, les deux frères du souverain ainsi que leur épouse et les tantes de Louis XVI se rendirent non loin de Paris. Quelques semaines pendant l'hiver, les Bourbon aimaient se retrouver ensemble dans cette résidence. Loin des tracas du château de Versailles, ils pouvaient se reposer et profiter de cette période pour échanger entre eux. L'endroit était plus modeste, mais tellement plus agréable à vivre pour échapper aux rumeurs de la Cour royale. Seule une centaine de domestiques s'occupait des lieux et de ses occupants. En temps normal, près de six cents personnes fourmillaient au château de Versailles.

Assise près d'un foyer allumé, trônant dans le petit salon, Marie Antoinette discutait avec ses deux belles-sœurs. Marie-Joséphine et Marie-Thérèse de Savoie étaient toutes deux issues de la même famille. Elles avaient épousé les frères du monarque et espéraient ardemment porter la couronne de reine de France. La jalousie envers l'Autrichienne était palpable mais très soigneusement cachée.

« Dites-moi, ma chère belle-sœur. Voilà maintenant six ans que vous êtes mariée au souverain et vous ne portez toujours pas son fils en votre sein », laissa échapper de plein gré la comtesse d'Artois.

« Vous avez raison, ma chère Marie-Joséphine… Le ciel n'a pas encore exaucé mon désir le plus important », répondit d'une voix amère la jeune femme.

« Votre Majesté, vous savez que les mauvaises langues, et Dieu sait que je les méprise, prétendent que vous ne pouvez enfanter, car votre corps n'est pas apte à donner la vie », dit la comtesse de Provence en regardant sa sœur, le sourire au coin des lèvres.

Aussitôt, l'Étrangère se leva, salua maladroitement ses deux interlocutrices et disparut dans ses appartements. Satisfaites d'avoir froissé la souveraine, les deux femmes se firent un clin d'œil de complicité. Ce geste disgracieux envers la fille des Habsbourg fut remarqué par Louis XVI. Insulté, il se leva brusquement et sermonna les épouses de ses frères.

« Mesdames, vos actions malhonnêtes envers la reine de France vous retomberont sur le nez. Soyez assurées que je veillerai personnellement à ce que cela ne se reproduise plus », s'écria-t-il.

Dépourvues devant la réaction du chef de la Maison royale, les deux femmes devinrent rouges de honte. Elles n'avaient jamais vu Louis XVI à ce point irrité. Les comtesses étaient gênées et confuses de leur geste prémédité. Elles se levèrent et se jetèrent en pleurs aux pieds du roi.

« Votre Majesté, nous sommes désolées de notre bêtise. Nous vous demandons pardon », le supplièrent-elles les larmes aux yeux.

« Ce n'est pas à moi que vos regrets doivent être formulés mais à mon épouse, votre souveraine », lança-t-il à ses belles-sœurs.

Pendant ce temps, Marie-Antoinette, enfermée dans sa chambre, pleura toutes les larmes de son corps. Elle était consciente de n'avoir donné aucun fils à la Couronne royale. Mais l'Étrangère n'était pas l'unique responsable de ce désastre. Elle avait – à plusieurs moments – essayé de convaincre son époux de remplir sa tâche. Louis XVI ne semblait pas disposé à s'éprendre sexuellement de sa douce moitié. Était-ce la faute de la jeune femme ? Désespérée, elle s'agenouilla devant un crucifix en espérant que ses prières soient entendues.

« Dieu, dans votre infinie bonté, veuillez m'offrir la chance de donner un mâle à la lignée des Bourbon. Je souffre tant en ce royaume de France... Si j'accouchais d'un fils, le roi serait le plus heureux des monarques. Je vous supplie, agenouillée devant vous, de bien vouloir entendre ma requête », murmura-t-elle en tremblant de tout son être.

Elle ferma les paupières, déposa sa tête sur le plancher et fondit une nouvelle fois en larmes. Elle devait trouver une solution sinon elle pourrait se voir répudiée par le souverain. Le fait de ne pas procréer était suffisant pour un roi de rejeter son épouse, aussi légitime fut-elle.

Le lendemain, en matinée, Louis XVI et Marie-Antoinette assistèrent à la messe dominicale. La célébration religieuse se déroula dans la petite chapelle, en annexe du château de la Muette. À la demande de la reine, la cérémonie chrétienne fut présidée par l'archevêque d'Amiens. Profitant de sa présence, elle exigea d'être confessée par son ami. Le prélat rejoignit la souveraine dans ses appartements afin d'entendre ses péchés.

« Monseigneur, j'ai offensé le Tout-Puissant, car je n'ai pas encore donné de fils à mon époux », lui confia-t-elle.

« Mon enfant, sur quel péché repose votre conclusion ? » lui demanda-t-il.

« Je ne peux le confirmer, mais si le Seigneur ne m'a pas permis d'engendrer, c'est qu'il me reproche un faux pas », répondit sincèrement la jeune femme.

Étonné par les propos de Marie-Antoinette, l'homme d'Église demeura muet un court instant. Que pouvait-il dire à ces mots ?

« Votre Majesté, je suis votre ami. Vous n'avez pas offensé Dieu… croyez-moi ! »

« Alors, pourquoi s'acharne-t-il à me refuser un fils ? » fulmina l'Autrichienne.

Elle se leva d'un bon et regarda l'archevêque dans les yeux.

« Monseigneur, aidez-moi à croire en Jésus-Christ ! » lança-t-elle sur un ton menaçant.

Bouleversé par l'attitude de sa compagne, le Français se redressa lentement et s'avança vers l'Étrangère. Il ouvrit ses bras et consola la fille des Habsbourg. L'homme d'Église sentait la grande affliction de Marie-Antoinette.

« Gardez la foi, mon enfant. Dieu, dans son infime bonté, vous permettra de donner un fils à la Couronne royale lorsque le moment sera venu. »

L'Autrichienne voulait bien croire l'archevêque, mais elle était plutôt réaliste. Si elle ne trouvait pas une solution rapidement, la situation risquait de s'aggraver davantage.

Durant les premières semaines de février, le couple royal retourna au château de Versailles. L'année 1777 commença difficilement, compte tenu de la menace d'une crise économique qui planait à l'horizon. Les échanges commerciaux avec les autres royaumes étaient au ralenti et les récoltes de l'année précédente avaient été plutôt désastreuses. La colère et le désarroi s'étaient emparés du peuple. Face à ce constat très alarmant, le roi diminua ses dépenses personnelles afin de ne pas soulever la grogne de ses sujets. Il en fut tout autrement pour la reine. Ce n'est pas que la souveraine ignorait que cette situation pouvait avoir un impact sur les fonds royaux, mais elle voyait la chose différemment.

« Si j'achète des robes parisiennes, j'encourage l'économie du royaume », avait-elle précisé au ministre mandaté pour lui demander de restreindre ses dépenses.

Informé de la décision irréfléchie de sa sœur, l'empereur d'Autriche devança son voyage en France de quelques semaines. Joseph II avait décidé d'aller au royaume de Louis XVI dans le but de rencontrer Marie-Antoinette et son époux. C'est Marie-Thérèse, sa mère, qui l'avait incité à se rendre au château de Versailles pour raisonner la jeune femme. L'Étrangère ne cessait d'accumuler les faux pas et l'impératrice n'en pouvait plus de voir sa fille agir de la sorte. Sa santé fragile ne lui permettait pas de faire la route vers la France. Pour ces raisons, le souverain autrichien accepta la mission de la souveraine douairière et se rendit auprès de l'Autrichienne. Par la même occasion, il en profiterait pour visiter ce pays si puissant et si avant-gardiste de l'Europe.

Folle de joie à l'annonce de l'arrivée de son frère, la fille des Habsbourg planifia elle-même les cérémonies d'accueil. Il fut prévu qu'un immense banquet en compagnie de l'élite française se tiendrait au château de Versailles et que s'y déroulerait chaque soir une série de représentations théâtrales. Pour sa part, le roi attendait cette rencontre depuis plusieurs années déjà. N'étaient-ils pas des alliés sur plusieurs plans, et ce, tant militaires que politiques ?

La veille de l'arrivée de l'empereur d'Autriche, Marie-Antoinette convoqua le comte de Mercy-Argenteau. Elle voulait s'assurer de maîtriser les principaux dossiers qui unissaient le royaume et l'Empire. L'Étrangère devait montrer à son frère qu'elle était une reine consciente et soucieuse des responsabilités rattachées à son rôle.

« Monsieur l'ambassadeur, croyez-vous que je serai à la hauteur aux yeux de mon frère ? » avait-elle demandé au diplomate.

« Bien sûr ! Votre Majesté ne peut que rendre l'empereur satisfait d'elle », lui répondit-il, conscient de la fausseté qu'il disait.

Joseph II se présenta au château de Versailles à la fin du mois d'avril. La douce température, hâtive en cette période de l'année, se prêtait aux festivités afin d'accueillir le monarque autrichien. À l'apparition du frère de Marie-Antoinette dans la galerie des Glaces, toute la Cour royale se mit à applaudir la présence du noble. Ses habits impériaux mettaient en valeur son beau visage. Les dames de la noblesse, sans distinction d'âge, se pavanaient devant le puissant invité. Même la princesse Adélaïde s'émerveillait devant la beauté de l'Autrichien.

« Votre Majesté Impériale, je suis la princesse Adélaïde de France, tante de Sa Majesté le roi. Le souverain et son épouse, votre sœur, vous attendent dans la salle du trône. », le renseigna-t-elle, ébranlée par la prestance de l'individu.

Escorté par une garde, Joseph II se rendit auprès de ses hôtes. D'un pas décidé, il franchit les couloirs du château de Versailles. Deux soldats ouvrirent les portes dorées d'une pièce. L'empereur pénétra à l'intérieur et s'avança devant Marie-Antoinette et ce qui lui semblait être Louis XVI.

« Mon cher beau-frère, quel bonheur que de vous rencontrer », dit l'empereur en serrant les bras du roi.

« Soyez le bienvenu dans le royaume de France, Votre Majesté Impériale », répondit le souverain en signe de respect.

L'Autrichien se tourna vers la reine et lui baisa la main d'un geste fraternel.

« Chère sœur, je suis heureux de vous revoir après toutes ces années. Vous êtes plus jolie que dans mes souvenirs », dit-il gentiment.

« Mon bien cher frère, que je suis enchantée de vous savoir parmi nous. Votre présence est un véritable cadeau du ciel », lança la souveraine en riant aux éclats.

Les trois têtes couronnées discutèrent une partie de la journée. Depuis plusieurs années, c'était la première fois que Marie-Antoinette ne s'était retrouvée en compagnie d'un membre de sa famille. Certes, elle rencontrait régulièrement l'ambassadeur d'Autriche, mais ce dernier n'était pas un Habsbourg. La jeune femme attendait un changement de mentalité de la part de la Cour royale. La présence de son frère prouverait à ses ennemis qu'elle n'était pas qu'une simple épouse, mais la parente d'une des plus illustres dynasties d'Europe.

Après avoir participé à une foule de cérémonies données en son honneur, Joseph II désira rencontrer sa sœur en privé. Sa mère l'avait mandaté pour raisonner Marie-Antoinette et il avait bel et bien l'intention de le faire. Seuls dans les appartements de la reine, ils échangèrent sur le rôle de cette dernière.

« Ma chère sœur, quelle joie de vous revoir aujourd'hui », dit l'empereur en déposant un léger baiser sur la joue de la souveraine.

« Mon frère, comment va notre mère ? » demanda la jeune femme.

« Sa Majesté se porte bien, mais elle est très perturbée par votre situation. »

« Ma situation ? Je ne comprends pas, Joseph… »

L'homme s'approcha de la fille des Habsbourg, lui caressa le visage et se dirigea vers l'une des fenêtres.

« Marie-Antoinette, vous n'êtes pas sans savoir que vous n'avez toujours pas de fils légitime. Mère s'inquiète que le roi et la Couronne vous en tiennent responsable », expliquait calmement l'Autrichien sans vouloir heurter sa parente.

L'Étrangère demeura muette un instant. Elle comprenait le sens des paroles de l'empereur. Il avait raison, mais que pouvait-elle faire de plus ? La souveraine inclina la tête et se mit à pleurer. Touché par le chagrin de sa sœur, l'empereur se sentit triste d'avoir joué le trouble-fête. Avait-il le choix ? Son rang impérial l'obligeait à s'occuper des affaires de l'Empire, et la descendance de Marie-Antoinette faisait partie de ses préoccupations.

« Ma chère, j'irai m'entretenir avec le roi au sujet de mes inquiétudes. Je lui conseillerai de faire des efforts envers son devoir d'époux », conclut-il.

142

Tard dans la soirée, après une longue journée en présence des diplomates européens, Joseph II rencontra Louis XVI en privé. Un verre à la main, l'Autrichien essaya vainement d'expliquer à son beau-frère l'un des principaux devoirs de l'époux. Mal à l'aise au début, le Français écouta attentivement les paroles de l'empereur. Plutôt ouvert d'esprit, le fils des Bourbon chercha même à comprendre le mécanisme d'une relation sexuelle. Le frère de Marie-Antoinette lui décrivit dans les moindres détails la manière de donner satisfaction à la Couronne royale.

Le séjour du souverain autrichien au château de Versailles s'étendit sur près de dix jours. Une présence marquée par de nombreuses cérémonies protocolaires, des ententes commerciales, des célébrations religieuses, des rencontres politiques et l'ultime objectif de l'empereur de convaincre le couple royal de donner naissance à un héritier au trône des Bourbon. Joseph II était satisfait de son travail auprès du royaume de France.

« Mon cher frère, transmettez mes meilleurs vœux à notre mère », lui avait demandé la reine.

Elle pouvait compter sur lui, il allait revenir à Vienne en héros auprès de Marie-Thérèse. L'Autrichien s'était immiscé dans les affaires privées de Louis XVI et était heureux de l'avoir fait. Cette situation le plaçait au-dessus du roi de France, ce qui augmentait son prestige au sein de l'Europe.

Alors que l'été se faisait sentir sur la capitale française, le couple royal décida de se rendre au château de Fontainebleau, au sud de Paris. Ils avaient décidé de prendre quelques jours de repos, loin des tracas de la cour. Louis XVI et Marie-Antoinette passèrent des journées entières à se tenir compagnie. L'homme et la jeune femme n'avaient jamais été si près l'un de l'autre.

« Louis, m'aimez-vous ? »

« Oui, je vous aime, ma douce », répondit le souverain à son épouse lorsqu'elle posa la question.

Le 10 juillet 1777, le roi et la reine eurent leur première véritable relation sexuelle. La chaleur étouffante de la saison estivale avait obligé le Français et l'Autrichienne à s'isoler à l'intérieur de la résidence. À l'ombre des rayons du soleil, ils avaient été attirés par le désir charnel. Couchés sur leur lit, Louis XVI et Marie-Antoinette manifestèrent leur amour par des tendresses passionnées. Le roi, épris de la jeune femme, lui caressait les seins. Il déposa des milliers de baisers partout sur le corps fragile de l'Étrangère. Le souverain passa sa main dans les cheveux de la fille des Habsbourg. Surprise de la virilité subite de son époux, la reine se laissa maîtriser par celui qu'elle aimait. Lorsqu'il pénétra son membre à l'intérieur de Marie-Antoinette, le monarque ressentit une pulsion féroce qu'il n'avait jamais encore éprouvée. Chaque coup de bassin rendait folle de désir son épouse. Elle avait attendu ce moment une éternité. Elle lui écorcha le dos dans l'excitation du moment. Plutôt précoce, le roi gémit de plaisir après quelques mouvements de va-et-vient. Marie-Antoinette, les larmes aux yeux par tant d'émotions, remerciait le ciel d'avoir enfin exaucé ses prières. Vidé de son énergie, Louis se laissa tomber à côté de son épouse. Il venait d'accomplir le devoir qu'un souverain se devait de faire pour s'assurer de la continuité de sa lignée. L'Autrichienne, remplie de bonheur, savourait encore ce moment si précieux. Le roi lui avait démontré toute son affection et, par ce geste, exprimait son estime pour elle.

De retour au château de Versailles, la reine s'empressa d'écrire une lettre à sa mère. Dans son message, elle lui annonça que le couple royal avait rempli leur tâche dignement. La souveraine lui décrivit toute la tendresse que le roi lui avait manifestée pendant l'acte sexuel. L'Étrangère remit le document à l'ambassadeur d'Autriche afin que ce dernier le fasse parvenir à l'impératrice.

La joyeuse nouvelle fut ternie par un mouvement populaire d'insatisfaction relativement aux dépenses de la reine. Dans les rues de Paris, les sujets commençaient vivement à critiquer l'Autrichienne. Des chansons hostiles destinées à l'épouse du monarque se faisaient entendre aux quatre coins de la capitale française. Loin de freiner ses dépenses personnelles, Marie-Antoinette augmenta même ses achats de vêtements luxueux et de bijoux précieux. Elle organisait des fêtes somptueuses et recevait plein d'invités. Toujours plus décidées à détruire l'Étrangère, les mauvaises langues de la Cour royale alimentaient de manière continuelle les rumeurs sur Marie-Antoinette.

« Dites-moi, ma chère, pourquoi le peuple me déteste-t-il tant ? » s'était permis de demander la souveraine à la princesse de Lamballe.

« Vos sujets ne vous connaissent pas, Votre Majesté. Sinon, ils tomberaient sous votre charme », lui avait répondu son amie.

Les deux femmes se regardèrent et éclatèrent de rire devant l'agitation de ses pauvres misérables.

Le cercle d'amis intimes de la reine s'agrandit à la fin de l'été 1777. Yolande de Polastron, comtesse de Polignac, y fera une entrée triomphale. Très vite, elle deviendra la confidente principale de Marie-Antoinette, position jusqu'alors occupée par la princesse de Lamballe, qu'elle supplantera sans trop de difficulté. La nouvelle venue et l'Étrangère se lieront d'amitié dès les premières rencontres. Un rapport si étroit que des rumeurs folles naîtront au sujet de leur étroite relation.

∾

L'intrigante comtesse de Polignac était née le 8 septembre 1749, à Paris, le même jour que celle qui deviendra plus tard sa rivale, la princesse de Lamballe. Fille d'une vieille famille noble française, Yolande de Polastron avait épousé, en 1767, le comte Jules de Polignac. Grande voyageuse, elle était reconnue pour son tempérament bouillant et ses goûts luxueux. Jolie, elle avait un visage rond et de grands yeux verts. La comtesse raffolait des vêtements élégants ainsi que des chapeaux exorbitants.

※

Lors d'un bref séjour à Blois, Marie-Antoinette, qui souffrait d'étourdissements et de nausées depuis quelques jours, sera examinée par un médecin du village. L'homme de science informera la reine qu'elle est enceinte de dix semaines. Couchée dans un lit du château où elle logeait, la souveraine ressentit une vive allégresse à l'annonce de cette nouvelle réjouissante.

« Sophie ! Comtesse ! Princesse ! » s'écria la reine.

Les trois femmes accoururent à la chambre de la fille des Habsbourg. Essoufflées, elles se présentèrent devant l'Étrangère.

« Madame, que se passe-t-il ? » interrogea Yolande de Polastron.

Marie-Antoinette se redressa dans son lit et leur fit un sourire victorieux.

« Mes chères amies, je vous annonce que Sa Majesté le roi et moi attendons un enfant. Je dirais même, un fils ! » se déchaîna de joie la reine.

Heureuses pour leur souveraine, les confidentes éclatèrent de rire d'entendre ces paroles.

«Votre Majesté, Dieu a exaucé vos prières», dit la princesse de Lamballe.

«Je le crois en effet, Marie-Louise!» répondit l'Autrichienne.

Aussitôt, un messager fut mandaté pour transmettre le précieux renseignement à Louis XVI, encore à Versailles en train de gérer les affaires du royaume de France. Lorsqu'il fut informé de la grossesse de son épouse, le monarque exprima son bonheur avec un ravissement non dissimulé.

«Messieurs, j'attends un fils!» s'était exclamé le chef de la famille royale à ses ministres.

Bientôt, toute la France manifesta sa joie devant l'arrivée d'un futur héritier. Des fêtes populaires s'organisèrent à Paris, à Dijon, à Marseille, à Bordeaux et dans plusieurs autres communes du royaume. L'Église catholique jubilait de voir leur roi, assis sur l'un des trônes les plus chrétiens d'Europe, assurer sa succession dynastique. Les mauvaises langues de la cour demeurèrent silencieuses devant leur défaite temporaire. Marie-Antoinette se hâta d'écrire une lettre à sa mère au sujet de son état.

Ma très chère mère,

Le ciel semble avoir entendu mes douloureuses prières des années passées. Pour ce moment, soyez informée que le roi et moi sommes les personnes les plus heureuses d'Europe. Grâce à l'intervention de mon bien-aimé frère, Sa Majesté m'a montré toute son affection. De cet amour vrai, Dieu a fait naître dans mes entrailles un fils, un héritier pour le trône des Bourbon. Cet enfant comble déjà de joie le roi et me soulage de mon devoir de reine. Monsieur de Mercy-Argenteau vous informera de mon état, si un changement se manifestait.

Votre fille dévouée,

Marie-Antoinette

À la lecture de ce message, l'impératrice d'Autriche envoya des présents à la souveraine pour la remercier d'avoir accompli son rôle à titre d'épouse royale. Toute l'Europe apprit la nouvelle et félicita le couple français. L'Étrangère était devenue un peu moins la femme détestée et un peu plus la mère adorée.

CHAPITRE V
Le Hameau de la Reine

Château de Versailles, France, 1778-1780

LA GROSSESSE de la reine l'obligea à restreindre ses engagements officiels au sein de la famille royale. Même ses fêtes et ses sorties furent diminuées de moitié par Louis XVI. Le roi, fébrile devant la venue d'un fils, s'assura que Marie-Antoinette puisse se reposer. Les tantes du monarque furent mandatées pour veiller à l'exécution de ses ordres. La princesse de Lamballe et la comtesse de Polignac restèrent auprès de l'Autrichienne afin de lui tenir compagnie. Trois médecins suivaient la souveraine en cas de problème lié à son état. Soucieuse de la condition de sa fille, Marie-Thérèse envoya des parentes pour aider l'épouse royale.

Renseignée qu'une épidémie grippale sévissait à Paris, Marie-Antoinette exigea de se rendre à Amiens. Protectrice de cette région depuis un certain temps, la reine voulait soulager les sujets de Sa Majesté de sa présence. Malgré le refus de Louis XVI de laisser partir sa femme, un cortège quitta le château de Versailles au début de janvier 1778. Pour le voyage, l'Autrichienne fut accompagnée par Yolande de Polastron, par un homme de science et par ses favorites. Le temps, plutôt froid, n'empêcha pas le carrosse de prendre la route.

« Sophie, croyez-vous que ma décision soit mauvaise ? » demanda la fille des Habsbourg.

« Madame, si votre cœur vous l'ordonne… vous ne pouvez que l'écouter », répondit doucement la dame de compagnie.

Malheur ! À peine l'escorte sortie de la capitale française, l'une des roues du véhicule resta coincée dans un trou. Inexpérimenté, le cocher fit une mauvaise manœuvre, ce qui énerva les chevaux. L'un d'eux s'agita et fit renverser le carrosse sur la chaussée enneigée. Les occupants tombèrent sur le côté et écrasèrent Marie-Antoinette.

« Sophie ! Sophie ! » hurla la souveraine.

Tous sortirent du carrosse et transportèrent la reine à l'extérieur. La comtesse de Polignac retira son manteau et le déposa par terre, sur le bord de la route. Les soldats y couchèrent leur maîtresse. L'épouse du monarque lança des cris aigus. Des douleurs atroces lui tenaillaient le bas du ventre. Soudain, la plus jeune des suivantes hurla. Elle venait de voir une immense tache rouge sur la robe de l'Étrangère. Sophie regarda et constata que la jeune femme perdait beaucoup de sang.

« Madame, nous devons retourner immédiatement à Paris », dit, impassible, la dame de compagnie.

La comtesse de Polignac fit arrêter un homme qui passait sur la même route. Après lui avoir révélé l'identité de la blessée, elle ordonna aux soldats d'y faire monter Marie-Antoinette et de la transporter à Paris vers l'une des résidences royales. La santé de son fœtus était précaire. Arrivée dans la plus grande commune de France, l'Autrichienne fut entourée des plus éminents médecins. Au même moment, Louis XVI fut prévenu du malheur qui venait de frapper la reine. Bouleversé par la nouvelle, il s'écroula dans son fauteuil, devant ses deux frères. Le fils des Bourbon n'avait jamais vécu une aussi grave catastrophe.

Le lendemain de cette mésaventure, Marie-Antoinette se réveilla au milieu de ses dames de compagnie. Déconcertée, elle ne savait aucunement où elle se trouvait.

« Madame, vous êtes à Paris », dit Sophie avec un regard compatissant.

« Ma chère amie, pourquoi suis-je ici ? Que s'est-il passé ? » demanda la souveraine, un peu confuse.

Les favorites se regardèrent, ne sachant trop quelle réponse donner à leur maîtresse.

« Votre Majesté, un terrible accident est survenu sur la route. Votre carrosse a basculé... Et, ce faisant, les passagers se sont écrasés contre vous », décrivit Sophie avec tendresse.

Marie-Antoinette, attentive aux propos de sa favorite, voyait les images se bousculer dans sa tête.

« Vous avez perdu beaucoup de sang, vraiment beaucoup. »

« Mon fils ! Mon fils ! » s'écria la reine en pleurant.

« Madame, Dieu a ramené à lui votre enfant », balbutia la dame de compagnie principale.

« Non, non… », hurla la jeune femme en larmes.

L'épouse de Louis XVI se frotta le ventre. Il était on ne peut plus plat. Elle comprenait qu'elle avait perdu l'héritier du trône des Bourbon. La souveraine tourna la tête et demanda à ses suivantes de quitter la pièce. Ces dernières exécutèrent l'ordre de l'Étrangère.

« Seigneur, pourquoi m'avez-vous rejetée ? » murmura-t-elle.

Les jours suivants furent les moments les plus éprouvants pour Marie-Antoinette. La perte de son enfant représentait la défaite la plus importante de sa courte existence à la Cour royale française. Louis XVI, malgré tout l'amour qu'il ressentait pour sa femme, la rendait inconsciemment responsable du drame que vivait le couple. À plusieurs occasions, il reprocha à l'Autrichienne d'avoir voulu se rendre à Amiens.

« Ma chère, si votre entêtement ne s'était pas manifesté à cet instant précis, vous porteriez encore mon fils », lui avait-il lancé devant les princesses royales lors d'un banquet en l'honneur d'un prince espagnol.

La souveraine, sombrant de plus en plus dans une dépression, voulut quitter le château de Versailles à la fin de mars 1778. Elle décida de n'être accompagnée que de la comtesse de Polignac. Honteuse d'avoir perdu son enfant, elle sentait le besoin de se retrouver loin des intrigues de la Cour royale. Elle avait choisi le château de la Muette comme lieu de refuge. Cette résidence, non loin de Paris, représentait un endroit agréable aux yeux de Marie-Antoinette. Tant de belles fêtes familiales s'y étaient déroulées !

« Ma chère amie, nous serons bien dans ce château », avait dit la fille des Habsbourg à Yolande de Polastron.

Reconnue pour ses tendances festives, l'épouse du roi n'avait nullement l'intention de se réjouir pendant son séjour là-bas. Au contraire, elle profiterait de ce moment hors des murs de Versailles pour se recueillir. Dieu l'avait punie et elle devait se repentir de sa faute.

La première journée après son arrivée, l'Autrichienne demeura clouée au lit. Elle dormit un long moment, sans se réveiller. La lourdeur causée par la perte de son fils l'avait terriblement fatiguée, aussi avait-elle grand besoin de se reposer. La jeune femme n'ouvrit les paupières que tard en soirée. Un petit feu, allumé dans le foyer, réchauffait la pièce.

154

Seules deux bougies, debout sur des chandeliers en or, éclairaient la chambre de la reine. Tout près du lit, la comtesse de Polignac veillait sur sa maîtresse.

« Mon amie, ai-je dormi toute la journée ? » demanda Marie-Antoinette d'une voix encore sommeillante.

« Oui, Votre Majesté. Vous aviez besoin de reprendre des forces », répondit sa confidente.

« Ma chère amie, croyez-vous que le roi me déteste ? »

« Que dites-vous là ? Sa Majesté vous aime et il l'a démontré à plusieurs reprises », répliqua doucement Yolande de Polastron.

« J'ai perdu le fils de Louis ; par ma faute et mon ignorance, le trône des Bourbon n'a toujours pas d'héritier », balbutia la souveraine.

L'amie s'approcha du lit et déposa sa main sur le visage en sueur de Marie-Antoinette. Le cœur de la comtesse était épris d'une profonde compassion. Elle aurait aimé faire sienne la souffrance de la jeune femme, mais le Tout-Puissant en avait décidé autrement.

« Madame, vous donnerez au roi un fils et une lignée digne de ce nom. Croyez-moi, vous n'êtes pas responsable de ce malheur. Comment Dieu vous aurait-il punie d'avoir voulu vous rendre à Amiens pour faire le bien de ces pauvres paysans ? » ajouta la confidente avec le sourire.

Marie-Antoinette fixa son amie et lui prit la main. Elle l'approcha de son ventre et ferma les paupières.

« Comtesse, priez pour moi… Je vous en prie ! »

« Toutes mes pensées ne sont que pour vous », répliqua Yolande de Polastron.

Bouleversée par la culpabilité de la souveraine, la comtesse de Polignac lui raconta les toutes dernières rumeurs qui circulaient à la Cour royale. Elle voulait changer les idées tristes de sa maîtresse, et quoi de mieux que quelques ragots bien croustillants pour lui faire retrouver son humeur.

Le lendemain, l'archevêque d'Amiens se présenta au château de la Muette. Inquiet de l'état de santé de la reine, l'homme d'Église avait fait le trajet jusqu'à son lieu de rétablissement. Monseigneur Gabriel de la Motte, informé de la tragédie, avait essayé de rencontrer son amie. Malheureusement, aucune entrevue avec Marie-Antoinette n'avait été autorisée. Pour le bien de la jeune femme, le roi avait refusé à quiconque l'accès à son épouse.

Assise dans un petit fauteuil en velours bleu, la souveraine fut prise de joie à la vue du prélat.

« Monseigneur, vous vous êtes déplacé pour me rencontrer », s'exclama d'extase l'Autrichienne.

« Bien sûr, Votre Majesté ! » répondit le catholique en s'agenouillant devant l'épouse du monarque.

« Veuillez m'excuser, mon ami, je ne suis pas très jolie aujourd'hui. Je crains de n'être que l'ombre de moi-même », expliqua-t-elle, vêtue d'une simple robe blanche et ne portant aucune coiffe.

« Madame, aux yeux du Seigneur, vous êtes toujours une beauté et, à mes yeux, la plus belle souveraine d'Europe », dit le religieux en souriant.

L'archevêque et la reine discutèrent autour d'un léger repas. Ils échangèrent des politesses et des informations sur la situation qui sévissait à Amiens. L'Étrangère était fort préoccupée par la catastrophe qui s'abattait à nouveau sur le nord du royaume de France. Lorsque l'homme d'Église s'apprêta à retourner vers sa commune, Marie-Antoinette le supplia de l'inclure dans ses prières.

« Monseigneur, je suis une fidèle enfant de Dieu. Priez afin qu'il exauce mon désir le plus cher… Avoir un fils ! »

Quelques jours passèrent et la reine semblait reprendre goût à la vie. Le repos, la présence de la comtesse de Polignac et la visite de l'archevêque d'Amiens lui avaient été d'un grand réconfort.

« Ma chère amie, nous rentrerons au château de Versailles demain », avait même annoncé la jeune femme à Yolande de Polastron.

La veille de son retour auprès de son époux, Marie-Antoinette fit un cauchemar affreux. Les images de l'accident – pourtant floues à la suite de l'événement – lui revinrent en mémoire. La souveraine se réveilla brusquement pendant la nuit et sortit du château. Sans chaussures et vêtue uniquement d'une robe blanche, elle courut sur le sol gelé. Un vent intense et un rideau de flocons l'empêchaient d'avancer. Elle tomba une première fois puis une seconde fois. L'Autrichienne se releva et poursuivit son chemin. La reine devait se rendre à la chapelle et rien ne pouvait lui bloquer la route. Elle arriva enfin devant les portes du bâtiment. Elle les ouvrit maladroitement et pénétra à l'intérieur du lieu de culte. Le plancher était froid et la noirceur envahissait les lieux. Elle s'avança jusqu'au crucifix accroché dans le chœur. La fille des Habsbourg se jeta à genoux sur le marbre gelé et éclata en sanglots.

« Dieu, accordez-moi votre pardon. J'ai péché car vous avez ramené mon fils à vous », s'écria Marie-Antoinette.

L'épouse de Louis XVI n'eut pas le temps de terminer sa prière qu'elle s'écroula subitement par terre. Un mal atroce se répandit dans tout son être et elle perdit connaissance.

Le corps de la reine, encore vivant, fut retrouvé tôt en matinée par la comtesse de Polignac. Prise de panique devant l'absence de sa maîtresse, la confidente avait fouillé dans chaque recoin de la résidence. Lorsqu'elle retrouva la souveraine, elle craignit pour la santé précaire de la jeune femme. Yolande de Polastron envoya un messager au château de Versailles pour avertir le roi de l'état de santé de son épouse. Elle avait également réclamé d'urgence des hommes de science pour soigner l'Autrichienne.

Aussitôt informé de la nouvelle, Louis XVI avait accouru auprès de Marie-Antoinette. Il s'en voulait d'avoir poussé sa douce moitié vers une telle détresse. Accompagné des meilleurs médecins du royaume, il se présenta au château de la Muette. Le fils des Bourbon demeura trois jours et trois nuits au chevet de celle qu'il aimait. Les soins les plus avancés furent pratiqués sur la souveraine. L'Étrangère sortit finalement de son état comateux. Lorsqu'elle ouvrit les paupières, son époux se tenait près de son lit. Il lui tenait la main tendrement. La jeune femme lui sourit et laissa couler un petit ruisseau de larmes sur ses joues pâles.

« Ne pleurez pas, ma douce. Je suis avec vous… Je vous aime, chère Marie-Antoinette », souffla le monarque les yeux scintillants.

« Louis… Louis, je vous demande pardon de ne pas vous avoir écouté. Mon entêtement vous a fait perdre un fils », dit la malade la voix empreinte d'émotion.

Le roi se pencha au-dessus de son épouse et lui déposa un baiser sur le front.

« Madame, j'ai été un homme désagréable avec vous et je vous prie de m'excuser. La souffrance de perdre cet enfant m'a fait dire des mots que je ne pensais aucunement. Nous aurons des descendants, car Dieu nous protège », s'exclama le Français.

En soirée, le roi demanda à la comtesse de Polignac de retourner au château de Versailles. Il voulait se retrouver seul avec Marie-Antoinette afin de s'occuper d'elle. Pendant deux jours, Louis XVI et son épouse se témoignèrent des preuves de leur amour. L'Étrangère, maintenant rétablie, démontra au fils des Bourbon qu'elle le désirait ardemment.

Bientôt, la jeune femme fut à nouveau enceinte du souverain. Cette fois-ci, elle demeura cloîtrée dans ses appartements à Versailles. Après la dure épreuve qu'elle avait vécue quelques semaines auparavant, l'Étrangère suivit les conseils des médecins et de son époux. L'impératrice d'Autriche avait mandaté le comte de Mercy-Argenteau pour qu'il veille sur la reine. Elle ne devait en aucun cas perdre son enfant. L'avenir de Marie-Antoinette en dépendait, ainsi que les relations entre l'Autriche et la France. La souveraine, isolée dans sa chambre, ne fréquentait guère la Cour royale. Le roi avait permis à ses amies – la comtesse de Polignac et la princesse de Lamballe – et à l'archevêque d'Amiens de lui rendre des visites. Il savait que la fille des Habsbourg estimait profondément ces gens. Le monarque aimait son épouse et ne voulait que son bonheur.

Loin de l'agitation continuelle du château de Versailles, Marie-Antoinette poursuivit sa grossesse sans problème. Les mauvaises langues de la Cour royale, étant sans informations au sujet de la reine, firent circuler des rumeurs sur son état de santé. Malgré ces attaques perpétuelles, la souveraine demeura silencieuse pendant des semaines entières.

« Sophie, lorsque j'accoucherai d'un fils, toute la France m'adorera », s'était exclamée l'Autrichienne en réponse aux commentaires désobligeants de ses ennemis.

La présence d'un noble suédois auprès des Bourbon changera l'isolement de la reine. Après avoir fait la brève rencontre de la souveraine quelques années auparavant, le comte de Fersen revint au royaume de France. Envoyé par le roi de Suède, il avait comme mission de conseiller l'ambassadeur de Gustave III. À dire vrai, l'homme n'avait jamais oublié le visage de Marie-Antoinette ; à ce moment-là, elle n'était que la dauphine. Il avait tant espéré la revoir. Son rêve était désormais réalité.

✍

Né le 4 septembre 1755, Hans Axel de Fersen appartenait à une famille militaire très importante en Suède. Son père avait été le feld-maréchal du roi et un ami proche de cette famille royale scandinave. Le jeune comte était renommé pour son physique avantageux et pour avoir reçu une formation poussée. À la fin de ses études supérieures, il avait décidé de voyager sur le territoire européen. Cette tournée de plusieurs pays lui avait permis de se dresser une liste exhaustive de connaissances. Hans Axel de Fersen s'établira à Paris à l'âge de 23 ans.

Ⴛ

Le comte de Fersen sera reçu par Marie-Antoinette à la fin du mois d'août. La rencontre se déroulera dans les appartements de la reine. Seule Sophie assistera aux retrouvailles des deux jeunes personnes.

« Votre Majesté, rien en ce monde n'a plus d'importance pour moi que de me retrouver à vos côtés », a-t-il dit d'entrée de jeu à l'Étrangère.

Amoureux de l'Autrichienne, le Suédois savoura cet événement avec tant de bonheur qu'il en oublia même l'étiquette. Le comte avait omis de faire la révérence à l'épouse de Louis XVI. Intriguée par ce quasi-inconnu, la fille des Habsbourg ne remarqua pas cette bévue.

« Dites-moi, Monsieur, êtes-vous en séjour ici ? »

« Non, Madame. J'accompagne l'ambassadeur de Suède. Je réside dans un petit manoir, à la sortie de Paris », lui a-t-il répondu gentiment.

« Dans ce cas, nous aurons la chance de nous revoir, j'imagine ? » demanda la femme enceinte.

« Je le souhaite de tout mon être, Madame », a-t-il conclu.

Aux propos de l'inconnu, la dame de compagnie comprit que ce dernier n'était pas venu uniquement en France pour suivre le diplomate scandinave. Il avait des intentions personnelles à l'égard de la reine

162

et n'était venu que pour rencontrer Louis XVI. Elle n'aimait guère qu'un nouveau joueur entre dans le cercle intime de sa maîtresse. Pour l'instant, le jeune homme n'était pas menaçant mais, avec le temps, peut-être pourrait-il le devenir ?

La saison chaude s'estompa petit à petit et laissa place lentement au changement de paysage. La souveraine, en santé malgré son état, se faisait à l'idée de donner un fils à son époux. Ce dernier remercia le ciel de mener à bien cet accouchement.

La naissance du premier enfant du couple royal arriva le 19 décembre 1778. Sans complication, la mère accoucha d'une fillette. Ce n'était pas un garçon, mais Marie-Antoinette avait tant espéré cet enfant. Dès le premier regard, l'Autrichienne l'aima. Louis XVI, malgré la déception de ne pas avoir d'héritier mâle, se réjouissait de sa progéniture.

« Mon époux, je vous donnerai un fils. Je vous le promets ! » avait juré la souveraine.

Deux semaines passèrent et le monarque organisa la cérémonie du baptême de celle qu'il décida de nommer Marie-Thérèse. En guise de membre de la famille royale, elle reçut le titre de Madame Royale. Depuis quelques générations, la fille aînée du roi recevait cette titulature. Les sujets de Louis XVI, peu enclins à célébrer leur reine, ne manifestèrent aucune considération pour la venue de cette fillette. Malgré l'humeur du peuple, le couple royal était uni et satisfait de l'ajout d'un nouveau visage dans la royauté française.

À la fin de l'année 1778, le fils des Bourbon, en signe de respect pour le cadeau que son épouse venait de lui offrir en accouchant d'une enfant, donna à l'Étrangère un charmant pavillon qui se dressait dans le parc du château de Versailles. Le Petit Trianon, construit par Louis XV pour l'une de ses premières maîtresses, la marquise de Pompadour, était un joli bâtiment isolé. Plus simple que le protocole du château, cette demeure permettrait à l'Autrichienne de se retirer pour se reposer. L'épouse royale éclata de joie à l'annonce de ce présent. Elle n'aurait plus à se sauver à Amiens, dans le nord de la France, ou encore au château de la Muette. À quelques pas de ses appartements, elle pourrait désormais profiter de la tranquillité.

L'arrivée de la jeune princesse ne calma nullement les goûts extravagants de la reine et son penchant pour les festivités. De nouveau propriétaire de son corps, la souveraine passa bien des soirées dans les théâtres et opéras de la capitale française. Tous ces mois de grossesse avaient fait resurgir son indomptable goût pour la vie mondaine. Entourée de la princesse de Lamballe, de la comtesse de Polignac, devenue duchesse entre-temps, et du séduisant comte de Fersen, Marie-Antoinette fit courir de nouveau les pires rumeurs à son égard. Toute la France ne parlait que des folies de l'Étrangère. La mauvaise humeur du peuple n'avait jamais atteint un si haut degré. Même l'archevêque d'Amiens, fidèle ami de l'épouse du monarque, lui écrivit des lettres, la suppliant de se conduire comme une reine et une mère. Loin de se ressaisir, la fille des

164

Habsbourg fit ériger un minuscule village sur le domaine de Versailles. Surnommé le Hameau de la Reine, l'endroit comptait des bâtiments, des potagers, des jardins et même un lac artificiel. Des légumes y poussaient et des fermiers s'occupaient d'une petite ferme. La souveraine, qui ne s'était jamais réellement adaptée au protocole encombrant de Versailles, aimait jouer à la paysanne avec son cercle intime.

L'amour que ressentait Louis XVI pour son épouse l'empêchait de réagir au mécontentement général de la population. Il était persuadé que ses sujets et les membres de la noblesse finiraient par accepter l'Autrichienne. Il lui fit même bâtir un théâtre afin qu'elle puisse jouer sur scène. Au grand scandale du peuple, la reine aimait interpréter des personnages devant la foule. Souvent, une cinquantaine de personnes assistaient aux représentations royales. Parmi ses admirateurs, assis aux premières loges, Louis XVI ne manquait que très rarement les spectacles de son épouse. Plus les mois passaient, plus la fille des Habsbourg négligeait ses responsabilités envers la Couronne. Par contre, l'éducation de son enfant était cruciale à ses yeux. Il ne se passait pas une journée sans que la souveraine ne soit en compagnie de Marie-Thérèse pour un repas et une partie de la matinée. La jeune princesse était la seule personne dans tout le royaume de France qui lui rappelait son rang de reine. Ce n'était certes pas un garçon, mais elle était tout de même la descendante des Bourbon.

Âgée de 23 ans et mère d'une fillette de quelques mois, Marie-Antoinette partageait son temps entre le devoir royal et les plaisirs de la vie. Elle n'était pas idiote et savait pertinemment que plusieurs personnalités françaises la haïssaient. Devant elle, ses ennemis laissaient croire qu'ils lui portaient un respect rigoureux. En vérité, chacun d'eux attendait patiemment de lui planter un poignard dans le dos. L'Étrangère avait les pires défauts qu'une souveraine française pouvait avoir. Elle aimait le jeu, les dépenses et les inconnus, en plus d'être née hors du royaume. Tous s'accordaient pour dire que la fille des Habsbourg était splendide, surtout en vieillissant. Les membres de la cour auraient préféré que le monarque épouse une Française, une fille de sang royal. Devait elle payer pour des arrangements secrets qui avaient été pris entre le grand-père de Louis et ses propres parents ?

L'absence de la reine se faisait plus souvent remarquer depuis la présence du comte suédois en sol français. Elle ne participait presque plus aux cérémonies officielles et aux soupers diplomatiques. Par contre, la jeune femme assistait à la messe dominicale en compagnie de son époux et de leur fille. Elle passait la plus grande partie de son temps entre les soirées parisiennes et son refuge, le Hameau de la Reine. Bientôt, les frères du souverain entrèrent dans le cercle de privilégiés de Marie-Antoinette. Les comtes de Provence et d'Artois adoraient les petites fêtes privées de leur belle-sœur. Jaloux de la position de Louis, ils oubliaient leurs problèmes en participant aux folies de l'Étrangère.

166

La mère de la reine essaya par des moyens différents de raisonner sa fille. Il n'y avait rien à faire, la
jeune femme était plongée dans un monde dans
lequel elle se sentait à l'aise. Les tantes criaient au
scandale auprès de leur neveu. Là encore, Louis XVI
faisait la sourde oreille. Découragé par l'attitude de
son amie, l'archevêque d'Amiens se distança de la
souveraine. Même Sophie, la dévouée suivante, ne
s'identifiait plus à la reine et ne suivait plus la
nouvelle cadence.

L'année 1779 se termina comme elle avait
commencé, c'est-à-dire dans le tapage populaire.
Autrefois fidèles à la Couronne, les sujets du roi
exprimaient ouvertement leur lassitude. Des idées
révolutionnaires, pourtant très marginales sous le
règne de Louis XV, se faisaient maintenant entendre dans les salons d'intellectuels. L'Église de
Rome, protectrice des Bourbon depuis des générations, commençait à montrer des signes d'impatience devant les caprices de l'Autrichienne. Le
comte de Mercy-Argenteau, inquiet de la situation,
rencontra Marie-Antoinette un mois avant les fêtes
de la naissance du Christ.

« Madame, je suis ici non pas en tant que représentant de votre mère, mais davantage comme votre
ami », avait-il dit.

« Mon ami ? Où étiez-vous lors de mes pires
journées ? » lui avait-elle répondu sur un ton de
provocation.

«Votre Majesté, j'ai toujours essayé de servir l'Autriche avec conviction. Vous êtes la fille de ma maîtresse, donc je vous dois obéissance. Mais permettez-moi de vous faire part de mon indignation.»

«Faites!» avait soupiré la reine.

«Toute la France critique Votre Majesté. Le clergé dénonce vos agissements immoraux, la noblesse vous critique et votre mère est en colère contre vous», énuméra le diplomate avec une certaine mélancolie.

«Qu'attendez-vous de moi? Je suis la reine de France, non pas une femme de bas étage», s'était écriée l'Étrangère.

«Justement, Madame, agissez en souveraine et non pas en roturière», avait répliqué durement l'ambassadeur.

À la suite de sa dispute avec la fille des Habsbourg, le comte de Mercy-Argenteau n'osa pas se présenter au château de Versailles pendant de nombreuses semaines. Humiliée dans son orgueil, Marie-Antoinette refusa même de correspondre avec l'impératrice d'Autriche. Elle n'était pas stupide. Elle savait que son image n'était pas impeccable. Mais, après tant de souffrances, elle envisageait de profiter de la vie, d'ignorer les commentaires de ses ennemis.

«Peu importe ma conduite, je ne serai jamais parfaite pour eux!» avait répondu la jeune femme à l'un des ministres de son époux.

168

Au printemps de 1780, Louis XVI et ses frères se rendirent en Alsace et y restèrent durant un mois. Un sommet entre les monarques européens obligea le souverain à s'éloigner du château de Versailles. L'événement se voulait une rencontre entre les têtes couronnées dont l'objectif était de signer un traité commercial. Pendant l'absence du fils des Bourbon, Marie-Antoinette s'isola quotidiennement dans son havre de paix. Seuls le comte de Fersen et la duchesse de Polignac accompagnèrent la reine dans son refuge. Ils firent la fête sans arrêt pendant des jours et des nuits. L'Étrangère se rendait rarement dans ses appartements. Elle avait même ordonné qu'une dame de compagnie lui amène sa fille chaque matin. Étant portée sur la boisson, Yolande de Polastron s'endormait souvent complètement ivre, bien avant que ne s'endorment sa maîtresse et le Suédois. Les deux jeunes personnes passèrent leur soirée à jouer aux cartes et à rire. Au fil du temps, Hans Axel de Fersen devenait de plus en plus un confident de premier rang.

Alors qu'une pluie battante tombait sur le domaine de Versailles, l'Autrichienne rejoignit le Scandinave dans la pièce principale du bâtiment. La duchesse dormait, ils étaient donc seuls. Assis l'un à côté de l'autre sur un long divan, l'épouse royale regarda discrètement le comte de Fersen. Elle le considéra comme l'un des plus beaux nobles qu'elle avait rencontrés. Ses traits physiques l'attiraient dangereusement.

« Mon cher ami, parlez-moi de votre Suède », dit en préambule la souveraine.

« Madame, mon royaume est situé dans le nord de l'Europe. Les étés sont chauds, mais les hivers sont froids. Mon roi, Gustave III, est le meilleur monarque qu'un sujet puisse souhaiter. Sa Majesté a toujours été bonne pour moi et ma famille », dit le jeune homme.

« Comment sont les femmes ? » interrogea Marie-Antoinette.

« Elles sont magnifiques, aussi jolies que les rayons de soleil qui plombent sur l'océan. Mais aucune n'égale la reine de France », précisa-t-il avec le sourire au coin des lèvres.

L'épouse de Louis XVI, gênée par le compliment du comte, lança une blague à son interlocuteur.

« Monsieur de Fersen, vous devez dire ses adorables phrases à chaque femme que vous croisez. »

« Vous faites erreur, car jamais je n'ai eu pareil sentiment envers une souveraine », répliqua poliment le Suédois.

« Croyez-moi, je ne suis pas aussi attirante à l'intérieur... Toute la France me déteste et me dénigre », lança Marie-Antoinette.

« C'est qu'elle ne vous connaît pas suffisamment ! Si les sujets de Sa Majesté voyaient ce que je vois en vous… Ils tomberaient follement amoureux de la reine », ajouta-t-il timidement.

Les paroles de Hans Axel de Fersen firent éclater la souveraine en sanglots. Non pas qu'il venait de la blesser, mais plutôt parce que le jeune homme venait de lui dire des compliments rarissimes en ces temps douloureux.

« Madame, ne pleurez pas… Mon cœur est brisé de voir Sa Majesté verser des larmes », dit doucement le confident.

« Monsieur le comte, depuis mon arrivée dans le royaume de France, il y a maintenant dix ans, plusieurs se sont donné comme mission de me détruire. Les tantes de Louis me haïssent, les épouses des frères de Sa Majesté se moquent de moi, les membres de la Cour royale me jalousent, les ministres du roi me rejettent et le peuple ne m'aime pas », énuméra l'Étrangère.

« Madame, vous êtes à leurs yeux une Autrichienne, donc une inconnue. Lorsqu'ils auront appris à vous connaître, vos ennemis vous apprécieront », répondit l'ami.

« Êtes-vous certain de votre réponse ? Ils ont peut-être raison d'avoir ces sentiments envers moi. Même Dieu m'a punie en m'enlevant mon fils », balbutia-t-elle.

« Votre Majesté, le Tout-Puissant vous aime. Ce sont les hommes qui font le mal, non le Seigneur », précisa le jeune noble.

« Vous, comte de Fersen, que pensez-vous de moi ? »

« Je ne suis pas digne de répondre à votre question », répliqua le Scandinave.

« Je vous le demande en tant qu'amie. »

« Votre Majesté, lorsque je vous ai vue pour la première fois en 1774, vous avez pénétré dans mon cœur. Pendant ces quatre dernières années, vous avez hanté mon être durant des jours et des nuits. Mes pensées allaient toujours vers la reine de France », confia le comte.

Dès cet instant, Marie-Antoinette comprit que son ami n'avait pas que des sentiments amicaux pour elle, mais beaucoup plus. Elle s'en doutait depuis quelque temps déjà, mais n'avait nullement perçu de signes tangibles. Que devait-elle faire, maintenant ? Le roi était à une distance considérable. Elle était l'épouse du fils des Bourbon. La mère d'une descendante d'une longue lignée de souverains français. L'Étrangère aimait le monarque et il le lui rendait bien. Ce qui perturbait profondément la jeune femme, c'était ses propres sentiments. Le comte de Fersen ne lui était pas indifférent. À dire vrai, le Suédois représentait l'homme idéal sous plusieurs aspects. Certes, il était magnifique et avait un titre de noblesse, mais il lui offrait davantage. Hans Axel de Fersen l'aimait pour elle, et non pas pour son rang royal. Jamais il ne lui avait soutiré de l'argent ou des faveurs. Le jeune noble n'attendait rien de la reine de France, mais tout de l'Étrangère.

Désormais, son cœur était déchiré entre Louis et son confident. Comment pourrait-elle vivre dans cette impasse ? Quelle solution pouvait-elle trouver pour régler son conflit intérieur ? À ce moment précis, elle ne pouvait apaiser son inquiétude. La souveraine profita de la compagnie du comte et apprécia les doux instants à échanger avec lui.

Plus les jours passaient et plus la relation amicale entre Marie-Antoinette et son confident s'embellissait. Les regards complices devenaient plus fréquents. Les sourires timides se multipliaient. Les paroles tendres remplaçaient les mots convenus. Ces changements n'échappèrent pas à la duchesse de Polignac. Elle voyait le petit jeu auquel se livraient sa maîtresse et le jeune homme. En véritable amie, Yolande de Polastron était heureuse de voir l'Autrichienne reprendre goût aux plaisirs de la vie. Mais elle savait aussi que la situation pouvait empirer pour la fille des Habsbourg, et lui nuire énormément. Détestée par plusieurs, la reine ne pouvait se permettre d'être étiquetée d'infidèle et de putain. Louis XVI, malgré son amour pour son épouse, pourrait même la répudier pour des actes impardonnables de la part d'une souveraine catholique. La duchesse se devait d'agir rapidement auprès de l'Étrangère. Elle profita d'une promenade dans les jardins du Petit Trianon pour discuter avec elle.

« Madame, que pensez-vous du comte de Fersen ? » demanda maladroitement la confidente.

« Pourquoi cette question indiscrète, ma chère amie ? » répliqua la reine.

« Voyez-vous, Madame, j'ai pour vous une amitié indéfectible. C'est en raison de ce sentiment que je me permets de vous mettre en garde », dit la duchesse en cherchant ses mots.

« Je vois ! Il est vrai que j'apprécie grandement la présence du Suédois, mais croyez-vous que je puisse être infidèle au roi ? » lança la souveraine.

« Non ! Mais vous avez tellement souffert qu'il se peut qu'un gentilhomme éveille en Sa Majesté des émotions jusque-là enfouis », justifia l'amie.

Marie Antoinette demeura muette à la suite des dernières paroles de la duchesse de Polignac. L'Autrichienne savait que son amie disait la vérité, mais pouvait elle lui donner raison ?

Louis XVI fut de retour au château de Versailles au début du mois de mai. Il avait réussi à arracher des traités fort importants pour les relations commerciales entre les pays européens. Le souverain fut félicité par ses ministres, qui voyaient dans ces documents une ouverture française sur le reste du monde. Le fils des Bourbon était revenu en grand vainqueur. Marie-Antoinette, quant à elle, ne fit jamais allusion aux activités qui l'avaient occupée pendant l'absence du monarque. Ce secret, croyait-elle, finirait par se dissiper. C'était bien mal jugé les sentiments du jeune Scandinave.

Pour souligner les cinq années du couronnement royal de Louis XVI, il avait été décidé que la famille royale ferait une tournée de la France. Pour le voyage officiel, le roi, la reine, la jeune princesse, les tantes du souverain ainsi que les frères du monarque et leur épouse se déplaceraient dans les principales régions du royaume. Marie-Antoinette fut accompagnée par ses favorites et ses deux amies, la duchesse de Polignac et la princesse de Lamballe. Leur absence du château de Versailles durerait deux mois. Afin de s'assurer de la continuité des affaires politiques, les ministres faisaient partie du voyage.

« Ma douce, j'ai pensé à vous ces dernières semaines. Je vous aime plus que moi-même », avait dit le souverain dans le creux de l'oreille de l'Étrangère lors de son retour d'Alsace.

En faisant cette tournée française, Louis XVI espérait se rapprocher davantage de celle qui faisait chavirer son cœur. Elle était toute sa vie. Il aurait donné sa couronne pour ne pas la perdre. Contrairement à son grand-père, le fils des Bourbon n'avait jamais eu recours à des maîtresses. Son épouse le comblait sur chaque point. La princesse Adélaïde lui reprocha même d'oublier qu'il était le roi de France.

« Sans ma reine, je ne suis roi de rien ! » avait-il répliqué sèchement à sa tante.

La première escale du couple royal fut Orléans. Regorgeant de bâtiments historiques, la commune avait toujours été un endroit important pour la dynastie des Bourbon. Non pas sur le plan politique, mais plutôt sur le plan sentimental. Plusieurs princes royaux avaient vécu de grandes passions amoureuses dans ce coin du royaume. C'était pour cette raison que Louis XVI avait choisi Orléans comme arrêt. Il espérait que la magie de l'endroit puisse améliorer la condition de son union avec l'Autrichienne. Reconnus pour leur allégeance à la Couronne, les sujets du souverain accueillirent le cortège royal avec allégresse. Des chants, des danses et des activités diverses se déroulèrent dans la commune. La fille des Habsbourg fut heureuse de rencontrer des Français fiers de leur reine. Elle en avait terriblement besoin. Le peuple louangeait la beauté de la jeune princesse. Âgée de six mois, Madame Royale souriait à la foule qui s'accumulait autour du roi et de son épouse. Malgré un horaire chargé, le monarque décida de demeurer deux jours sur les lieux. L'énergie positive de la région redonnait de la joie de vivre à Marie-Antoinette. Il le savait et souhaitait retrouver la jeune femme qu'il avait connue dix ans auparavant.

Les membres de la famille royale, à l'exception des tantes du souverain, furent logés dans un manoir situé au centre de la commune. La veille du départ du cortège, l'Étrangère remercia son époux d'avoir permis cette escale, qui fut si splendide. Elle lui confia que cet arrêt lui avait fait un bien énorme. Satisfait des paroles de la reine, Louis XVI lui avait fait l'amour comme jamais il ne l'avait fait encore. Ce que l'homme ne savait pas, c'était que l'Autrichienne avait également des sentiments pour un autre homme. Marie-Antoinette fut surprise de constater qu'elle s'ennuyait du comte de Fersen. Le Scandinave l'intriguait et elle voulait le revoir. Pour l'instant, il lui était impossible de retourner au château de Versailles. Elle devait attendre la fin du voyage.

Le couple royal, rempli d'énergie positive, rejoignit Dijon. Située dans la Bourgogne, la commune comptait une multitude d'édifices splendides. Tant d'événements s'étaient passés dans cet endroit. Parmi les bâtiments se dressaient fièrement une cathédrale, un palais ducal et même un parlement. Le peuple, moins festif qu'à l'arrêt précédent, saluait leurs souverains avec conviction. Les sujets étaient royalistes, mais n'appréciaient pas les dépenses excessives de l'Autrichienne.

« L'Étrangère, retourne dans ton empire ! » avait crié une vieille femme.

Déçu de l'accueil mitigé des Dijonnais, le roi voulut quitter les lieux rapidement. Il ne voulait surtout pas que l'humeur de son épouse en souffrît. Dès le lendemain matin, ils reprirent la route vers une autre destination. Cette fois-ci, le cortège royal se dirigea vers Grenoble.

Enclavé dans le Dauphiné, l'endroit était manifestement loyal à la dynastie des Bourbon. Non loin de la commune, la famille des Savoie régnait sur un petit royaume. D'une superficie beaucoup plus petite que celle de la France, le pays était tout de même très fortuné. Qui dit argent dit possibilité de lever une armée. Les gens de Grenoble redoutaient cela et comptaient sur la Couronne française pour les soutenir.

La douleur de l'éloignement pesait lourdement sur Marie-Antoinette. Elle devait revoir Hans Axel de Fersen. La reine souffrait de le savoir si loin. Elle confia à ses deux amies le drame qu'elle vivait à l'intérieur d'elle-même.

« Duchesse, je dois retourner au Petit Trianon. Mon cœur ne supportera pas la douleur que je ressens en ces jours », avait avoué la jeune femme.

« Madame, si je puis me permettre, feignez un malaise. Sa Majesté, aimante envers vous, permettra à Madame de retourner vers Versailles », suggéra Yolande de Polastron.

L'idée semblait intéressante pour la reine. Qu'avait-elle à perdre, sinon que le monarque refuse de croire à sa situation ? Elle décida de mettre à exécution le conseil de la duchesse de Polignac. L'Étrangère profita d'un moment de tranquillité pour discuter avec Louis XVI.

« Mon cher époux, la fatigue s'empare de moi. Je crains de ne pouvoir poursuivre ce voyage à vos côtés », dit-elle en se tenant le ventre.

« Ma douce, si votre santé ne vous permet pas de faire cette tournée du royaume, je vous propose de retourner au château de Versailles », lui répondit-il.

La manœuvre avait réussi et le roi ne s'était douté de rien. Marie-Antoinette pouvait rejoindre celui pour qui son cœur battait plus fort de jour en jour. Le comte de Fersen n'était désormais plus un simple ami, mais véritablement un amant.

Deux semaines s'étaient écoulées depuis la dernière rencontre entre le Scandinave et l'Autrichienne. De retour au château de Versailles, la reine s'empressa d'envoyer un messager pour informer le jeune homme de sa présence. Le roi, quant à lui, poursuivit sa tournée du royaume de France. Seule à nouveau, la souveraine s'enferma dans son petit refuge. Elle attendait avec impatience que son amant se pointe au Petit Trianon. La journée passa et le comte de Fersen ne manifesta aucun signe de sa présence. Désespérée, l'Étrangère sortit à l'extérieur alors que le soleil s'apprêtait à se coucher. *Il ne viendra pas!* pensa-t-elle. Soudain, une main se déposa sur l'avant-bras de la jeune femme. Avec étonnement, elle se tourna et vit son amant. Le noble se tenait debout devant la reine. Il était là! Le Suédois avait reçu la lettre et était venu rejoindre celle qu'il aimait. Les deux amoureux se regardèrent dans les yeux. Chacun ressentait la joie de l'autre.

« Votre Majesté, je n'ai pas fermé l'œil depuis votre départ. Vous voilà de retour auprès de moi », s'exclama Hans Axel de Fersen.

« Mon amour, je n'ai pensé qu'à vous. Vous avez volé mon cœur », répondit la souveraine.

Ils se serrèrent l'un contre l'autre. Le protocole n'existait plus. Les amants étaient seuls au monde. Un amour si puissant enveloppait les deux étrangers.

« Ma douce, nos sentiments devront demeurer secrets. Vous êtes la reine de France. Jamais je ne pourrai accepter que vous puissiez être jugée à cause de moi », chuchota-t-il.

« Je comprends, mon amour ! Nous devrons vivre dans l'ombre des murs. Se cacher du regard des mauvaises langues », ajouta la jeune femme.

Marie-Antoinette et le comte de Fersen passèrent la soirée et la nuit à démontrer toute l'affection qu'ils éprouvaient l'un pour l'autre. Elle était couchée sur son lit, il l'admirait. L'Autrichienne se laissa dévorer du regard. Le noble déposa des milliers de baisers sur le cou de sa bien-aimée. Elle savourait chacun de ses gestes avec sensualité. Le Scandinave, habile de ses mains, déshabilla la reine de France. Il passa sa bouche sur les seins ronds de l'Étrangère. Des frissons parcouraient le corps chaud de la fille des Habsbourg. En aucun moment elle ne ressentit des remords. Les deux amoureux se frottèrent l'un sur l'autre. Marie-Antoinette, excitée par son amant, gémissait de plaisir. Elle caressa le membre viril du jeune homme en érection. Au bout d'un long moment de prélimi-naires, le comte pénétra son amante de tout l'amour qu'il lui portait.

« Hans Axel, je vous aime ! » s'écria de contente-ment la souveraine.

La scène se répéta à plusieurs occasions pendant la nuit silencieuse. Jamais l'épouse royale n'avait ressenti autant de satisfaction dans une relation sexuelle. Pour la première fois de sa vie, elle se considéra comme une vraie femme.

Pendant l'absence du roi, la fille des Habsbourg ne se présenta pas devant la Cour royale. Tôt le matin, elle quittait ses appartements pour passer la journée dans ses quartiers. Entourée de son cercle d'amis, Marie-Antoinette s'amusait à jouer la paysanne. Elle ne se souciait guère des affaires du royaume, mais s'assurait de l'éducation de sa fille. Son enfant représentait toute sa légitimité en tant qu'épouse de Louis XVI. Sans la jeune princesse, le monarque l'aurait peut-être répudiée pour prendre une autre femme.

Le souverain revint au château de Versailles au milieu du mois de juin 1780. Son voyage officiel aux quatre coins de la France était terminé. Ses nombreuses rencontres lui avaient permis de constater l'humeur changeante du peuple. Certaines régions étaient davantage royalistes, alors que d'autres frôlaient l'anarchie. Cela l'inquiétait profondément. N'était-il pas le successeur d'une lignée de rois légendaires ? Ce qui le préoccupait le plus, c'était le fait de n'avoir aucun héritier mâle. Madame Royale était son enfant et il l'aimait tendrement, mais elle ne pouvait monter sur le trône des Bourbon. Il était plus qu'urgent que le couple royal offre un fils à la Couronne. Louis XVI devait convaincre son épouse d'essayer à nouveau de tomber enceinte.

Le soir du retour du roi, Marie-Antoinette organisa un immense banquet pour célébrer la présence du monarque. Toute la famille royale assistait à l'événement. Parmi les invités, il y avait les membres importants du clergé, les nobles de la Cour royale ainsi que les ministres. Tous souhaitaient accueillir leur souverain avec dignité. Assis l'un à côté de l'autre, le fils des Bourbon et l'Étrangère échangèrent des propos. Le Français profita de l'occasion pour relancer son épouse.

« Ma douce moitié, pendant mon voyage, les sujets ont été nombreux à souligner que le trône n'avait toujours pas d'héritier mâle. »

« Mon bien-aimé, il n'y a pas un jour qui ne se passe sans que vous me le rappeliez », lança-t-elle méchamment.

« Ma chère, vous avez des obligations à titre de reine de France. Nous avons une fille admirable et j'en suis très fier, mais un fils est essentiel pour la continuité de la dynastie », ajouta le souverain gentiment.

« Vous avez raison, mais ma santé n'est pas excellente en ce moment », dit-elle en guise de réponse.

Le roi poursuivit sa soirée sans toutefois revenir à la charge. Il aimait la reine et ne voulait pas envenimer leur relation. Elle était jeune, lui aussi, et Marie-Antoinette avait été enceinte à deux reprises. Elle pouvait donc porter un fils plus tard.

Quelques jours avant le retour de Louis XVI, le comte de Fersen s'enrôla dans le corps expéditionnaire français. Il rêvait de se battre et l'occasion se présenta du côté du Nouveau Monde. Le noble suédois participa à la guerre d'Indépendance américaine sous les troupes du fils des Bourbon. Il avait été convenu entre les deux amants que la souveraine devait jouer le jeu de l'épouse fidèle et aimante. En vérité, l'Autrichienne ressentait encore de vifs sentiments pour le roi. Ce n'était donc pas artificiel l'attention qu'elle lui portait. Elle était déchirée entre son époux, un homme bon et généreux, et son amant, un inconnu attentionné et amoureux. La fille des Habsbourg était persuadée que le temps l'aiderait à départager ses sentiments.

À l'automne, l'ambassadeur d'Autriche informa la reine de l'état de santé précaire de sa mère. Femme forte et robuste, l'impératrice souffrait de multiples maladies liées au stress qu'impose sa fonction. Joseph II régnait sur l'Empire, mais Marie-Thérèse tirait les ficelles depuis des années. Il était connu de tous que le véritable monarque en sol autrichien n'était pas l'empereur, mais la souveraine douairière. La fatigue cumulée et l'embonpoint grandissant de la vieille Autrichienne l'avaient rendue extrêmement malade. Elle ne se présentait plus devant la Cour impériale et était toujours alitée. Les médecins craignaient pour sa vie.

Ma bien chère sœur,

Sa Majesté notre mère se meurt lentement au château de Schönbrunn. Des maux douloureux affligent le corps de l'impératrice. Je crains pour la suite des événements et je prie le ciel de bien vouloir protéger notre mère. Je sais toute l'affection que vous portez envers Madame, c'est pourquoi je vous implore de demander à Dieu de veiller sur Sa Majesté en ces temps difficiles.

Votre frère,

Joseph

À la lecture du message de l'empereur autrichien, la reine de France s'écroula sur le plancher de sa chambre. Cette femme, si sévère, était sa mère, et Marie-Antoinette l'aimait de tout son être. Elle était un modèle, non seulement pour l'Europe, mais également pour l'Étrangère. La souveraine douairière, malgré les épreuves épouvantables qu'elle avait vécues, n'avait jamais négligé son rôle au sein de la famille impériale. Elle avait donné une descendance respectable à la dynastie des Habsbourg. L'impératrice avait pris en main les affaires politiques à la mort de son époux, François Ier. Aux yeux de l'Autrichienne, sa mère incarnait la parfaite souveraine. Rien ne lui avait échappé. Maintenant qu'elle était clouée au lit, comment pourrait-elle guider sa fille lors de ses périodes difficiles ?

184

Durant deux mois consécutifs, jour après jour, Marie-Antoinette se rendit à la chapelle royale pour supplier le Tout-Puissant de sortir l'impératrice d'Autriche des maux qui l'accablaient. Chaque semaine, une lettre de Vienne lui était remise sur l'état de santé de la souveraine douairière. Après un long combat, Marie-Thérèse rendit l'âme. Celle qui avait été une guerrière pendant toute sa vie s'était résolue à quitter le monde terrestre en paix. La vieille femme voulut retrouver l'époux qu'elle avait tant aimé de son vivant. À la fin de novembre 1780, la Cour impériale annonça officiellement le décès de leur maîtresse tant respectée. Marie-Antoinette, détruite à l'annonce de cette nouvelle, resta enfermée dans ses appartements pendant plus d'une semaine. Elle refusa de voir quiconque, même son époux, y compris aussi son amant et sa fille. La souveraine mangeait peu et perdit beaucoup de poids. La reine de France était désormais seule pour prendre ses décisions, sa mère n'y étant plus pour la guider. Âgée de 25 ans, l'Étrangère ne pouvait compter que sur elle-même.

CHAPITRE VI
La mère des héritiers royaux

Château de Versailles, France, 1781-1785

AU DÉBUT de l'année 1781, la reine commença une correspondance continue avec le comte de Fersen. Installé en Amérique, le Suédois entretenait une vive passion pour la souveraine. Malgré la distance qui les séparait, leur amour grandissait dans les lettres qui circulaient de part et d'autre de l'océan Atlantique. Chacun des messages regorgeait de phrases montrant les sentiments qui les unissaient. La disparition de Marie-Thérèse d'Autriche avait rompu, par la même occasion, les derniers liens qui rattachaient la reine à son pays natal. Même si Joseph II régnait sur l'Empire, ils n'échangeaient que très rarement des messages ensemble. En désaccord avec le style de vie de sa sœur, le chef des Habsbourg s'était éloigné d'elle. Le souverain autrichien avait davantage d'affinités avec son beau-frère. Les deux hommes se rencontraient régulièrement, souvent sans sa présence.

Seule depuis le départ du Scandinave, Marie-Antoinette tombera de nouveau dans les jeux de hasard et les dépenses folles. Plus que jamais, elle et ses amies se rendront à l'opéra et dans des réceptions parisiennes. La souveraine achètera les robes les plus extravagantes et fera venir d'ailleurs les bijoux les plus magnifiques. Pour s'assurer de la fidélité de la duchesse de Polignac, l'épouse de Louis XVI lui accordera une panoplie de cadeaux. Les dettes de Yolande de Polastron seront payées par le Trésor royal. Les membres de sa famille recevront des biens financiers. Même la sœur de son amie, Diane, se verra octroyer une place au sein de Versailles. Toute cette attention envers les proches de la souveraine nuira énormément à son image déjà ternie par les erreurs du passé.

L'éternelle controverse autour du fait que le couple royal n'avait toujours pas d'enfant mâle pèsera sans cesse sur la reine. Louis et Marie-Antoinette poursuivront leurs efforts à vouloir offrir un héritier au trône des Bourbon. Les seuls moments paisibles pour l'Autrichienne seront lorsque Hans Axel de Fersen fera deux escales au château de Versailles. Ironiquement, chaque fois que le Suédois voyait l'Étrangère en secret, le souverain se trouvait toujours à l'extérieur de la capitale française.

« Mon amour, la vie est déchirante sans vous auprès de mon cœur. Chaque souffle qui sort de ma bouche est pour vous », avait dit le jeune homme à son amante.

Les retrouvailles se déroulaient au Hameau de la Reine et aucun invité ne participait à ces rencontres privées. Leur amour se manifestait toujours par des marques d'affection intimes. Bientôt, la cour fit circuler des rumeurs sur la relation étroite entre la reine et le noble scandinave. Ragots que rejetait de la main la fille des Habsbourg.

Lors des célébrations de Pâques, Marie-Antoinette souffrit de nausées et de maux de tête. Pendant la messe, elle fut obligée de se retirer dans ses appartements. Un médecin fut envoyé auprès de la malade. Après avoir examiné l'Autrichienne, il lui annonça une nouvelle surprenante.

« Votre Majesté, j'ai trouvé la source de votre douleur. »

« Monsieur, faites cesser cette affreuse situation », supplia la femme.

« Madame, je crains d'être impuissant… Vous portez un enfant ! » s'exclama l'homme de science.

Marie-Antoinette, bouleversée par les propos du vieil homme, ferma les yeux. Une larme coula le long de sa joue. Enfin, le Seigneur avait entendu ses nombreuses prières. Un fils, un héritier, vivait en elle. Soudain, une inquiétude s'empara de la souveraine. Cet enfant, était-il du roi ou de son amant ? Comment en être assurée ? Aucun moyen ne pouvait prouver l'identité du père.

Lorsque Louis XVI fut informé de la situation de son épouse, il fit envoyer des messagers dans toute l'Europe pour propager la nouvelle. La naissance d'un héritier était la solution à la plupart des problèmes du couple royal. L'arrivée d'un garçon redorerait l'image de la souveraine. La famille royale s'agrandirait et la succession du roi serait garantie.

« Ma douce, vous faites de moi l'homme le plus heureux du monde. Notre fils est une bénédiction de Dieu », avait affirmé Louis XVI lors d'un repas.

Dans une longue lettre adressée au comte de Fersen, Marie-Antoinette annonça qu'elle attendait un enfant. Sans mettre sur papier le doute sur l'identité du véritable père, la fille des Habsbourg laissa sous-entendre au Suédois que cet enfant pouvait être le sien. À la lecture du courrier de son amante, le jeune homme fut incapable de retenir ses larmes. Seul dans une villa en Virginie, il demanda au Tout-Puissant de la protéger. Le Scandinave, peu enclin à la fidélité en temps ordinaire, aurait tout donné pour retrouver celle qu'il aimait d'une passion indescriptible.

La fin de la grossesse de la souveraine se déroula sans complication. L'enfant que l'Étrangère portait en son sein semblait vouloir naître avant les premières tempêtes hivernales. Convaincue du sexe masculin de l'être qui vivait dans son ventre, la femme attendait la venue au monde de ce chérubin.

Un soir, quelques semaines avant l'accouchement, la souveraine passa un long moment en compagnie de la duchesse de Polignac. Elle était plus émotive qu'à l'accoutumée. Assise sur un rocher près du Petit Trianon, l'Autrichienne voulait partager son secret. Elle était impatiente de dévoiler ce fardeau qui pesait sur sa conscience.

« Mon amie, vous souvenez-vous de m'avoir demandé de demeurer discrète sur ma liaison avec le comte de Fersen ? »

« Absolument, Madame ! » avait répliqué Yolande de Polastron.

« J'ai une confidence à vous faire. Un secret énorme que vous ne devrez divulguer à aucune âme de ce monde. Puis-je avoir une pleine confiance en vous, chère amie ? » demanda sans broncher la reine.

La duchesse regarda sa maîtresse avec une certaine nervosité. Pourquoi Marie-Antoinette manquait-elle d'assurance ?

« Votre Majesté, je préférerais mourir sur l'échafaud que de vous trahir. »

« Je ne puis affirmer, je le jure, qui est le père de mon enfant. Mon esprit veut que ce soit le roi, mais mon cœur espère plutôt que ce soit Hans Axel de Fersen », avoua honnêtement la fille des Habsbourg.

Le secret que venait de dévoiler l'épouse de Louis XVI assomma littéralement la confidente de la reine. Elle connaissait les sentiments unissant le Suédois et la souveraine, mais en aucun cas la duchesse aurait imaginé que ce dernier pouvait être le père de l'héritier du trône des Bourbon. Les propos de Marie-Antoinette n'avaient aucun sens.

« Madame, vous ne pouvez porter d'autres enfants que ceux de Sa Majesté. Vous êtes la première dame de France », s'exclama l'amie, bouleversée.

La souveraine, tourmentée, se leva et pleura devant Yolande de Polastron. Elle savait pertinemment que ses paroles ne pouvaient être que vraies.

« Aidez-moi, ma chère amie ! » supplia Marie-Antoinette.

L'Étrangère tomba aux pieds de la duchesse de Polignac. Désespérée, elle s'agrippa au bas de la robe de son amie. Abasourdie par le geste inapproprié de l'épouse du monarque, elle demeura muette. Sans réfléchir aux conséquences de son conseil, elle proposa une solution à sa maîtresse.

« Madame, outre vous, qui est informé de vos doutes ? »

« J'ai écrit une lettre au comte sans préciser qui était le père de mon enfant », répondit la fille des Habsbourg.

« Bien ! Votre Majesté n'a qu'à taire cette incertitude. Hans Axel de Fersen est en Amérique pour un long moment encore. De plus, il vous aime sans compter. Il n'osera jamais semer le doute à la Cour royale, encore moins auprès du souverain », expliqua Yolande de Polastron.

Attentive aux mots de sa confidente, Marie-Antoinette ne voyait aucune autre solution. Si l'enfant qu'elle portait en son sein devenait bâtard, toute la légitimité de la reine en souffrirait également.

« Ma précieuse amie, sans vous je n'aurais eu que des douleurs jusqu'à la fin de mes jours », remercia l'épouse de Louis XVI.

Marie-Antoinette décida d'effacer de sa mémoire l'incertitude sur l'identité réelle du père de son enfant. Son idée était faite : le roi était l'unique père du fils qui vivait en elle. Même lorsque l'Autrichienne reçut un message de son amant, elle ne donna aucune réponse à son questionnement sur le sujet. Elle ignora ce détail dans chacune des correspondances qui suivirent. Le secret qui unissait les deux femmes renforça leur amitié. Elles devinrent totalement inséparables, tant au château de Versailles que lors des déplacements du couple royal.

Une grande surprise attendait le roi et la reine vers la fin d'octobre 1781. Arrivée au bout de sa grossesse, Marie-Antoinette donna naissance le 22 du mois à un solide petit garçon. Comme le protocole l'obligeait, Louis XVI n'assistait pas à l'accouchement. Dès que l'enfant sortit du corps de la mère, un messager accourut informer le souverain de l'heureuse nouvelle.

« Votre Majesté, c'est un fils ! » s'écria l'homme.

Le monarque sauta de joie d'avoir un héritier mâle pour poursuivre la lignée des Bourbon. Il se précipita dans les appartements de son épouse pour la féliciter de lui avoir offert ce cadeau. Couchée dans son lit, Marie-Antoinette remercia le ciel de lui avoir accordé ce privilège.

« Ma douce, vous venez de combler toutes mes espérances », louangea le chef de la famille royale.

L'Autrichienne, à bout de souffle après un accouchement interminable, versa une larme de satisfaction. Elle avait réussi à rendre le roi heureux et à rehausser son prestige. Mère d'un successeur masculin et d'une jeune princesse, la reine se trouvait maintenant en position de force vis-à-vis de ses détracteurs. Persuadée que les choses allaient changer pour elle, la fille des Habsbourg s'endormit calmement.

L'annonce de la naissance d'un nouveau Bourbon fit le tour des cours régnantes d'Europe. Les hommages au couple royal se multiplièrent, tant à l'intérieur qu'à l'extérieur du royaume. Le pape, fidèle allié de Versailles, envoya un message au monarque français dans lequel il le félicita d'avoir sauvé le trône chrétien. L'empereur d'Autriche, en frère dévoué, s'informa de l'état de Marie-Antoinette. Admirateurs comme ennemis, tous se bousculèrent aux appartements de l'Étrangère pour la complimenter sur le nouveau bébé. Exténuée par les jours qui suivirent, l'épouse de Louis XVI prit congé de la Cour royale. Elle partit pour le château de la Muette.

La reine souhaitait se reposer quelques jours, loin des agitations de Versailles. Pendant son absence, sa dame de compagnie s'occupait des deux enfants royaux. Sophie prenait très au sérieux ses responsabilités de gouvernante. Pour elle, la sécurité et le bien-être des petits Bourbon représentaient la tranquillité d'esprit du souverain et de la mère. Seule la duchesse de Polignac accompagna l'Étrangère dans sa paisible résidence. Le paysage, de différentes couleurs, semblait s'être figé. Les fleurs étaient fanées et les feuilles des arbres tombaient une à une au sol. Marie-Antoinette, assise sur un banc en bois, observait les oiseaux volant vers le sud. Ces volatiles étaient libres, ils pouvaient s'enfuir vers des endroits inconnus. *J'aimerais être un oiseau afin de me sauver de mes ennemis*, pensa la jeune femme. Dix années difficiles s'étaient écoulées depuis son départ de Vienne. Tant d'épreuves, de larmes et de souffrances avaient été son lot de vie. Enfant, elle envisageait la vie d'adulte comme une suite d'événements palpitants. Elle croyait que les grands n'avaient aucun problème. Que la vie devait être si joyeuse ! Aujourd'hui, l'Autrichienne savait qu'il n'en était rien. Au contraire, plus les années avançaient, plus son existence devenait misérable.

Au bout d'un moment, voyant sa maîtresse seule dans les jardins endormis, Yolande de Polastron rejoignit son amie. Elle lui avait apporté une couverture de laine pour la réchauffer.

« Duchesse, avez-vous déjà rêvé de devenir reine de France ? » questionna la fille des Habsbourg.

« Absolument pas ! Je n'ai nullement la prétention de me permettre un tel rêve », répondit la confidente.

« Voyez-vous, ma chère, moi je l'avais… À l'instant où je vous parle, je donnerais mon âme pour revenir en arrière », avoua la souveraine.

Intriguée par les propos de Marie-Antoinette, la duchesse ne comprit pas le sens de ses paroles.

« Lorsque j'étais à Schönbrunn, auprès de ma famille, j'aimais passer mes journées à m'amuser avec mes frères et sœurs. Nous étions inséparables… Dieu, par nos naissances, nous éloigna les uns des autres », dit-elle.

La famille impériale était reconnue pour sa joie de vivre. Malgré l'autorité de l'impératrice d'Autriche, une certaine gaieté régnait dans la maison des enfants Habsbourg. Le protocole, beaucoup moins strict qu'à Versailles, ne pesait pas si lourd sur eux. Une certaine liberté, même contrôlée, permettait aux jeunes princesses et aux jeunes princes de vivre loin des intrigues de la cour. Ils jouissaient plus longtemps de leur innocence que les descendants de la dynastie des Bourbon. Était-ce sain ? Peu importe la réponse, ni les héritiers français ni ceux autrichiens ne pouvaient se vanter d'avoir réussi leur vie d'adulte. Chacun cachait des amants, des erreurs et des malversations.

« Tant d'obstacles se sont dressés sur ma route depuis mon mariage avec Louis. Les princesses royales,

les tantes de mon époux, m'ont toujours ignorée. Les frères du roi me considèrent comme stupide, sans parler des comtesses. Les ministres du royaume se moquent de moi... », énuméra la souveraine.

« Madame, vous avez fait renvoyer des conseillers qui vous méprisaient. Vous avez donc réussi à en éliminer deux ou trois », l'interrompit la confidente.

« Certes, mais est-ce suffisant pour ma tranquillité d'esprit ? » lança la reine sans attente de réponse.

« Lorsque j'éloigne un ennemi, deux autres arrivent au château de Versailles. Non, rien ne va plus pour moi », fulmina Marie-Antoinette en serrant les poings.

Par compassion, Yolande de Polastron déposa sa main sur l'avant-bras de sa maîtresse. Voir cette dernière dans un tel état lui déchirait le cœur. Impuissante devant la douleur de l'Autrichienne, elle ne pouvait que l'écouter se soulager.

« Le roi, mon époux, m'a toujours aimée, mais je l'ai tellement déçu... Un jour, Sa Majesté se lassera de moi », ajouta l'Étrangère.

« Madame, vous avez donné au monarque un fils, un héritier, ainsi qu'une jolie petite princesse. Sa Majesté vous aime profondément ! » dit la duchesse dans l'espoir de voir sourire son amie.

« Pour combien de temps ? répondit la fille des Habsbourg. Même le vénérable archevêque d'Amiens, mon ami, m'a laissée tomber à cause de mes erreurs répétées. Êtes-vous consciente qu'un homme a voulu m'assassiner lors du couronnement de Louis ? Mes ennemis me veulent morte », cria-t-elle.

Bouleversée par ses propres paroles, Marie-Antoinette sanglotait. Elle saisissait la gravité de la haine du peuple et des nobles envers sa personne. Chaque geste qu'elle faisait ne pouvait qu'envenimer la situation.

« Dieu me punit sans cesse. J'ai été violemment frappée par la maladie à deux occasions. Le Tout-Puissant a repris mon premier fils, dit l'Étrangère, la rage au cœur. Mes nombreuses divagations ont blessé Sa Majesté et toute la Cour royale. »

La souveraine pencha la tête et garda le silence un court instant. C'était plus fort qu'elle, les émotions l'étranglaient.

« Ma mère, Dieu ait son âme, est morte de chagrin de voir mes problèmes s'aggraver », enchaîna-t-elle.

« Votre Majesté est injuste envers elle. L'impératrice était atteinte de maladies mortelles », répliqua la duchesse.

« Vous avez raison, ma chère amie. Peut-être suis-je trop dure avec ma personne, acquiesça la reine. N'empêche que je m'ennuie du comte de Fersen », conclut-elle.

Yolande de Polastron n'ajouta rien à cette dernière phrase, mais savait que la pire erreur de sa maîtresse concernait justement le Suédois. Une femme ne pouvait avoir d'amant, ce privilège n'appartenait qu'aux maîtres.

À la fin d'octobre, la reine de France retourna au château de Versailles. Reposée, elle devait s'occuper des préparatifs du baptême du jeune fils du couple royal. Louis XVI, fier de son héritier, exigea la tenue d'une cérémonie faste. Un événement à faire rougir toutes les cours d'Europe. Les célébrations devaient se dérouler dans la chapelle de la résidence. Un prélat parisien avait été choisi pour administrer le sacrement religieux.

Lors de la journée du baptême, plusieurs diplomates des diverses royautés européennes assistaient à la cérémonie catholique. Parmi celles-ci, l'Autriche était dûment représentée par le comte de Mercy-Argenteau et par une poignée de seigneurs viennois. Il avait été décidé que l'événement se tiendrait en matinée. L'endroit, sobrement décoré, se prêtait harmonieusement bien au sens des célébrations. Une cinquantaine d'invités prenaient place sur des bancs étroits. Le roi et la reine attendaient dans la première rangée. Sophie fit son entrée avec le jeune prince, encore sommeillant. Elle avança lentement vers l'autel. L'homme d'Église s'approcha du bébé et sourit aux parents.

198

« Vos Majestés, messeigneurs et mesdames. En ce jour, notre très sainte Église de Rome accueille un nouveau fils. »

Le religieux et la dame de compagnie se dirigèrent vers un petit bassin rempli d'eau. La favorite souleva légèrement l'enfant au-dessus du récipient, alors que le catholique cherchait les paroles du rite.

« Né d'une mère chrétienne et d'un père chrétien, au nom du Saint-Père, je te baptise Louis Joseph Xavier François de Bourbon. Au nom du Père, du Fils et du Saint-Esprit. Amen », déclara le prélat.

Au même moment, alors que l'homme d'Église plongea doucement le crâne de l'enfant sous l'eau, un bruit strident se fit entendre à l'intérieur de la chapelle. Surprise par ce vacarme, Marie-Antoinette pensa qu'un attentat venait de se commettre. Il n'en fut rien. Mais la provenance du son n'avait rien de rassurant. Un oiseau s'était fracassé contre l'un des vitraux du bâtiment. Un corbeau noir. Lorsque l'un des gardes informa Louis XVI de l'incident, la souveraine fut prise de panique. *Est-ce un mauvais présage ?* pensa l'Étrangère. La suite de la cérémonie se déroula sans aucun autre incident.

En fin de journée, le monarque organisa une courte rencontre en présence de son épouse, des princesses royales et des comtes. Il annonça officiellement au monde entier que son fils, un mâle, devenait l'héritier du trône des Bourbon. Le petit prince reçut le titre de dauphin de France. Assise près du souverain, Marie-Antoinette écoutait avec émerveillement les propos du chef de la famille royale. Son enfant devenait le successeur d'un Clovis, premier roi baptisé par l'Église de Rome.

Avant de se séparer de son épouse pour la nuit, Louis XVI prit un petit moment pour discuter avec l'Autrichienne.

« Ma douce, notre fils est le plus beau garçon de toute l'Europe. Un jour, il deviendra le roi de France », dit le monarque.

« Si Votre Majesté est heureuse, je le suis également », répondit la femme.

Les mois qui suivirent la naissance du jeune dauphin permirent à l'Étrangère d'échapper aux attaques incessantes de ses ennemis. La présence de son enfant la rendait plus solide aux yeux des mauvaises langues. La duchesse de Polignac, devenue gouvernante des enfants royaux, était moins présente auprès de sa maîtresse. À nouveau seule, Marie-Antoinette se rapprocha de la princesse de Lamballe. Leurs retrouvailles ne dureront que quelques mois. Très vite, la souveraine se lassera de Marie-Thérèse Louise de Savoie-Carignan. Elle trouva trop ennuyante la compagnie de cette femme.

L'Étrangère essayera de s'introduire dans les affaires politiques de son époux. Elle prendra position sur des décisions du royaume, conseillera le roi sur les traités commerciaux et se mettra à dos certains ministres importants. Loin de refaire son image, elle continuera de s'enfoncer.

Les soirs, la fille des Habsbourg poursuivait ses sorties dans les salons et à l'opéra. Elle recevait les plus grands couturiers parisiens et les joailliers les plus recherchés. Le jour, elle s'enfermait dans son refuge, à l'autre bout du domaine de Versailles. Comme à l'accoutumée, la mère s'occupait chaque matin de ses enfants. Voir grandir sa progéniture était sa constante préoccupation.

Ses nombreuses lettres adressées au comte de Fersen ne cessaient d'augmenter. Elle lui écrivait presque tous les après-midi. Son message comptait parfois de cinq à huit pages. Chacune de ses correspondances se rendait directement en Amérique. Par des moyens sécuritaires, elle s'assurait qu'aucun de ces envois ne tombe entre les mains de ses ennemis ou dans celles du monarque.

La fin de l'année 1782 s'annonça tumultueux pour Marie-Antoinette. Celle qui fut épargnée des critiques sanglantes pendant quelques mois revenait sur le devant de la scène. Des rumeurs persistantes sur la relation étroite entre le noble Scandinave et la souveraine circulèrent en France. Les ragots, bien ficelés, avaient été répandus par les épouses des comtes d'Artois et de Provence. Les deux femmes avaient été renseignées par des domestiques de l'accueil que l'Autrichienne fit à Hans Axel de Fersen. Lors d'un bref séjour à Paris, l'homme s'était présenté au Hameau de la Reine. Il y passa la soirée, seul avec Marie-Antoinette. Il n'en fallait pas plus pour que les rumeurs s'emballent au château de Versailles. Bientôt, toute la France et l'Europe dénoncèrent la relation intime entre l'Étrangère et le Suédois.

Amoureux de son épouse, Louis XVI ne croyait nullement aux allusions d'infidélité de la souveraine. Lorsque sa tante, la princesse Adélaïde, lui demanda de prendre au sérieux ces rumeurs, le monarque rejeta du revers de la main les propos de cette dernière. Il avait confiance en la fille des Habsbourg et comprenait qu'elle avait besoin d'amis. Le comte de Fersen était l'un d'eux, sans plus.

L'été suivant, la famille royale passa deux mois au château de la Muette. Cette fois-ci, les frères du roi n'étaient pas du voyage. Ils avaient décidé de rester au château de Versailles pour s'occuper de certains dossiers militaires. En vérité, les Bourbon ne voulaient plus se trouver en compagnie de Marie-Antoinette. Détestée par les sujets du monarque, elle n'était pas la personne idéale avec qui s'afficher. Les comtes l'avaient vite compris et s'étaient éloignés de l'épouse du souverain. Par contre, les princesses royales accompagnaient leur neveu. Selon elles, surveiller l'écervelée d'Autrichienne était plus important que leur image. Filles de Louis XV, elles avaient promis à leur père de protéger son succes-seur. Pour l'aînée des tantes du monarque, la Couronne royale représentait davantage que leur simple personne.

202

L'Étrangère aimait les promenades à cheval, en particulier dans les grandes prairies du domaine de la Muette. Le terrain s'étendait sur une longue distance et se situait en dehors des voies achalandées. Lors d'une sortie en nature, Louis XVI accompagna son épouse. Depuis leur mariage, c'était la troisième fois seulement que le couple royal galopait dans les champs perdus du château. Les paysages étaient magnifiques et le soleil remplissait d'énergie la souveraine.

« Ma douce ! » cria le monarque, au loin, derrière l'Autrichienne.

Elle ne l'entendit pas. L'Étrangère poursuivit son chemin à toute allure. Lorsqu'elle se tourna pour voir où était le roi, la fille des Habsbourg remarqua qu'il n'était plus à ses côtés.

« Louis ! Louis ! Où êtes-vous ? » hurla l'épouse royale.

La panique s'empara de la reine, le souverain avait disparu. Elle revint sur ses pas. Au bout d'un interminable moment, elle trouva le roi étendu sur l'herbe. Il était immobile. Son cheval se tenait près de lui. Marie-Antoinette bondit sur le sol chaud. Elle se jeta sur son époux, en larmes.

« Louis ! Votre Majesté, répondez-moi », dit-elle.

Le fils des Bourbon ne réagissait pas du tout aux paroles de son épouse. L'Étrangère secoua brusquement l'homme afin de le sortir de son état. Rien ne se passait. La reine remonta sur sa bête et prit la direction du château. Elle entra en toute hâte dans la résidence et se dirigea vers la garde. Elle ordonna aux soldats de se rendre sur les lieux où se trouvait, inerte, le souverain.

Pendant leur absence, l'Autrichienne fit les cent pas dans le petit salon. Que s'était-il passé ? Pourquoi Louis était-il tombé de son cheval ? Tant de questions et si peu de réponses.

« Madame, le roi est sain et sauf », lança le chef des soldats.

Aussitôt, la reine accourut auprès du monarque, encore mal en point. Assis sur un fauteuil, il cachait difficilement sa douleur.

« Mon cher Louis, vous sentez-vous bien ? Que s'est il passé ? Pourquoi êtes-vous tombé de votre monture ? » interrogea l'Étrangère en panique.

Le roi lui sourit et lui tendit le bras. La souveraine s'approcha et se jeta à ses pieds. Elle déposa plusieurs petits baisers sur la main du monarque.

« Ma chère épouse, il est bon de voir que vous vous inquiétiez pour moi », dit-il gentiment. Rassurez-vous, je n'ai eu qu'un petit malaise. Je vais mieux, maintenant », expliqua le chef de la famille royale.

Cet incident avait permis à Marie-Antoinette de mesurer ses sentiments pour le roi. Elle découvrit

204

que son amour pour Louis était palpable et bien réel. Qu'elle ne pourrait pas vivre sans cet homme.

« Louis, je vous aime de toute mon âme », avoua-t-elle avec conviction.

Depuis, le couple royal fut plus fort qu'auparavant. Le roi aimait l'Autrichienne et ce sentiment était réciproque de la part de la souveraine. Elle oublia même le comte de Fersen pendant plusieurs semaines. Malheureusement, ses ennemis lui rappelleront la présence du Scandinave.

À peine âgé de dix mois, le dauphin fut à nouveau le sujet de discussion des mauvaises langues de la Cour royale. Se soulevant contre le rapprochement entre le roi et son épouse, les nobles mirent en doute la légitimité de Louis Joseph Xavier François de Bourbon. Ils firent circuler dans les rues de Paris la rumeur voulant que le père réel du petit prince soit en fait Hans Axel de Fersen. Cette attaque virulente des ennemis de Marie-Antoinette eut un effet dévastateur sur l'Étrangère. Elle-même ne connaissait pas l'identité de celui qui pouvait prétendre être le géniteur de son fils. De tout son être, l'Autrichienne voulait croire qu'il s'agissait bel et bien du souverain. Mais une petite parcelle de son cœur en doutait. Pour son fils et pour elle, l'épouse royale rejeta toutes les tentatives de discréditation à ce sujet. Son enfant était celui des Bourbon et il était l'héritier du trône de France.

Lorsque Louis XVI entendit les qu'en-dira-t-on de la noblesse, il fit la sourde oreille. Le monarque avait confiance en la fille des Habsbourg et rien ne pouvait changer son idée. En réalité, le souverain avait été informé de la relation intime entre le Suédois et son épouse. L'un de ses ministres avait réussi à intercepter une lettre de la reine. Cette dernière faisait part à son amant de toute la souffrance causée par son éloignement. Malgré cette preuve irrécusable, le roi adorait celle qui partageait sa vie depuis treize ans.

Au milieu des années 1780, le Trésor royal croulait sous les déficits. Les guerres étaient coûteuses et la situation commerciale de la France était plutôt précaire. Le peuple, mécontent, critiquait ouvertement les décisions des ministres du royaume. Conscient de l'humeur de ses sujets, Louis XVI convia au château de Versailles des intellectuels et des universitaires afin de trouver une solution à cette crise. Au bout d'une rencontre houleuse, les conseillers avaient suggéré au monarque de réduire les dépenses de la Couronne. Ce geste, presque inutile étant donné l'ampleur de l'état des finances françaises, avait pour objectif de refréner la colère populaire. En diminuant le faste de la royauté, le roi servirait d'exemple aux membres de la noblesse et du clergé. Ainsi, la grogne s'étoufferait de manière graduelle.

À la suite de cette décision, le roi de France demanda à son épouse de l'imiter pendant un certain temps. Même si elle n'était pas convaincue du résultat escompté, Marie-Antoinette accepta la requête du souverain. Elle coupa de moitié ses dépenses dites frivoles. Moins de vêtements hors de prix, de bijoux somptueux et de sorties festives. Pour calmer le jeu, la fille des Habsbourg ne portait que rarement des accessoires luxueux. Satisfait des efforts de sa femme, le roi la louangea.

Malheureusement, le peuple ne remarqua pas la bonne volonté de la reine. Certains détracteurs la surnommèrent même Madame Déficit. Elle devenait, par le fait même, l'objet de toutes les moqueries, tant dans la capitale que dans les plus petits villages éloignés. La réputation de Marie-Antoinette était à son plus bas. Cette situation alerta l'ambassadeur d'Autriche, qui s'était fait un devoir de guider l'Étrangère.

« Madame, vous devez réagir aux quolibets de vos ennemis. Toute l'Europe ne parle plus que de vous en mal », déclara-t-il devant les épouses des frères du monarque.

« Monsieur le comte, je suis la reine de France. Ne me parlez plus jamais sur ce ton », ordonna la maîtresse des lieux.

Après cette rencontre fort désagréable pour la reine, la relation entre elle et le diplomate devint plus tendue. Il avait osé humilier la fille des Habsbourg devant ses belles-sœurs et cet affront fut impardonnable aux yeux de Marie-Antoinette. À ce sujet, elle écrivit à l'empereur autrichien pour l'informer que ses sentiments à l'égard du comte de Mercy-Argenteau avaient changé ; qu'il était même préférable de le rappeler à lui et de nommer une autre personne pour le représenter auprès de la Couronne française. Requête que Joseph II ne prit absolument pas au sérieux et qu'il ignora.

Dans cet univers de trahisons et de complots, l'Autrichienne se sentait perdue. Elle était au bord du désespoir. Le roi, continuellement absorbé par les difficultés du royaume, n'avait que très peu de temps à consacrer à son épouse. La duchesse de Polignac, amie fidèle de la souveraine, mettait son énergie dans l'éducation des enfants royaux. La princesse de Lamballe gérait ses affaires personnelles, tant en France que de l'autre côté des Pyrénées. Elle n'était pas disponible pour effectuer de longs séjours au château de Versailles.

Contre toute attente, le comte de Fersen fit escale au pays des Bourbon à l'été de 1784. Il se présenta auprès du couple royal lors d'un bal costumé, donné en l'honneur d'une princesse polonaise, qui était de passage dans le royaume. Dès que la reine vit le visage de son amant, elle ressentit une joie immense l'envahir.

« Vos Majestés, c'est un honneur pour moi de vous revoir après une si longue absence », dit le noble scandinave en s'adressant au couple souverain.

« C'est pour nous un plaisir de vous savoir de retour en Europe. Votre interminable séjour en Amérique a causé bien de la tristesse à la Cour royale », déclara le monarque en regardant sa femme.

208

Le comte fit la révérence à la reine et déposa un baiser sur sa main tremblante. La fébrilité de la fille des Habsbourg fut remarquée par Louis XVI.

« Monsieur le comte, j'ai mal à une hanche. Accepteriez-vous de faire danser Sa Majesté ? » proposa le fils des Bourbon.

Gêné par l'offre du roi, l'homme se soumit néanmoins à sa demande. La souveraine, en remerciant le chef de la famille royale, rejoignit son amant. Les deux amoureux prirent place au milieu de la salle de bal, parmi les autres invités.

« Mon cher amour, je suis si heureuse de vous sentir contre moi. J'ai pleuré toutes les larmes de mon corps afin que Dieu vous ramène à moi », chuchota l'Autrichienne sous la douce mélodie des instruments des musiciens.

« Ma bien-aimée, il ne se passa aucun jour sans que je ne voie votre sourire dans mes souvenirs. Je relisais chacune de vos lettres en savourant les mots que vous m'écriviez », répondit le Suédois en passant discrètement sa main sur la nuque de la reine.

Joyeuse de la présence de Hans Axel de Fersen, l'épouse royale valsa toute la soirée. Rien ni personne ne pouvait briser ce moment magique. Réunis à nouveau, ils dansaient en duo. Toute la souffrance de Marie-Antoinette se dissipa l'instant du bal costumé. Non loin d'eux, le roi analysait la scène avec désolation. Il saisissait l'ampleur de la relation passionnelle qui s'était établie entre la mère de ses enfants et le Scandinave. Son orgueil lui faisait mal, mais ses sentiments envers celle qu'il aimait étaient plus forts que jamais. Il était le roi, elle était sa reine. Le sacrifice qu'il devait accepter était d'autant plus blessant, puisque toute la cour colportait des rumeurs devenues maintenant la stricte réalité. Malgré ce constat, le monarque accepta son rival avec dignité. C'était le prix à payer pour les lourdes responsabilités que le chef de la famille royale exigeait de la souveraine. Selon lui, le fait d'accepter de partager sa femme avec un autre homme équivalait à la souffrance qu'il lui faisait subir à cause de son rang.

Le lendemain, dès l'aurore, le comte de Fersen quitta le château de Versailles. Il devait retourner auprès de Gustave III pour lui faire un compte rendu de la situation qui sévissait dans les colonies britanniques en Amérique. Le noble avait promis à son amante de revenir aussi vite que possible.

« Ne m'oubliez pas ! » avait demandé la reine sur un ton chargé d'émotions.

« Jamais ! » fut la réponse du Scandinave en lui déposant un baiser sur les lèvres.

Le bonheur de Marie-Antoinette fut de courte durée. À la fin de la saison, son fils tomba gravement malade. Lors d'une brève visite au château de la Muette, il prit froid sous une pluie battante et son corps fragile ne supporta pas cette baisse de température. Le dauphin, âgé de 3 ans, était dans un état critique. Les plus grands médecins européens furent appelés au chevet de l'héritier du trône français. Le roi annula la plupart de ses engagements afin d'être près de son garçon souffrant. Jamais les membres de la famille royale n'avaient été si liés qu'en cette période difficile. Le comte d'Artois, habituellement jaloux de son frère, s'informa régulièrement de la gravité de la santé du jeune enfant. Était-ce par compassion? Les mauvaises langues du château de Versailles croyaient davantage que ce dernier attendait son heure de gloire.

Sous un orage violent, la reine se rendit à la petite chapelle. L'endroit était en rénovation, mais Marie-Antoinette devait prier le Tout-Puissant. Elle était trempée de la tête aux pieds. Presque en crise, elle supplia le Créateur d'épargner son fils.

« Dieu, je vous prie de sauver mon enfant. Je m'offre à vous… Prenez-moi au sein de votre royaume éternel », cria la femme, hystérique.

Cachée derrière l'une des portes, Sophie voyait sa maîtresse s'emporter devant le Seigneur. La dame de compagnie fut prise d'une grande pitié pour la souveraine. Si, par le passé, elle avait fait des erreurs, cette fois-ci la fille des Habsbourg n'était coupable de rien. La favorite ne glissa jamais mot de cette triste scène.

Après une semaine bouleversante, le dauphin revint finalement à lui. Les hommes de science, après de longues interventions, l'avaient sauvé de justesse. Louis XVI s'était assuré que les soins les plus efficaces soient administrés à son héritier. Pour la reine, c'était Dieu qui l'avait entendue lors de ses nombreuses prières. Elle lui avait demandé d'intervenir et il l'avait écoutée.

Bientôt, la nouvelle du rétablissement du dauphin fit le tour de la France et de l'Europe. Chacun avait une opinion bien arrêtée sur la raison de la guérison de l'enfant.

« Un imposteur ! » déclaraient les ennemis de Marie-Antoinette, qui prétendaient que le garçon n'avait en aucun cas souffert de maladie.

« Une bénédiction de Dieu ! » louangeaient les partisans des Bourbon.

Un fait demeurait : le petit prince n'avait pas une santé solide. Était-ce temporaire ? La mère l'espérait de tout son cœur.

Après cette terrible épreuve pour le couple royal, une nouvelle inattendue se fit connaître. La souveraine était de nouveau enceinte. Après les naissances de Marie-Thérèse, dite Madame Royale, et de Louis Joseph Xavier François, appelé dauphin de France, un membre allait s'ajouter à la famille royale. Au début d'octobre, Louis XVI annonça l'arrivée prochaine d'un troisième enfant. Était-il de l'amant de la souveraine ou du monarque ? Marie-Antoinette ne pouvait le confirmer. Comme pour le dauphin, l'épouse royale clama haut et fort qu'elle portait un descendant de Clovis.

Les neuf mois de sa grossesse furent des plus pénibles pour Marie-Antoinette. Elle ressentait régulièrement des douleurs au ventre, ses seins étaient affreusement sensibles et une nausée continue l'empêchait de vivre normalement. D'ailleurs, pendant cette période, l'Autrichienne ne fréquentait pas les salons ni l'opéra. Elle n'allait guère dans son refuge, car son corps ne le lui permettait pas. Inquiète de sa santé, l'Étrangère préférait s'enfermer dans ses appartements. Une cohorte de médecins et de domestiques veillait jour et nuit sur elle.

Pour amuser les moments ennuyants de Marie-Antoinette, la princesse de Lamballe et la duchesse de Polignac lui tenaient compagnie. Elles jouaient aux cartes, riaient et se racontaient les dernières rumeurs qui couraient dans les couloirs du château de Versailles.

« Dites-moi, chère duchesse, que se passe-t-il de bon dans Paris ces jours-ci ? » interrogea la fille des Habsbourg.

« Rien qui ne puisse intéresser Sa Majesté », répondit Yolande de Polastron.

« Les sujets du roi ne sont-ils pas fiers que leur souverain attende un deuxième fils ? » demanda la maîtresse.

Marie-Thérèse Louise de Savoie-Carignan jeta un regard du coin de l'œil à sa camarade. La question était embarrassante pour les amies de la souveraine.

« Madame, le peuple attend avec impatience la venue au monde de votre enfant », mentit la confidente.

En vérité, toute la France s'écriait que le bébé à naître n'était pas du chef de la famille royale. Tant les gens des grandes communes que ceux des petits villages accusaient la reine d'avoir couché avec le comte de Fersen. Incapable de l'annoncer à l'Autrichienne, la duchesse avait choisi le mensonge plutôt que la franchise pour toute réponse.

L'événement si attendu par Louis XVI et son épouse arriva le 27 mars 1785. Vers le milieu de la nuit, entourée d'un grand nombre d'hommes de science, Marie-Antoinette accoucha de son enfant. Elle avait passé une longue partie de la soirée de la veille à se tortiller dans son lit. La naissance du bébé n'avait pas été de tout repos. Finalement, un deuxième fils vit le jour au château de Versailles. Folle de joie, la reine ordonna aux domestiques d'informer Louis qu'il était le père d'un autre garçon. Dès l'annonce de cette nouvelle, le monarque accourut dans la chambre de la mère de ses trois enfants.

« Mon amour, vous êtes l'épouse la plus charmante qui soit », dit-il en compliment à la souveraine.

« Louis, vous voilà assuré de deux successeurs pour la continuité de la dynastie des Bourbon. Dieu nous protège, car il nous a permis d'avoir trois enfants merveilleux », ajouta-t-elle, satisfaite d'avoir rempli son devoir de femme.

La nouvelle se rendit jusqu'en Suède, laquelle obligea Hans Axel de Fersen à prévoir un séjour en France. Il voulait s'assurer de la santé de son amante et regarder ce garçon. Un fils qui venait peut-être de lui. Sans attendre plus longtemps, le Scandinave prit la route en direction de Paris. Il se présenta au château de Versailles vers le 15 avril. Le roi, accaparé par ses obligations officielles, n'était pas dans la région de la capitale. Louis XVI présidait un sommet sur le commerce maritime à Marseille. Le Suédois, impatient de revoir Marie-Antoinette, se hâta de traverser les immenses jardins jusqu'au Hameau de la Reine. Lorsqu'il pénétra à l'intérieur du refuge, celle pour qui son cœur battait si fort dormait paisiblement dans son lit. Il regarda ce doux visage, son cou efféminé, ses bras minutieux et devint excité à l'idée de lui faire l'amour. L'homme devait calmer ses pulsions sexuelles car la duchesse de Polignac, assise dans la pièce voisine, pouvait entendre tout ce qui se passait dans la chambre. Il reprit ses esprits et passa timidement sa main dans les cheveux de l'Étrangère.

L'Autrichienne, allongée sur sa couche, se réveilla en douceur. Lorsqu'elle ouvrit les paupières, une surprise inattendue l'attendait. Le comte de Fersen, cet amant si désiré, était debout près d'elle. La souveraine lui sourit et ce dernier s'approcha de sa bouche rosée. Il déposa un baiser langoureux sur les lèvres de l'épouse du monarque.

« Mon amour, vous êtes revenu comme vous me l'aviez promis », murmura la fille des Habsbourg.

« Ma douce moitié, je n'ai jamais oublié votre sourire, vos yeux, vos seins... », dit le noble en frôlant sa main sur chacune des parties du corps qu'il nommait.

« Soyons vigilants, Yolande de Polastron n'est qu'à quelques pas de nous. Les murs ont des oreilles... surtout à Versailles », précisa la reine.

« Dans ce cas, levez-vous et marchons dans les jardins comme deux amis », proposa l'amant.

La suggestion était acceptable, d'autant plus que cela se déroulerait devant le public. Personne ne pourrait prétendre quoi que ce soit au sujet de Marie-Antoinette et Hans Axel de Fersen. D'un bond, la souveraine se leva, traversa le bâtiment et salua sa confidente.

« Monsieur le comte et moi allons nous promener dans les jardins », lança-t-elle à la duchesse de Polignac.

La journée était ensoleillée, les oiseaux étaient de retour du sud et les bourgeons de quelques arbres commençaient à éclore. Par contre, un petit vent frisquet soufflait sur les lieux.

« Dites-moi, mon cher, serez-vous parmi nous uniquement pour un court moment ? »

« Non, ma chère, j'ai décidé de m'établir dans votre royaume », répondit l'homme sur un ton provocateur.

« Quoi ? Est-ce une autre de vos vilaines blagues ? Vous savez que mon cœur ne peut supporter... »

« Calmez-vous, mon amour ! Je vous jure que je dis la vérité. Sa Majesté m'a nommé à la tête d'un régiment, ici, en France », l'interrompit le Scandinave.

Étonnée par l'annonce de son amant, l'Étrangère se tourna vers lui et le regarda droit dans les yeux.

« Vous serez donc près de moi. Je pourrai vous voir plus souvent, alors ? » s'enquit-elle.

« Absolument ! Je vivrai à Valenciennes et serai couramment au château de Versailles pour diriger mes affaires militaires », dit le noble avec enthousiasme.

Elle s'agita follement à la suite de cette conversation avec son amoureux. Enfin, elle ne serait plus seule lors des périodes difficiles. L'Autrichienne, critiquée par tous, pourrait chercher du réconfort auprès de celui qu'elle aime. Rien ne lui avait fait autant de bien que cette nouvelle. Il s'agissait en vérité d'une réjouissance pour l'Étrangère. Épaulée désormais par son amant, elle pouvait maintenant affronter les mauvaises langues de la Cour royale.

Le comte de Fersen assista au baptême du second fils du couple régnant. Placé non loin du roi et de la reine, il regarda l'archevêque présider l'événement. Pour l'occasion, un prélat du sud de la France avait été choisi pour donner le sacrement. Outre les membres de la famille royale, la plupart des diplomates étrangers furent invités. L'Autriche était représentée par le comte de Mercy-Argenteau, toujours en brouille avec Marie-Antoinette. La cérémonie se déroula fort bien et il ne survint aucun incident.

« Voyez-vous, Louis, Dieu nous protège ! » avait glissé à l'oreille de son époux l'Étrangère.

Le monarque, heureux d'avoir deux fils, se sentit rassuré pour la continuité de sa dynastie. L'un serait son successeur, l'autre, un substitut en cas de complication, et la princesse, une jolie Bourbon qu'il pourrait marier pour la cause du royaume. Tout ne semblait pas si noir dans ce monde impardonnable. Il fut décidé d'appeler le nouveau-né Louis-Charles de Bourbon et de lui accorder le titre prestigieux de duc de Normandie. La famille royale était maintenant composée du roi, Louis XVI, de la reine, Marie-Antoinette, du dauphin, Louis Joseph Xavier François, du duc de Normandie, Louis-Charles, et de Madame Royale, Marie-Thérèse. Pour immortaliser les Bourbon, la souveraine fit venir au château de Versailles l'une des artistes les plus réputées du royaume, Élisabeth Vigée-Lebrun. Cette dernière peignit une dizaine de toiles représentant les différents membres de la Couronne.

218

Un mois plus tard, lors d'une soirée organisée par le comte de Provence et son épouse, Marie-Antoinette confia ses états d'âme à la duchesse de Polignac.

« Ma chère amie, les années difficiles que j'ai connues m'ont en quelque sorte détruite. Mais, aujourd'hui, je peux affirmer que cette mauvaise période est derrière moi », lui avoua-t-elle.

« J'en suis persuadée, Votre Majesté ! » répondit son amie.

« J'ai donné trois enfants à la Couronne, dont deux fils. Le roi est amoureux de moi… J'ai de bons confidents, comme vous, et tels que la princesse de Lamballe et le comte de Fersen », précisa l'Étrangère.

Yolande de Polignac savait très bien que Hans Axel de Fersen n'était pas seulement un confident. Il avait accès à la couchette de l'Autrichienne, contrairement aux autres membres de son cercle intime. Ce détail n'était pas futile ni sans intérêt, tant pour le souverain que pour la noblesse catholique française.

DEUXIÈME PARTIE

La descente aux enfers

CHAPITRE VII
L'affaire du Collier

Château de Versailles, France, 1785-1786

CONTRAIREMENT À la certitude de la reine, les malheurs ne faisaient que commencer pour elle. L'été venait à peine de débuter qu'un scandale secoua la famille royale. Une histoire abracadabrante s'était jouée en coulisse. Un coup qui avait été monté contre Marie-Antoinette et un certain prélat, le cardinal de Rohan.

✂

Au début de l'année 1785, une jeune aventurière mit sur pied une manœuvre afin de soutirer à un quelconque individu une somme d'argent considérable. Intelligente, cette femme élabora un plan plus que judicieux pour parvenir à ses fins. Dans ses démarches, elle fut appuyée par un homme épris d'elle. L'homme, un peu moins rusé mais drôlement courageux, fit équipe avec cette noble sans fortune.

Le duo, prénommé la comtesse et le comte de La Motte, s'arrangea pour côtoyer les personnes influentes de la Cour royale. À plusieurs occasions, ils assistèrent à des événements en compagnie de la noblesse française. Jouant le rôle d'une femme titrée, mais orpheline de naissance, cet imposteur s'allia aux ennemis de la reine. En discutant avec les mauvaises langues, elle comprit rapidement que la victime parfaite serait l'Étrangère. Celle-ci était détestée pour son attitude frivole et était accusée d'être une dépensière invétérée et une épouse infidèle.

« L'Autrichienne sera la clé de notre fortune ! » s'était exclamée, en riant, l'aventurière à son complice.

Le duo avait trouvé pour logis un petit appartement en banlieue de Paris. L'endroit était splendide mais très coûteux. Convaincue de sa réussite, la comtesse de La Motte avait déboursé un montant astronomique pour donner l'illusion de son rang. Les lieux étaient richement décorés et des meubles hors de prix embellissaient le studio. Lors de ses visites au château de Versailles, la femme portait de magnifiques bijoux et des robes colorées. Dans l'exécution de son plan, l'apparence comptait pour beaucoup.

Vers le mois de mai, après avoir obtenu énormément de succès à la Cour royale, la noble infortunée rencontra deux joailliers reconnus. Elle se renseigna auprès de ces deux hommes d'affaires pour faire l'achat d'un collier onéreux. Lors de sa visite à la boutique de Boehmer et Bassange, la comtesse tomba en pâmoison devant un bijou. Le joyau en diamants scintillait à la lumière. L'objet regorgeait de pierres précieuses du même genre.

« Ce collier doit représenter un montant considérable », s'était-elle informée.

« Oui, Madame ! Seule une reine peut se payer une telle merveille », fit pour toute réponse le plus gros des deux hommes.

« Voyez-vous ça... », avait murmuré pour elle-même l'aventurière.

Le propriétaire de la bijouterie lui raconta que le collier avait été une commande pour la comtesse du Barry. Malheur pour les joailliers, Louis XV était mort avant d'avoir pu l'offrir à sa maîtresse.

Le soir, assise sur un divan dans son logis, l'arnaqueuse pensa à un moyen de mettre la main sur l'objet de valeur. Soudain, une idée de génie lui traversa l'esprit. Il lui suffisait de trouver un acquéreur qui puisse donner en cadeau le bijou à la souveraine. La comtesse de La Motte, cousine imaginaire de Sa Majesté, serait mandatée pour remettre le présent à l'épouse de Louis XVI. Il ne restait maintenant qu'à dénicher le naïf qui pourrait se faire prendre au piège.

Le lendemain, comme à son habitude, l'imposteur se présenta au château de Versailles. En se dirigeant vers les appartements de l'Étrangère, elle entendit une conversation très intéressante. Un certain homme d'Église, l'évêque de Strasbourg,

224

demanda une autorisation pour s'entretenir avec Marie-Antoinette. La dame de compagnie de la fille des Habsbourg lui refusa la permission.

« Sa Majesté ne peut vous recevoir », lui répondit Sophie.

« Madame refuse de me voir depuis des mois », se fâcha le religieux.

Voilà la pièce manquante à mon plan, se convainquit la comtesse. Par l'entremise du catholique, elle pourrait s'approprier le précieux objet. Elle n'avait plus qu'à convaincre le naïf de fournir l'argent nécessaire à l'achat du bijou.

Deux jours plus tard, en se promenant dans les jardins, non loin du Petit Trianon, Jeanne de Saint-Rémy aperçut le cardinal de Rohan. C'était le moment opportun pour l'aborder.

« Votre Éminence, quelle belle journée ensoleillée », dit l'aventurière en guise d'introduction.

« Effectivement, Madame ! » répondit poliment le prélat.

« Puis-je marcher avec vous ? Une discussion avec un nouveau visage m'est toujours agréable », poursuivit-elle.

« Une excellente suggestion ! Une promenade en compagnie d'une si jolie dame ne peut que me faire du bien, déclara Louis René Édouard de Rohan. Dites-moi, ma chère, qui êtes-vous ? Je connais la majorité des membres de la Cour royale, mais votre personne ne m'est pas familière », dit-il.

« Veuillez me pardonner. Mais où sont passées mes bonnes manières ! Je suis Jeanne de Saint-Rémy, comtesse de La Motte », dit la mystérieuse inconnue en se présentant.

« Vraiment ? Votre identité ne me dit rien. J'en suis désolé… », ajouta l'homme d'Église.

« Je suis nouvelle parmi les courtisans. Je suis une cousine éloignée de Sa Majesté la reine et une amie depuis toujours », déclara-t-elle avec aplomb.

Intrigué par les renseignements qu'il venait d'entendre, l'évêque de Strasbourg entreprit de connaître davantage de détails sur l'aventurière.

« Et votre époux ? »

« Monsieur le comte est un homme d'affaires très occupé. Il voyage constamment dans toute l'Europe. Aujourd'hui, si ma mémoire est bonne, il doit être à Rome », mentit la comtesse.

« Votre famille… où est-elle ? »

« Mes parents, Dieu ait leur âme, sont morts dans un grave incendie lors d'un voyage en Navarre », poursuivit-elle.

« J'en suis navré, Madame. Comment sont vos liens avec Sa Majesté la reine ? » s'informa le cardinal.

« Excellents ! Dès que la souveraine a eu connaissance de mon retour dans le royaume, elle s'est empressée de me recevoir », ajouta Jeanne de Saint-Rémy.

« Sa Majesté vous a-t-elle déjà parlé de moi ? » demanda d'une manière malhabile Louis René Édouard de Rohan.

« Je suis désolée, Votre Éminence. La reine ne m'a jamais glissé mot à votre sujet », dit-elle en se moquant au fond d'elle-même de l'individu.

« Croyez-vous avoir l'oreille de Sa Majesté ? » s'enquit le prélat.

« Je le crois, Monsieur le cardinal », mentit-elle avec conviction.

« Il serait fort agréable que je puisse vous revoir, ma chère amie. Si vous me permettez de vous considérer ainsi ? » dit l'homme d'Église, satisfait de lui.

« Fort agréable, en effet », répliqua la femme.

La stratégie de la comtesse de La Motte se déroulait à merveille. L'arrivée en scène du cardinal de Rohan était le point culminant de l'affaire en branle. La dernière étape : convaincre le prélat d'investir financièrement pour l'acquisition du collier.

Informé par Louis René Édouard de Rohan des liens entre Marie-Antoinette et Jeanne de Saint-Rémy, un nouveau pion s'introduisit dans cette machination. Le comte de Cagliostro, homme malhonnête, souhaitait rencontrer cette fameuse cousine royale. L'occasion se présenta deux jours après l'enrichissante promenade que le prélat et l'aventurière firent dans les jardins de Versailles. Lors d'un banquet donné par la princesse Adélaïde, auquel la souveraine n'assista pas, la mystificatrice se montra. Accueillie par les mauvaises langues, elle fit une entrée triomphale. L'homme se précipita auprès de Jeanne de Saint-Rémy dans l'espoir de discuter avec elle.

« Madame, nous avons un ami en commun », glissa le comte, d'entrée de jeu.

« Vraiment ? Qui donc ? » demanda l'imposteur.

« Son Éminence m'a parlé de vous. Le cardinal semble avoir apprécié votre compagnie, l'autre jour », déclara-t-il.

« Effectivement, nous avons un point qui nous lie », répliqua-t-elle avec le sourire.

« Permettez-moi de me présenter, je suis Alessandro Balsamo, comte de Cagliostro. »

« D'où venez-vous, Monsieur ? » interrogea la menteuse.

« De Palerme, en Sicile », dit-il, fier de ses origines méditerranéennes.

« Je suis enchantée de vous rencontrer. »

Les deux nouveaux amis échangèrent plusieurs propos futiles pendant toute la soirée. C'était pour

228

Jeanne de Saint-Rémy un élément de plus pour convaincre l'évêque de Strasbourg de faire partie de son plan. La femme, de petite taille et aux cheveux bruns bouclés, était sur le point de jouer sa plus importante carte.

Un mois passa avant que la comtesse de La Motte ne trouve le moment idéal pour mettre en œuvre sa stratégie. Lors d'une sortie à l'opéra, dans la capitale, elle remarqua la présence du cardinal de Rohan dans l'un des balcons. À la fin de la représentation, l'imposteur accourut auprès du prélat pour le saluer.

« Madame, quel bonheur de vous voir ici. Sa Majesté la reine se porte-t-elle bien ? » demanda l'homme d'Église.

« À ce sujet, Votre Éminence, j'aimerais vous entretenir en privé », répliqua la noble infortunée.

Louis René Édouard de Rohan guida la femme vers une petite salle sombre. Seules quelques bougies, sur le point de mourir, éclairaient la pièce.

« Monsieur le cardinal, Sa Majesté m'a parlé de vous », poursuivit-elle.

« Vraiment ? Quand ? Pourquoi ? » s'affola le prélat.

« La reine m'a demandé si votre santé était bonne et... Si vous étiez toujours au château de Versailles », mentit la comtesse.

« Êtes-vous certaine de vos propos ? » dit le religieux.

« Je crois que Sa Majesté s'intéresse à votre personne. Mais qu'elle aurait besoin d'une preuve de votre dévouement pour son rang », ajouta la femme de façon mensongère.

« Dites-moi, comtesse. Que dois-je faire ? » supplia le catholique.

« Par le passé, sa défunte Majesté avait commandé un collier pour la comtesse du Barry. Un véritable chef-d'œuvre », dit l'imposteur.

Ne sachant trop où voulait en venir la cousine imaginaire de la souveraine, Louis René Édouard de Rohan écouta attentivement les paroles de sa nouvelle amie.

« Si Votre Éminence voulait vraiment montrer toute sa gratitude envers Sa Majesté la reine, je crois que l'offre d'un cadeau serait approprié », suggéra la comtesse de La Motte.

« Vous croyez ? De quel présent est-il question ? » s'enquit l'homme d'Église.

« Du collier dont je vous parle, Monsieur le cardinal », lança la femme.

« Quoi ? » fulmina le prélat.

Un silence pesant s'abattit dans la salle sombre où se tenaient le religieux et la menteuse. Sans mot dire, l'évêque de Strasbourg quitta les lieux en un coup de vent. Jeanne de Saint-Rémy ne le retint pas. Si elle l'avait fait, son plan se serait écroulé comme un château de cartes. Sa crédibilité résidait dans la fermeté qu'elle dégageait.

De retour à son appartement, la manipulatrice espérait plus que tout que le cardinal décide de la revoir de nouveau. Sinon, la fuite hors du royaume resterait l'ultime recours pour échapper au tribunal. Plus nerveux, son complice suggéra d'assassiner le prélat pour s'assurer de son silence.

« Laissez-moi gérer cette situation ! » s'écria la noble sans fortune.

Le lendemain, 1er juillet, elle se présenta, craintive, au château de Versailles. Pleinement consciente de jouer avec le feu, l'imposteur souhaitait rencontrer le prélat. Son vœu fut exaucé lorsqu'elle traversa la galerie des Glaces.

« Madame la comtesse ! » s'éleva une voix familière.

« Votre Éminence ! Comment vous portez-vous en ce matin ? » demanda la manipulatrice.

« Pouvons-nous discuter hors de ses murs indiscrets ? » proposa le religieux.

Les deux amis sortirent à l'extérieur du bâtiment et se dirigèrent vers la fontaine centrale du domaine. Sur place attendait, impatient de par sa nature, le comte de Cagliostro.

« Madame la comtesse ! » dit en signe de respect le Sicilien.

« Ma chère, vous m'avez surpris, hier, avec votre proposition. J'ai réfléchi à vos paroles. J'en ai glissé quelques mots à notre ami commun, s'expliqua le prélat en désignant le comte. Êtes-vous certaine que Sa Majesté serait heureuse de recevoir un tel présent ? » ajouta-t-il.

« Absolument ! Vous connaissez le penchant de la reine pour les bijoux. Celui auquel je fais allusion est le plus prestigieux qu'une souveraine puisse espérer porter », renchérit la femme.

« Bien ! Si vous pouvez me prouver que l'épouse du roi souhaite obtenir ce fameux collier, vous pourrez compter sur mes ressources », proposa le cardinal.

« Je comprends… Comment puis-je vous rassurer ? » dit la comtesse tout en cherchant une solution.

« Si vous réussissiez à organiser une rencontre secrète entre Sa Majesté et Son Éminence. L'évêque de Strasbourg, j'imagine, trouverait cette preuve plus que suffisante », intervint le comte de Cagliostro.

L'imposteur regarda les deux hommes, pencha la tête et ferma les paupières un instant.

« Parfait ! Dans trois jours, la reine vous apparaîtra dans les jardins du château de Versailles », promit la noble infortunée.

232

Sur cette entente improvisée, Jeanne de Saint-Rémy, le Sicilien et le prélat se séparèrent. Chacun espérait se revoir à la date choisie par la femme, même si cette dernière n'avait aucune idée dans quoi elle s'était embarquée.

En soirée, la manipulatrice et son complice se rencontrèrent à l'endroit habituel. Le processus devenait plus ardu que prévu et le duo devait trouver sans tarder une issue.

« Comment vais-je accomplir cette tâche impossible ? » fulmina la comtesse.

« Calmez-vous ! Il doit sûrement exister une manière de satisfaire le cardinal », lança l'homme sans réfléchir.

« Je ne vois rien sinon que la reine se présente devant lui sans vraiment être là », dit la femme en colère.

« Comment allez-vous... »

« Voilà ! Une comédienne ! » s'écria Jeanne de Saint-Rémy en coupant la parole à son partenaire.

Elle frappa dans ses mains pour s'applaudir d'avoir trouvé la clé qui résoudrait son problème.

« Que dites-vous ? » dit le faux comte.

« Oui, je vais engager une interprète de théâtre qui jouera le rôle de Sa Majesté. Elle se présentera, vêtue en reine, dans les jardins de Versailles. Dans la noirceur, le cardinal ne pourra distinguer le visage de la comédienne », s'expliqua à haute voix la manipulatrice.

« Cette idée est dangereuse… Si Son Éminence découvrait la vérité. Ou si la femme avouait le mensonge », paniqua l'homme.

« Écoutez ! Nous devons prendre le risque si nous voulons obtenir notre fortune », déclara-t-elle en fixant du regard son complice.

Le lendemain, durant toute la journée, Jeanne de Saint-Rémy fit le tour des théâtres parisiens. Elle identifia plusieurs candidates potentielles, mais aucune n'avait le physique recherché. Désespérée, elle pénétra dans la dernière salle qu'elle avait notée sur sa liste. Une répétition générale se déroulait sur les planches du théâtre. La comtesse prit place sur une chaise pour y assister. Soudain, ce fut au tour d'une comédienne d'interpréter son texte. Les yeux de la manipulatrice s'ouvrirent de stupéfaction, sa bouche se scella et ses oreilles écoutèrent attentivement les paroles de l'actrice. Elle avait sous les yeux le sosie de la souveraine. Une copie identique de la reine de France marchait sur la scène.

Après l'interprétation de la partie d'une des pièces écrites par Molière, la future candidate retourna dans la salle. Elle n'avait pas remarqué la présence de la comtesse de La Motte.

« Madame ! Puis-je vous dire quelques mots ? » demanda Jeanne de Saint-Rémy.

« Pourquoi pas ! » répondit nonchalamment la comédienne.

Les deux femmes firent une promenade sur le bord de la Seine. La manipulatrice raconta dans les grandes lignes la proposition qu'elle voulait lui faire. Elle oublia, de manière délibérée, de faire allusion à la question financière du projet. Sur le coup, Rosalie refusa l'offre de la comtesse de La Motte. Non pas par loyauté envers la souveraine, mais par peur d'être accusée de complot contre Sa Majesté. À force d'écouter la suggestion de la noble infortunée, elle changea d'avis.

« Si j'accepte, qu'aurais-je en compensation ? » interrogea la comédienne.

« Vous recevrez plusieurs pièces d'or », promit l'autre femme.

Convaincue par cette offre, Rosalie accueillit favorablement l'entente de la comtesse de La Motte ; c'était pour elle une occasion de faire de l'argent. Elles se mirent d'accord sur la démarche à suivre ainsi que sur les détails de la toilette de la doublure royale.

Comme prévu, Jeanne de Saint-Rémy se présenta dans la galerie des Glaces du château de Versailles trois jours après la dernière rencontre avec le cardinal de Rohan. Les deux amis s'éloignèrent des curieux de la cour et s'arrêtèrent devant le Petit Trianon. Informée de l'absence temporaire de Marie-Antoinette, qui avait un entretien avec l'ambassadeur d'Autriche, la manipulatrice amena le prélat dans cet endroit. Elle voulait montrer à l'homme d'Église qu'elle ne craignait nullement de croiser la souveraine. L'objectif étant d'établir une confiance entre le religieux et elle.

« Votre Éminence, Sa Majesté est prête à se présenter sous vos yeux. La reine m'a demandé de vous faire part de ses intentions », annonça la menteuse.

« Que me dites-vous là ? L'épouse du roi désire me rencontrer ?... » bégaya Louis René Édouard de Rohan.

« Absolument ! Madame propose que l'événement, qui doit demeurer secret, se passe ce soir », précisa-t-elle.

L'évêque de Strasbourg écouta avec attention chacun des mots de son amie. Lui, rejeté depuis tant d'années par l'Autrichienne, était sur le point d'être accepté par la reine de France.

« Lorsque la lune sera haute dans le ciel étoilé, Sa Majesté vous attendra devant les jardins saisonniers. À ce moment précis, vous aurez un court instant pour échanger avec la souveraine. Vous devez comprendre que Madame prend un risque énorme en se présentant à vous. Vous comprenez ? » s'enquit la comtesse.

« Je saisis toute l'ampleur de la situation. Aurais-je la possibilité de lui offrir le bijou de mes mains ? » demanda le prélat.

« Non ! Vous ne devez en aucun cas mentionner ce détail. Sa Majesté ne doit pas se compromettre dans une telle histoire. Si les mauvaises langues venaient à être témoins de votre rencontre, elles pourraient faire naître des rumeurs », déclara-t-elle afin de mettre en garde le religieux.

« Des rumeurs ! ? » murmura le cardinal.

« Exactement ! Quelle fâcheuse situation si la fidélité de Sa Majesté devenait un sujet de discussion dans les couloirs du château de Versailles. Vous ne voulez pas nuire à la reine de France, je suppose ? » lança Jeanne de Saint-Rémy sur un ton glacial.

« Soyez sans crainte. Je ne soufflerai mot du précieux présent », jura le catholique.

Le soir même, tel qu'il a été entendu, la comédienne se présenta dans les jardins de la résidence du monarque. Elle était vêtue d'une robe étincelante et d'un large chapeau. Debout près d'une haie d'arbustes, dos à la lumière de l'astre lunaire, Rosalie attendait l'arrivée du cardinal de Rohan. Non loin, la manipulatrice était cachée près d'une statue en marbre. Elle surveillait sa dernière création malhonnête. Dans la noirceur, une ombre s'approcha timidement des lieux. La comtesse de La Motte finit par distinguer les formes de l'évêque de Strasbourg. Le naïf était tombé dans le piège comme un enfant. Il portait sa soutane rouge écarlate ainsi que les accessoires offerts par le Saint-Siège.

« Votre Majesté, est-ce vous ? » demanda à voix basse l'homme d'Église.

« N'avancez pas, Votre Éminence ! » ordonna la fausse souveraine.

« Pourquoi, Madame ? » questionna-t-il.

« Cardinal, je crains pour mon rang si nous étions dénoncés auprès de Sa Majesté le roi. »

« Votre Majesté, je n'ai aucune mauvaise intention. »

« Je le sais, mais mes ennemis se feront un malin plaisir à déformer les faits pour me détruire », précisa la comédienne.

Soudain, un bruit se fit entendre dans les jardins. Jeanne de Saint-Rémy venait de faire craquer une petite branche. Elle ne voulait pas que la discussion s'éternise au risque de faire découvrir la manœuvre.

« Je dois vous quitter, cher ami. Faites confiance à ma cousine, la comtesse de La Motte », chuchota la femme avant de s'enfuir dans la pénombre de la nuit.

« Votre Majesté… », s'écria Louis René Édouard de Rohan, espérant retenir la reine de France.

La stratégie se déroula exactement comme l'avait envisagé la manipulatrice. L'homme d'Église, encore plus certain de l'obligation de fournir les ressources financières à la parente de la souveraine, retourna vers ses appartements. La comédienne reçut l'argent promis et retourna dans son théâtre, sans jamais parler de cette affaire à qui que ce soit.

Près d'une semaine s'était écoulée depuis que la comtesse avait proposé l'achat du collier pour en faire cadeau à la reine. Elle avait tout organisé pour soutirer l'argent nécessaire afin d'exécuter son plan. Le moment crucial arriva le jour suivant cette mascarade, dans les jardins du château de Versailles. Jeanne de Saint-Rémy, confiante de la réussite de son stratagème, fut reçue en cachette dans l'aile où résidait le cardinal.

« Madame, voici le montant que vous m'avez demandé. Comme vous le savez, j'ai usé de toute mon influence pour obtenir cette somme plus que considérable », expliqua le prélat.

« Je sais, Votre Éminence. Votre geste sera hautement récompensé par Sa Majesté la reine », mentit la femme pour calmer le religieux.

« Vous avez toute ma confiance », dit-il en souriant à l'imposteur.

Aussitôt, elle quitta le château de Versailles, se rendit à la boutique des deux célèbres joailliers et versa l'argent que l'évêque de Strasbourg lui avait donné. Il s'agissait d'un dépôt, plus que respectable, pour l'acquisition temporaire du précieux bijou.

« Je dois m'assurer que le collier convienne au goût de Sa Majesté. Je vous reviendrai en soirée pour vous remettre la partie manquante du prix demandé », proposa la comtesse de La Motte.

Les hommes d'affaires, sceptiques quant au fait qu'elle tienne parole, se consultèrent un bref instant. Constatant qu'aucun preneur ne s'intéressait à la parure de diamants, ils acceptèrent de coopérer avec la comtesse. Boehmer et Bassange laissèrent partir l'arnaqueuse avec la conviction de son honnêteté.

Jeanne de Saint-Rémy accourut, avec l'objet de valeur, jusqu'à son appartement. Sur les lieux, son complice l'attendait avec impatience.

« Les diamants... Avez-vous les pierres ? » demanda l'homme, hystérique.

« Calmez-vous ! Voici le collier et plusieurs pièces d'or. À vous maintenant de jouer, comme convenu selon notre entente », le mit en garde la femme.

Le duo se sépara, et l'homme se sauva jusqu'en Angleterre pour vendre la moitié des diamants. Il était extrêmement risqué de se défaire d'un tel bijou en France. Les autres pièces seraient monnayées en territoire espagnol. La comtesse de La Motte, pour sa part, devait s'enfuir à l'extérieur du royaume. Par la suite, elle retrouverait son complice pour partager leur récolte. Jamais une histoire aussi rocambolesque ne s'était déroulée à la Cour royale des Bourbon.

‡

Au milieu du mois de juillet 1785, les deux joailliers se présentèrent au château de Versailles. Ils réclamèrent une audience à la reine au sujet de l'inestimable bijou. Les hommes d'affaires espéraient recevoir le reste de la somme manquante. Ils furent finalement reçus dans les appartements de la souveraine.

« Votre Majesté, veuillez nous pardonner de notre présence ici », dit tout d'abord l'un d'eux.

« Je suis fort occupée, messieurs, je vous prie d'être brefs », lança la fille des Habsbourg.

Boehmer et Bassange, mal à l'aise, se regardèrent du coin de l'œil. Comment informer Marie-Antoinette de la surprise que le cardinal de Rohan voulait lui faire ? Il n'y avait pas d'autres solutions, ils devaient lui dire les choses telles quelles.

« Madame, voyez-vous, nous avons fait exactement selon les exigences de Son Éminence, l'évêque de Strasbourg. Nous avons remis le collier de diamants à la comtesse de La Motte », expliqua le plus âgé des bijoutiers.

« Que me racontez-vous là ? Je ne comprends pas... », répondit l'Étrangère.

« Votre Majesté, le collier... Vous savez de quoi nous parlons », déclara-t-il.

« Monsieur, me prenez-vous pour une idiote ? Je vous dis que je ne vois pas à quoi vous faites allusion », fulmina la reine.

« Madame, Son Éminence a avancé un montant considérable pour le dépôt concernant le collier de diamants. Le cardinal souhaitait vous offrir ce présent en guise de cadeau pour vous remercier de l'attention que vous lui portiez », précisa l'homme.

Étonnée par les propos de ce dernier, l'épouse du roi se leva en colère. Elle n'avait jamais été mise au courant de cette histoire. Encore une fois, son nom était mêlé à un scandale. Par contre, l'Autrichienne n'était coupable de rien et encore moins renseignée sur cette affaire.

« Sortez, vous osez m'insulter devant mes amies. Hors de ma vue ! » cria Marie-Antoinette.

Aussitôt, les deux joailliers quittèrent les appartements de la reine. Ils ne comprenaient plus rien. Une crainte s'était emparée d'eux. Les hommes d'affaires décidèrent de se rendre auprès du principal intéressé, Louis René Édouard de Rohan.

Le prélat, curieux de connaître la suite des événements, reçut Boehmer et Bassange. Il était impatient de savoir si Jeanne de Saint-Rémy avait le bijou en sa possession.

« Votre Éminence ! » dit l'un d'eux.

« Messieurs, la comtesse de La Motte vous a-t-elle remis le montant exigé ? » demanda le religieux.

« Nous sommes ici justement à ce propos », répliqua le plus gros.

« Dites-moi… », glissa l'évêque de Strasbourg.

« Votre amie est venue nous remettre une partie de la somme demandée pour le dépôt. »

« Une partie ? » s'étonna l'homme d'Église.

« Oui ! Nous lui avons donné le collier pour qu'elle le présente à Votre Éminence ainsi qu'à Sa Majesté. »

« Je n'ai jamais vu ce bijou ! » siffla le prélat.

« Voilà ! Nous venons de rencontrer la reine et elle n'était absolument pas informée de ce cadeau », expliqua Boehmer.

« Que me dites-vous là ! Sa Majesté ne connaissait pas l'existence de ce collier ? » s'écria le cardinal sur un ton irrité.

« Non ! » dit le joaillier, un peu confus.

« Pourquoi avez-vous décidé d'en parler à la reine ? » demanda Louis René Édouard de Rohan.

« Il manque près de deux millions de livres pour couvrir la valeur de la parure de diamants », avoua l'homme d'affaires.

« La comtesse ne m'a jamais mentionné un tel montant. Avez-vous essayé d'interroger la cousine de Sa Majesté ? » s'informa l'homme d'Église.

« Oui, mais elle n'était pas dans son appartement au moment de notre passage », répondit le bijoutier.

L'évêque de Strasbourg remercia les deux hommes et leur promit de se renseigner sur ce malentendu. Ces derniers retournèrent, les mains vides, dans la capitale française.

La suite des événements devint plus dramatique pour le cardinal de Rohan. Mis au parfum par Marie-Antoinette, Louis XVI entra dans une rage incontrôlable. Quelqu'un, quelque part, essayait de détruire l'image de son épouse et il ne le tolérait pas. Le monarque ordonna l'arrestation de la comtesse de La Motte. Elle fut interceptée alors qu'elle s'apprêtait à quitter le royaume. Des gardes, grâce à la description des bijoutiers, reconnurent le visage de l'usurpatrice dans une foule, à Calais. Elle avait décidé de prendre le bateau pour se rendre en Angleterre. La prisonnière fut ramenée à Paris. Jeanne de Saint-Rémy passa plusieurs jours dans une cellule de la Bastille. Son complice n'avait pas été retrouvé ni le fameux collier. Elle dénonça l'implication du prélat ainsi que la participation du comte de Cagliostro dans cette affaire. Le lendemain, alors qu'il se rendait dans ses apparats religieux présider une messe dans la chapelle du château de Versailles, Louis René Édouard de Rohan fut arrêté dans la galerie des Glaces, devant les membres de la Cour royale. Humilié, l'homme d'Église clamait haut et fort son innocence.

Le fils des Bourbon, au nom de son épouse, exigea une enquête du Parlement parisien. Il voulait faire la lumière sur cette affaire et espérait que la Chambre incriminerait les coupables. Pendant plus d'une semaine, des témoignages de toutes parts se firent entendre lors du tribunal parlementaire. La comtesse de La Motte, menteuse de nature, raconta que le prélat l'avait obligée à escroquer les deux joailliers. Elle nomma le Sicilien comme personne influente auprès du catholique. Elle démentit toute allusion à sa supposée parenté avec Marie-Antoinette. Coup de théâtre, la comédienne fut interrogée et avoua avoir été engagée par Jeanne de Saint-Rémy. Rosalie dénonça la manipulatrice en échange de ne pas être accusée de complot.

❧

À la suite de l'enquête, Louis XVI ordonna l'arrestation de la comtesse de La Motte. Elle fut frappée de la lettre V, pour voleuse, par un fer chaud. Ne pouvant l'appliquer sur la nuque de la prisonnière, celle-ci ayant la tête trop échevelée, l'homme la marqua sur la poitrine. Par ce geste, la honte resterait à jamais inscrite sur la menteuse. Mais elle réussit à s'échapper et à mettre le pied sur le sol anglais. En exil à Londres, l'arnaqueuse publiera ses mémoires, dans lesquelles elle écrira sa relation intime avec l'Autrichienne. Inventé de toutes pièces, le livre deviendra un succès de librairie. Le destin lui réservera un sort funeste, car elle mourra en 1791. Poussée par la fenêtre de la chambre de l'hôtel où elle résidait, Jeanne de Saint-Rémy perdra la vie sur le coup.

Quant à Louis René Édouard de Rohan, il fut condamné à demeurer à la Bastille pendant un long moment. En juin 1786, le cardinal fut relâché mais dut payer la partie manquante de la somme du bijou en question. Rejeté par la Couronne royale, il s'exila dans différents bâtiments religieux avant de décéder plusieurs années plus tard, soit en 1803.

❧

Malgré la condamnation des accusés dans l'affaire du Collier, Marie-Antoinette souffrira largement des insultes du peuple. Loin de croire à l'innocence de la souveraine, les ennemis de l'Autrichienne, tant au château de Versailles que dans les rues de France, lui jetteront le blâme. Des pièces théâtrales et de la littérature diffamatoire à propos du couple royal circuleront dans le royaume. L'impopularité de l'Étrangère atteindra des sommets fulgurants, à son plus grand désarroi.

« Louis, pourquoi vos sujets me détestent-ils tant ? Je n'ai rien à voir dans cette histoire de bijou », avait-elle plaidé auprès du souverain.

Le roi lui suggéra de réduire ses dépenses, de se faire plus discrète et de remplir ses fonctions d'épouse royale. Selon lui, le peuple finirait par oublier cet épisode et la tranquillité reviendrait en Europe. Marie-Antoinette suivit les conseils de son époux, mais sans succès. L'effet fut même davantage destructeur pour l'image de la famille royale. Écartés de l'entourage de la reine, les courtisans crièrent au scandale. Ils dénoncèrent le sort qui leur était réservé. Ne comprenant pas l'économie que représentait leur retrait des dépenses du budget de

246

l'Étrangère, les mauvaises langues firent circuler des rumeurs. Seules la princesse de Lamballe et la duchesse de Polignac demeurèrent auprès de leur maîtresse. Il n'en fallut pas plus pour que des ragots sur des relations très intimes entre elles et la souveraine soient répandus dans les communes des quatre coins du royaume. Comme si la situation n'était pas suffisamment dramatique, on accusa la fille des Habsbourg d'ingérence dans les affaires de l'État. Les intellectuels la blâmaient d'influencer Louis XVI sur ses positions antiparlementaires. Il n'en était rien, en vérité. Certes, à plusieurs occasions la souveraine avait conseillé à son époux de ne pas plier sous les menaces des parlementaires, mais jamais elle ne lui avait suggéré de rejeter du revers de la main l'instance politique.

En janvier 1786, après des mois de grogne populaire, Marie-Antoinette se rendit au château de la Muette. Accompagnée de la duchesse de Polignac, la reine voulait s'éloigner de toute cette controverse. Les sujets du roi ne semblaient pas vouloir se calmer. Au contraire, chaque jour lui amenait un tracas de plus. L'Étrangère était bouleversée par les épreuves qui ne cessaient de s'accumuler sur sa route.

Elle passa des jours enfermée dans sa chambre, refusant toute compagnie. Désespérée par l'attitude de sa maîtresse, Yolande de Polastron prit l'initiative de communiquer avec le comte de Fersen. Dans une courte lettre, elle lui fit part de la dégradation de la souveraine. En temps normal, elle n'aurait en aucun cas écrit au Scandinave, mais la situation était alarmante. Aussitôt informé de l'état de son amante, le noble se précipita à la résidence de l'Autrichienne.

Lorsqu'il pénétra dans la chambre de Marie-Antoinette, elle dormait d'un sommeil profond. Le Suédois la regardait avec tendresse. Elle semblait si inoffensive dans son lit douillet. *Pourquoi lui vouloir autant de mal ?* pensa-t-il. Il prit place auprès d'elle et lui caressa la joue d'une main douce. La fille des Habsbourg se réveilla et l'aperçut aussitôt.

« Hans Axel ! » cria-t-elle en se jetant dans ses bras.

De l'autre côté de la porte, la duchesse de Polignac avait entendu la joie de sa maîtresse. Elle était heureuse de savoir que la reine était ravie de la présence du comte de Fersen. Même si les senti-ments de Yolande de Polastron à l'égard du Scandi-nave n'étaient que cordiaux, par respect pour l'Étrangère, elle acceptait son amant.

« Que faites-vous ici ? » demanda l'épouse de Louis XVI.

« J'ai reçu un message au sujet de votre état. Dès que j'en fus informé, j'ai accouru auprès de Sa Majesté », dit son amoureux.

Marie-Antoinette savait très bien qui avait envoyé cette mystérieuse lettre : sa fidèle amie. L'indiscré-tion de sa confidente, au lieu de l'insulter, la rassura.

248

La duchesse de Polignac était une personne sur qui elle pouvait compter en tout temps.

« Que se passe-t-il, ma douce ? » s'enquit-il.

« Je suis fatiguée de toute cette agitation à la cour. Peu importe ce qui arrive de mauvais au pays, je suis toujours la première à être accusée », s'exaspéra la fille des Habsbourg.

« Ne craignez plus ! Je suis à vos côtés », rassura l'homme en lui déposant un baiser sur la joue.

« Depuis le complot au sujet de ce satané collier, la colère du peuple à mon égard n'a pas dérougi. »

« Qu'a fait le roi ? » interrogea le Suédois.

« Sa Majesté est bonne envers moi, elle prend ma défense… Mais je doute que le souverain ne m'appuie éternellement », soupira l'Autrichienne.

« Regardez-moi ! » dit Hans Axel de Fersen en prenant entre ses mains le visage de son amante. Dieu vous protège. Le Tout-Puissant ne vous abandonnera jamais », ajouta-t-il avec compassion.

« J'en doute… J'en doute vraiment », soupira la maîtresse des lieux.

« Ne perdez pas la foi, Votre Majesté. »

Au cours de la même semaine, la reine retourna au château de Versailles. Pendant le trajet qui la ramenait auprès du monarque, un mal terrible lui déchira le ventre. Prise de douleurs, l'Étrangère réclama un médecin dans ses appartements. Après auscultation, l'homme de science qui l'examina lui annonça cette nouvelle inattendue.

« Votre Majesté, je connais la source de votre mal », dit le vieillard.

« Soignez mon corps, dans ce cas », répliqua sèchement la souveraine.

« Il me sera difficile de le faire... Madame attend un enfant », déclara-t-il.

Marie-Antoinette, étonnée par la nouvelle qu'elle venait d'entendre, bondit de son lit malgré la souffrance qui l'accablait. Âgée de 31 ans, la fille des Habsbourg ne doutait pas que son corps pouvait lui permettre encore de donner la vie.

« Annoncez à Sa Majesté la naissance prochaine d'un nouveau fils », ordonna l'épouse royale.

Sophie se rendit en toute hâte aux appartements de Louis XVI. Ce dernier était en réunion avec l'ambassadeur de Russie. Lorsqu'elle prononça le mot « enfant », le chef des Bourbon remercia le ciel d'un si joli cadeau. Le diplomate de Saint-Pétersbourg félicita le monarque. Enchanté d'entendre les paroles de la dame de compagnie, le roi marcha à vive allure vers la mère de ses enfants.

« Votre Majesté, un autre membre s'ajoutera à la lignée de vos ancêtres », déclara la reine en souriant de bonheur.

« Madame, en m'offrant quatre enfants, vous avez rempli plus qu'il ne fallait votre tâche d'épouse et de souveraine. Soyez assurée de toute ma reconnaissance », s'exclama le puissant homme.

Quelques mois plus tard naissait une petite princesse. Même s'il s'agissait d'une fillette, Louis XVI était le plus heureux des pères.

« Deux fils et deux filles, que demander de plus ? » avait-il dit à ses conseillers lors de l'annonce du sexe de l'enfant.

Le 15 juillet 1786, soit six jours après la venue au monde du dernier enfant de Marie-Antoinette, le couple royal fit baptiser le bébé. La cérémonie se déroula dans une simplicité que la cour n'avait jamais connue jusque-là. Seuls les membres de la famille royale, quelques conseillers politiques et les deux amies de la souveraine assistèrent au sacrement. En cette période difficile sur le plan financier, le roi ne voulut pas irriter le peuple, déjà aigri par les dépenses de la Couronne. Le plaisir que lui apportaient ses enfants rendit l'Étrangère invincible devant les critiques grandissantes de ses ennemis. Elle s'était donné comme mission d'éduquer ses filles et ses fils du mieux qu'elle le pouvait. L'Autrichienne s'éloigna même de son amant pendant plus de six mois. Sa priorité était de se consacrer à son rôle de mère et d'épouse dévouée.

Constatant que sa maîtresse s'était éloignée du Suédois, Sophie s'interrogea sur les motifs réels qui avaient motivé ce choix. Pourquoi repousser le comte de Fersen ? N'était-il pas un allié important pour la souveraine ? Toutes ces questions, la favorite les trouvait mystérieuses. Curieuse, elle commença à s'informer sur la relation entre Marie-Antoinette et le noble. La favorite fut même surprise en train de fouiller dans la correspondance de la reine.

« Que faites-vous, Sophie ? » avait demandé la duchesse de Polignac en apercevant la dame de compagnie dans les affaires de sa maîtresse.

À cause de cet incident, elle fut renvoyée de l'entourage de la souveraine. En colère contre son ancienne protégée, l'Autrichienne la fit bannir du château de Versailles. La fille des Habsbourg ne tolérait pas la trahison, encore moins de la part d'une suivante qui était à son service.

« Cette traînée doit payer pour son geste disgracieux », lança en furie Marie-Antoinette à Yolande de Polastron.

Autant la servante avait admiré la reine de France, autant elle avait été déçue des nombreux faux pas de l'Étrangère. Que l'épouse du roi ait commis des erreurs était une chose, mais qu'elle se soit permise d'être infidèle au monarque était la plus grande offense aux yeux de Sophie.

CHAPITRE VIII
Les années mouvementées

Château de Versailles, France, 1787-1789

LE DERNIER enfant du couple royal tomba gravement malade à la fin du printemps de l'année suivante. La petite princesse, âgée de quelques mois, souffrait de tuberculose. Lorsque Marie-Antoinette fut informée de la santé fragile de son enfant, elle fit une terrible dépression. Affectueusement prénommée Sophie-Béatrice, la fillette représentait – comme ses frères et sa sœur – la réussite de l'Étrangère. Fière du dauphin, du duc de Normandie et de Madame Royale, elle ne pouvait supporter l'idée que sa progéniture souffre. Si elle ne pouvait faire taire les mauvaises langues qui détruisaient sa vie, l'Autrichienne se battrait au moins contre ceux qui voudraient faire du mal aux siens.

« Louis, sauvez notre fille », implora la souveraine en colère.

« Madame, je vous promets d'exiger la présence des meilleurs médecins », jura le monarque.

Pendant des journées entières, des hommes de science de toute l'Europe défilèrent au château de Versailles. Chacun d'eux essaya de guérir le quatrième enfant du couple royal. Rien ne semblait s'améliorer, surtout pas la santé de la fillette. Plus les semaines avançaient, plus les espoirs de rétablissement s'amenuisaient.

Le 15 juin, devant l'inévitable, Louis XVI et Marie-Antoinette furent renseignés sur l'état de santé aggravant de Sophie-Béatrice. L'un des médecins, originaire d'Angleterre, annonça cette terrible nouvelle à la famille royale.

« Votre Majesté, j'ai le regret de vous dire que Son Altesse Royale se porte très mal. Il m'est impossible de prédire l'avenir, mais je crains qu'elle ne se relève jamais de cette maladie », dit-il avec tristesse.

« Vous faites erreur ! » s'écria l'épouse du souverain.

« Madame ! » répliqua l'homme.

« Cessez de divaguer… Ma fille restera vivante », lança-t-elle en défiant quiconque l'obstinait.

La tuberculose eut finalement raison de l'enfant. Dans la nuit du 18 au 19 juin, Marie Sophie Hélène Béatrice de Bourbon rendit l'âme dans sa chambre. Couchée dans son petit lit, elle n'avait pas encore un an. Après la mort de sa fillette, la reine de France s'enferma dans un mutisme complet. Son visage ne montrait aucune trace d'émotion. Le roi, tout à sa peine lui aussi, s'inquiéta vivement de la condition de l'Autrichienne. Depuis son mariage avec la jeune archiduchesse, il ne l'avait jamais vue dans un tel état.

« Madame ne semble plus parmi nous », avait affirmé la princesse Adélaïde.

La tante du monarque, habituellement ennemie de l'Étrangère, eut pitié de la mère endeuillée. Comment pouvait-elle détester celle qui venait de perdre le dernier de ses enfants ? Elle profita même d'une rare sortie de Marie-Antoinette dans les jardins pour l'accompagner. L'une à côté de l'autre, elles marchèrent en silence dans les labyrinthes du domaine.

« Madame, soyez assurée de ma tristesse en cette période difficile pour vous », dit l'aînée des filles de Louis XV pour briser le mutisme qui régnait.

L'Étrangère s'arrêta brusquement, tourna la tête et fixa la Française droit dans les yeux.

« Que me dites vous là ? Vous, la parfaite membre de la famille royale. Vous, qui m'avez négligée pendant toutes ces années. Vous, et vos sœurs, qui avez colporté des rumeurs sur mon compte. Son Altesse Royale a maintenant de la compassion pour l'idiote d'Autrichienne », explosa de rage la reine.

Abasourdie par la réaction virulente de l'épouse de son neveu, la vieille femme demeura muette. C'était la première fois que Marie-Antoinette affrontait directement l'une des tantes de Louis XVI. Le chagrin insupportable qui rongeait la souveraine lui arrachait toute la gentillesse qui la caractérisait.

256

« Madame, vous faites erreur sur mes intentions. J'ai un respect et une loyauté infaillibles envers Sa Majesté », déclara la princesse au bord des larmes.

« Veuillez me laisser seule… je vous prie », ordonna la fille des Habsbourg.

Adélaïde lui fit la révérence et retourna à la résidence. Humiliée dans son orgueil, elle se promit de ne plus jamais ressentir de pitié pour l'Étrangère.

Cachée derrière une haie de cèdres, l'épouse du monarque pleura en silence. Trop d'obstacles s'étaient dressés sur son chemin. Tant de questions étaient demeurées sans réponse.

« Dieu, pourquoi m'avoir épargnée, moi ? Ma fille… Vous m'avez enlevé ma petite Sophie-Béatrice », cria la souveraine en délirant.

Hystérique, Marie-Antoinette s'écroula sur la pelouse. Elle tomba, inconsciente, dans le coin d'un de ses jardins. Elle fut retrouvée par un valet qui passa par là. Il alerta le roi et ce dernier la fit ramener tout de suite dans ses appartements. Le souverain exigea la présence de ses amies, soit la duchesse de Polignac et la princesse de Lamballe. Louis XVI fut très inquiet de l'état de santé de son épouse. Elle dépérissait rapidement depuis la disparition de leur fillette.

Quelques jours passèrent et les obsèques de la princesse Sophie-Béatrice de Bourbon se déroulèrent en présence de la famille royale. La cérémonie revêtait une importance cruciale en ce qui avait trait à l'acceptation de la perte de l'enfant. Tant Louis XVI que Marie-Antoinette, qui arboraient les couleurs du deuil, ne pouvaient retenir leur douleur. La tristesse de la mère et la peine du père avaient déchiré le cœur des personnes présentes à la cérémonie.

« Dieu Tout-Puissant, veuillez accueillir dans votre royaume Son Altesse Royale Sophie-Béatrice de Bourbon, prononça le prélat en levant les bras vers le ciel. Que la fille de Leurs Majestés puisse trouver le repos pour l'éternité », ajouta-t-il.

En entendant les paroles de l'homme d'Église, l'Étrangère éclata en sanglots. Ses mains se mirent à trembler comme une feuille. Assises derrière les parents de la défunte, les princesses royales furent attirées par les tressaillements de la reine. Le monarque, remarquant ses tantes chuchoter entre elles, se tourna vers celle que les filles de Louis XV observaient.

« Ma douce, voulez-vous être reconduite à vos appartements ? » offrit le souverain.

Marie-Antoinette ne réagit pas aux propos de son époux. Elle était obsédée par le tombeau de son enfant. La souveraine demeura dans un état inquiétant pendant toute la cérémonie religieuse.

Pendant près d'une année, l'Autrichienne entra dans une souffrance insupportable. Elle continua à s'acquitter des principales responsabilités liées à son rang, mais sans plus. Même les deux petits princes et la jeune princesse ne parvenaient pas à faire sourire leur mère. Louis XVI, amoureux plus que jamais de sa femme, essaya sans succès de lui changer les idées. Les fidèles amies de la souveraine passaient leur journée à divertir leur maîtresse. Malheureusement, aussitôt ses confidentes reparties, elle se repliait à nouveau dans son isolement. Marie-Antoinette écrivit une lettre à l'empereur Joseph II pour partager sa douleur.

Mon bien cher frère,

La perte de ma jolie Sophie-Béatrice est pour moi la pire épreuve que Dieu m'ait envoyée. Pourquoi a-t-il choisi de m'enlever mon enfant? Après tant de souffrances, je croyais que le Seigneur m'avait épargnée. Il faut croire que le ciel veut ma mort. Je crains que je ne vivrai pas assez longtemps pour voir mes fils porter la Couronne des Bourbon.

Votre dévouée sœur,

Marie-Antoinette

Informé de l'état psychologique de son amante, le comte de Fersen quitta ses terres suédoises pour revenir en France. Il voulait sortir son amoureuse de la terrible situation dans laquelle elle se trouvait. L'homme essaya de rencontrer la souveraine à plusieurs reprises, mais celle-ci refusa toutes ses invitations. Non pas par manque d'intérêt, mais davantage par honte de son enfermement. Seule la duchesse de Polignac aida le Scandinave dans ses démarches infructueuses. Elle le renseigna sur les déplacements de l'Autrichienne. Il décida de se rendre à l'opéra lors d'une soirée à laquelle assistait l'Étrangère.

Le soir de l'événement, il aperçut dans la loge royale celle pour qui son cœur battait violemment. Elle était assise entre la princesse de Lamballe et Yolande de Polastron. Hans Axel de Fersen se faufila jusqu'à l'endroit où se tenait la souveraine. Il attendit que l'une des confidentes sorte pour lui adresser la parole. Coup de chance, la duchesse de Polignac prit congé de sa maîtresse le temps d'un instant.

« Madame, je dois absolument m'entretenir avec Sa Majesté », supplia le noble, presque à genoux.

« Monsieur le comte, je vais retourner à l'intérieur et demander à la princesse de Lamballe de m'accompagner. Vous serez seul avec la reine », proposa Yolande de Polastron.

Satisfait de l'offre de la comtesse, l'amant attendit, caché derrière un rideau, le départ des deux femmes. Dès qu'elles furent éloignées de la loge royale, il pénétra en toute discrétion sur les lieux. Il s'avança vers Marie-Antoinette, passa sa main sur sa nuque et se pencha pour déposer un baiser sur la joue de la souveraine. Surprise, elle se retourna de manière brusque.

« Qui êtes-vous ? » lança-t-elle.

« C'est moi ! Votre Hans Axel », répondit en douceur son amant.

260

Aussitôt que la fille des Habsbourg reconnut le Scandinave, elle laissa tomber des milliers de larmes. Celui qui représentait tant de beaux souvenirs se tenait près d'elle.

« Mon amour, pourquoi êtes-vous ici ? » interrogea la femme.

« Madame, vous avez refusé toutes mes demandes », répliqua-t-il.

« Je ne voulais pas que vous me voyiez dans un si affreux état. »

« Ma chérie, je vous aime plus que tout au monde. Ce n'est pas votre rang qui m'attire, mais ce que vous avez à l'intérieur », précisa le Suédois.

« Je ne puis rien vous donner en ce moment. Je suis morte ! » murmura la reine.

« Alors, je vous ferai revivre ! » dit l'homme avec assurance.

« Si vous le désirez, je serai au Petit Trianon ce soir… », l'informa la souveraine.

« Dans ce cas, nous serons deux ! » conclut le comte de Fersen.

Comme prévu, vers minuit, Marie-Antoinette revint au château de Versailles. Elle ne se dirigea pas vers ses appartements mais plutôt en direction de son refuge habituel. Elle ouvrit les portes du bâtiment et entra à l'intérieur. L'endroit était sombre, seule la lueur de la lune éclairait timidement les lieux. Ne voyant pas où ses pas l'amenaient, l'Étrangère décida d'avancer un pied à la fois. Soudain, deux bras l'entrelacèrent solidement. Surprise, l'épouse de Louis XVI émit un petit cri d'étonnement.

« Ce n'est que moi », dit une voix masculine.

L'Autrichienne reconnut tout de suite le timbre sensuel de son amant. Elle s'approcha de l'homme et l'embrassa tendrement. Dans un désir effréné, les deux amoureux se déshabillèrent. Il lui arracha sa robe et elle lui déchira le vêtement du haut. Ils échangèrent des milliers de baisers fougueux. Le noble palpa les fesses de sa maîtresse. L'amante frotta avec énergie le membre viril du Scandinave.

« Ma douce, je vous aime ! »

Ce dernier souleva la fille des Habsbourg et la transporta dans ses bras musclés jusqu'à son lit. Il la déposa délicatement sur les couvertures chaudes.

« Je vous ferai oublier votre souffrance », lui chuchota le comte de Fersen.

Il s'allongea près d'elle et glissa la main le long de son corps. Il lui déboutonna son corset et le lui enleva aussitôt. Le noble caressa l'un des seins de Marie-Antoinette. Elle gémissait de plaisir. Il descendit jusqu'au bas de son ventre. Elle gémissait encore plus. Étendu sur elle, Hans Axel de Fersen entra soigneusement son sexe à l'intérieur de son amoureuse. La souveraine fut prise de sensations fortes. Elle était tellement excitée qu'elle en oublia presque son rang royal. Les deux amoureux répétèrent ces gestes toute la nuit, sans jamais se fatiguer.

Au milieu de l'année suivante, la reine entama un retour progressif sur l'avant-scène. Après avoir beaucoup pleuré le décès de la petite princesse, elle finit par lui faire ses adieux. Mais c'est surtout la présence continue du comte de Fersen qui lui avait permis d'entrevoir un avenir meilleur. L'homme voyageait de façon régulière entre son régiment français, le château de Versailles et la Suède.

Détestée de plus belle par ses ennemis, Marie-Antoinette envisagea avec sérieux d'apporter des changements dans son comportement. Elle finit par comprendre que le trône de son époux appartiendrait à un moment donné à ses fils. Comme mère, l'Étrangère se devait de préparer l'avenir de sa progéniture. Tout d'abord, elle modéra progressivement ses dépenses extravagantes. Les achats superflus furent réduits de manière considérable et elle s'adonna beaucoup moins aux jeux de hasard. Les réceptions et autres fêtes du même genre disparurent les unes après les autres. Puis la fille des Habsbourg participa à la majorité des rencontres organisées par Louis XVI. Ces dernières étant sur le plan politique des moments cruciaux pour les affaires du royaume, elle considérait comme essentiel de faire acte de présence. Pour s'assurer de l'appui inconditionnel de son frère, l'Autrichienne reprit ses entrevues régulières avec le comte de Mercy-Argenteau. Satisfait du soudain intérêt de sa sœur pour la politique européenne, Joseph II envoya toutes ses considérations à la reine. Pour ce qui était de ses enfants, elle avait décidé de prendre part activement à l'éducation de Madame Royale, du dauphin et du duc de Normandie. Sur les conseils du monarque, elle se rapprocha davantage de la princesse de Lamballe. Cette dernière, beaucoup moins liée aux scandales, participait à la reconstruction de la nouvelle image de l'Autrichienne. En ce qui concernait le comte de Fersen, l'Étrangère ne voulut pas l'éloigner d'elle. Le Suédois était le seul qui l'aimait vraiment. Sans lui, elle ne pouvait poursuivre dans la nouvelle voie qu'elle s'était donnée. Devant l'inévitable, le fils des Bourbon accepta la présence de son rival. Marie-Antoinette était devenue une vraie reine de France.

La métamorphose de la souveraine arriva trop tard dans l'agitation populaire. Ternie par des erreurs à répétition, la fille des Habsbourg entra dans une nouvelle ère pour la Couronne royale. Des décisions politiques du roi soulevèrent la grogne au sein du peuple et du Parlement parisien. Autrefois alliés de la royauté, les conseillers critiquaient ouvertement les actions du monarque. Les libres penseurs et les intellectuels des salons de la capitale dénonçaient dans des pamphlets le pouvoir immense du souverain. La taxation et les impôts commandés par la Cour royale étaient devenus de véritables problèmes pour les sujets français. Devant tant d'opposition, Louis XVI proposa à son épouse de faire une tournée du royaume pour restaurer la confiance du peuple envers la famille royale.

Pour une deuxième fois depuis son couronnement à Reims, le descendant de Clovis visita plusieurs régions. Entouré de la reine et de ses enfants, il espérait dissiper le mécontentement populaire. Ses ministres, qui lui avaient suggéré cette idée, s'affairaient à négocier avec les parlementaires. Ils avaient comme mandat de rétablir une entente cordiale entre le château de Versailles et les représentants du peuple. Durant toute leur tournée, le couple royal rencontra des obstacles de taille : des rues vides, des réceptions boudées et de l'indifférence généralisée. Les temps avaient vraisemblablement changé. Le prestige de la Couronne sous Louis XVI n'était plus au goût du jour. Le roi adulé par ses sujets et craint par ses ennemis était devenu chose du passé. Même les courtisans de la Cour royale s'éclipsaient graduellement. Seuls la noblesse puissante et le clergé catholique demeuraient de fidèles partenaires de la royauté.

« Madame, je crois que nous vivons une période difficile », avait dit le souverain à son épouse lors d'une visite à Bordeaux.

Après une tournée ratée, la famille royale rentra au château de Versailles. Louis XVI, plus abattu que jamais, convoqua d'urgence les ministres et ses frères. Il exigea un rapport sur la situation dramatique que vivait le royaume.

« Votre Majesté, à la suite de nombreuses discussions avec les membres du Parlement, nous propo-

sons que le roi accepte leur revendication principale »,
déclara le ministre le plus influent du cabinet.

« De quoi est-il question ? » interrogea le souverain.

« De la tenue des États généraux », répondit le
vieil homme.

« Vraiment ? Et pour quelle raison ? » demanda le
fils des Bourbon.

« Votre Majesté, il semblerait que le Parlement
souhaiterait provoquer des discussions sur diverses
problématiques », expliqua le conseiller.

« Dans ce cas, si vous me suggérez cette solution,
je dois prendre le temps d'y réfléchir », conclut le
chef de la famille royale.

Louis XVI, comme à son habitude, informa son
épouse des échanges entre lui et ses ministres. Il lui
fit part de la proposition du Parlement de Paris.

« Votre Majesté, vous êtes le roi, et eux, vos sujets.
Ce n'est pas le Parlement qui règne mais vous »,
déclara la souveraine.

« En temps normal, je serais d'accord avec vous.
Mais vous avez été témoin, tout comme moi, de
l'accueil fait lors de nos déplacements », dit le
monarque.

« Il est vrai que Sa Majesté n'a pas reçu les
honneurs réservés à son rang », avoua Marie-
Antoinette.

Après cette discussion, le fils des Bourbon décida de consulter quelques personnages du royaume. Il voulait s'assurer de ne pas commettre d'erreur de jugement en déclinant ou en approuvant l'offre des parlementaires. Pendant plus d'un mois, il rencontra une dizaine d'hommes influents de France. Tous, sans exception, appuyèrent la revendication parisienne.

Dans la tourmente, Louis XVI autorisa finalement la création des États généraux au printemps 1789. Par ce geste, il voulait montrer au peuple qu'il écoutait leurs demandes. Le souverain, un peu naïf, était persuadé de sortir grand vainqueur de ce sommet.

Lors de son dernier séjour au château de la Muette, la famille royale s'inquiétait de la montée populiste. De plus en plus de Français scandaient des reproches au roi, à la reine et aux membres de la cour. Lors des déplacements du roi et de la reine, les sujets les interceptaient pour les huer allégrement. Âgée de 10 ans, Madame Royale était traumatisée lorsqu'elle accompagnait ses parents. Il n'était pas rare de voir la jeune princesse pleurer dans un coin. La situation était devenue insupportable pour quiconque entourait les têtes couronnées.

Un soir d'avril, assis près du foyer d'un de ses salons, Louis XVI baissa la tête. Quelques larmes coulèrent le long de son visage rond. Il n'en pouvait plus d'entendre la grogne de son peuple. Cela fut vite remarqué par Marie-Antoinette. Elle fut remplie de compassion pour celui qui partageait sa vie depuis bientôt vingt ans.

« Louis, je suis chagrinée de vous voir dans un tel état. Dieu vous protège... », dit-elle en lui souriant gentiment.

« Madame, vous êtes la plus douce des femmes de ce monde. Je suis désolé de vous faire vivre des moments si douloureux. Nos enfants également souffrent de mes erreurs », déclara le chef de la famille royale sur un ton de regret.

« Lorsque j'ai quitté Vienne, je n'étais pas prête à assumer ma tâche à vos côtés. J'ai même été une source de problèmes pour la Couronne. Mais vous m'avez toujours, et sans relâche, soutenue pendant toutes ces années. Je suis avec vous et le resterai à tout jamais », jura-t-elle en regardant son époux.

Les États généraux français furent lancés au début du mois de mai 1789, alors que le dauphin entra dans une phase incurable de sa maladie. Atteint d'un problème grave qui lui déformait l'épine dorsale, le jeune prince souffrait atrocement depuis sa naissance. La horde de médecins qui examinèrent l'enfant n'avait jamais réussi à le guérir. Louis Joseph Xavier François de Bourbon avait accepté son sort et ne s'en était nullement plaint, ni à ses parents ni à ses gouvernantes.

« Madame, vous avez été la meilleure mère qu'un fils pouvait espérer », avait dit l'héritier quelques jours avant la fin d'avril.

Le 3 mai, il tomba inconscient pendant une demi-journée. La famille royale, alors qu'elle était au château de Meudon, au sud-ouest de la capitale, interrompit ses obligations officielles. Le roi et la reine restèrent auprès du dauphin. Ce dernier se tortillait de douleur dans son lit. La scène, épouvantable pour Marie-Antoinette, lui déchira cruellement le cœur. Ne pouvant en supporter davantage, elle sortit en courant à l'extérieur du bâtiment. Non loin de la souveraine, Louis XVI essayait de la rejoindre.

« Ma douce, attendez-moi ! » cria le monarque.

Se trouvant à une distance considérable de la résidence, la fille des Habsbourg tomba à genoux sur le sol mouillé. Elle fondit en larmes. Son époux arriva un instant plus tard. Essoufflé par son embonpoint florissant, l'homme se courba. Il déposa ses mains sur ses genoux et entreprit de reprendre sa respiration normale.

« Louis, Dieu nous enlève notre fils. Je ne peux le tolérer », fulmina de rage la mère, agenouillée.

« Je comprends… Je souffre également de voir le dauphin nous quitter », répondit le roi en serrant les poings.

Un lourd silence s'installa entre les deux têtes couronnées. Les mots étaient inutiles en de telles circonstances. Tout ce qu'ils pouvaient cacher, c'était leur état d'âme, car leur visage ne pouvait mentir.

Le lendemain, le roi et la reine, malgré leur souffrance intenable, participèrent aux cérémonies d'ouverture des États généraux. Une messe fut célébrée pour souligner l'événement exceptionnel qui débutait en France. Assis sur leur banc, les souverains écoutèrent les paroles du prélat pendant son sermon. L'homme d'Église entra dans un interminable monologue. Soudain, il attaqua presque ouvertement l'épouse du monarque. Le religieux dénonça les dépenses abusives des années de règne du descendant de Clovis. Il égratigna au passage la vie de pécheresse de Marie-Antoinette en faisait allusion aux activités du Petit Trianon. Humiliée par les propos de l'évêque, la reine grinça des dents. *Pour qui se prend-il ?* pensa-t-elle.

Pendant de longues semaines, le Parlement rencontra des personnages aussi divers que controversés. Pour la plupart, la royauté était la source des problèmes de la France. Le roi, selon les opposants de la Couronne, n'était pas apte à gouverner le pays. La reine, pour eux, était l'ennemie à abattre. Contrairement aux attentes de Louis XVI, la tenue du sommet n'aida en rien sa cause. Elle plongea le souverain et la famille royale dans des gouffres insurmontables.

Informé de la tangente qu'avaient prise les États généraux, le monarque essaya d'intervenir pour sauver la situation. Malheureusement, certains ministres chargés de le représenter enflammèrent davantage les échanges musclés entre les participants. Bientôt le royaume sombra dans une mouvance révolutionnaire. Chaque région comptait une multitude de paysans prêts à se battre pour leur cause.

Le décès du jeune dauphin arriva finalement le 4 juin 1789, en pleine crise politique française. Bouleversée par la mort de son fils, Marie-Antoinette se réfugia dans son Hameau. Seul le comte de Fersen fut autorisé à accompagner la mère endeuillée.

« Hans Axel, ils ont assassiné mon enfant », cria la souveraine en levant les bras.

« Mon amour, Dieu les punira pour leur faute grave. Sa Majesté le roi, lorsque les événements se seront calmés, accusera publiquement les responsables. Ils seront jugés et pendus », ajouta l'amant.

La fille des Habsbourg entra dans une vive colère. Elle jeta sur le plancher tout ce qui lui tomba sous la main. Jamais l'Étrangère n'avait montré tant de haine envers quiconque. Cette fois-ci, la perte du dauphin lui gela le cœur. Elle n'avait aucune pitié pour ses ennemis.

« Ils payeront pour avoir détruit ma vie et celle de ma famille. Je vous le jure ! » lança-t-elle en faisant le signe de la décapitation avec sa main.

Il était plus qu'évident que la situation s'envenimait dangereusement de jour en jour. Même l'empereur d'Autriche, renseigné par le comte de

Mercy-Argenteau, fut troublé du chaos qui sévissait dans le royaume de son beau-frère.

L'irritation de Marie-Antoinette atteignit son comble lorsque les ministres de son époux proposèrent d'annuler les obsèques traditionnelles au cérémonial de Saint-Denis. Depuis des générations, les souverains et leur famille étaient inhumés en ces lieux. Louis Joseph Xavier François, pourtant héritier du trône des Bourbon, ne reçut aucune célébration digne de son titre. Le deuil du couple royal fut quasi ignoré du peuple français.

« Mon fils est mort et la France ne le sait pas ! » lança le roi devant ses conseillers lors d'une réunion formelle.

Le monarque, affaibli par la perte de son successeur, demanda le report des audiences des États généraux. Le Parlement refusa catégoriquement la requête de Louis XVI.

« N'y a-t-il pas de pères dans cette assemblée ? » fut la remarque du chef de la famille royale.

La reine consulta ses amies ainsi que son amant quant à leur opinion sur la situation délicate de la France. La princesse de Lamballe, la duchesse de Polignac et le comte de Fersen proposèrent des idées aussi diverses que farfelues.

« Envoyez l'armée assassiner les membres du Parlement », dit Yolande de Polastron.

« Non ! Réagissez par une contre-révolution ! » déclara Marie-Thérèse Louise de Savoie-Carignan.

« Je suis d'accord avec la princesse. Si Leurs Majestés contre-attaquent, elles auront la chance de tuer l'élan des révolutionnaires », précisa Hans Axel de Fersen.

Marie-Antoinette, charmée par la suggestion de sa confidente et par l'appui de son amoureux, présenta la recommandation au monarque. Moins enthousiasmé que son épouse, il prit tout de même l'idée en considération.

Pendant des jours entiers, le souverain échangea avec ses ministres afin de trouver une solution convenable. Chaque discussion menait inévitablement à des affronts entre les différents conseillers. Aucune porte de sortie ne semblait se présenter à la famille royale.

Entre-temps, le Parlement se constitua en assemblée nationale et s'octroya certains pouvoirs décisionnels. Devant l'effondrement de sa Couronne, le roi demanda la démission du plus important de ses ministres. Lorsque l'Autrichienne fut renseignée concernant le renvoi de l'homme, elle félicita le souverain pour son initiative. Malheur au couple royal, le geste de Louis XVI fut interprété différemment par le peuple. Ce dernier voyait dans la décision du descendant des Bourbon une insulte au bien-être de la nation et de l'État. Non pas que les Français aimaient le ministre en question, mais par rejet de toute action royale.

Dans la journée du 14 juillet, les révolutionnaires parisiens ravagèrent la capitale. En colère contre l'autorité du château de Versailles, ils assassinèrent un grand nombre de partisans de Louis XVI. Les hommes et les femmes crièrent des slogans dénonçant le couple royal. Dans une frénésie calculée, la foule remonta les rues de Paris et se rendit jusqu'à la prison la plus célèbre d'Europe. Sur place, une troupe de soldats attendait les ennemis de son maître. Après une légère hésitation de la part des Parisiens, l'affrontement éclata entre les deux groupes. D'un côté, les opposants au régime attaquèrent sans relâche les représentants de la force. De l'autre, les gardes tuèrent sans vergogne les sujets du roi. La bataille ne dura pas longtemps. Plus nombreux, les révolutionnaires renversèrent l'armée et prit d'assaut la Bastille. L'immense bâtiment fut détruit et les prisonniers libérés. Jamais dans l'histoire de la France le peuple ne s'était soulevé contre le monarque.

En fin de journée, le souverain fut informé de sa défaite à Paris. Surpris de la tournure des événements, il ne comprenait pas le soulèvement populaire.

« Est-ce une manifestation ? » demanda le chef de la famille royale à l'un de ses conseillers.

« Non, Votre Majesté ! C'est une révolution… », répondit-il.

En soirée, Marie-Antoinette rencontra dans le Petit Trianon son amant de toujours. Énervée par les événements de la journée, elle ne tenait plus en place. L'Autrichienne fit les cent pas dans le petit bâtiment.

« Ma douce, cessez de vous ravager l'intérieur. Songez à vous et à vos enfants ! » dit le comte de Fersen en suivant des yeux l'ombre de son amoureuse.

« Vous ne comprenez pas ! Mes ennemis veulent m'assassiner... ainsi que le roi », lança-t-elle en se rongeant les ongles avec nervosité.

« Dans ce cas, évadez-vous ! » dit le noble en s'approchant de la femme hystérique.

Les deux amoureux échangèrent quelques baisers rapidement. La souveraine était trop préoccupée pour penser à autre chose.

« Vous avez raison, nous devons fuir le plus loin possible », se convainquit l'Étrangère.

« Amenez vos enfants en Autriche. Votre frère vous accueillera à bras grands ouverts », renchérit le Suédois.

« Sa Majesté ne voudra jamais quitter le royaume », ajouta-t-elle.

« Partez sans le roi ! » suggéra-t-il.

Elle leva les yeux vers le Scandinave et le fixa durement.

« Que me dites-vous là ? Quitter le roi, mon époux et le père de mes enfants. Vous n'y pensez pas, j'espère ! » fulmina la fille des Habsbourg.

« Madame, Sa Majesté comprendra... »

« La famille royale ne partira pas sans moi, je ne partirai pas sans Louis et il ne quittera jamais la France », conclut la souveraine.

Malgré sa certitude que jamais le monarque n'abandonnerait son royaume, Marie-Antoinette brûla toute sa correspondance ainsi que les papiers pouvant l'incriminer. Elle fit emballer ses diamants et toutes ses pierres précieuses. L'Étrangère envisageait une fuite-surprise à tout moment. Ses craintes étaient fondées et s'appuyaient sur plusieurs éléments, dont des menaces de mort telles qu'on pouvait le lire dans les pamphlets qui circulaient dans les rues de la capitale. Chaque membre de la Couronne royale était visé ainsi que les favoris de la reine.

Deux jours après la prise de la Bastille, Louis XVI rencontra ses ministres en présence de la souveraine.

« Messieurs, j'ai décidé de me rendre à Paris pour saluer le nouveau maire », annonça le fils des Bourbon.

Étonnée de la nouvelle de son époux, la souveraine demeura muette dans son fauteuil. Les conseillers, eux, approuvèrent l'initiative de leur maître. La reine voyait dans ce geste une soumission aux caprices des révolutionnaires. Elle n'était pas d'accord avec le roi mais garda pour elle son opinion.

Le lendemain, tôt en matinée, le monarque, la fille des Habsbourg et leurs enfants quittèrent le château de Versailles. Tout le long du trajet, le couple fut conspué par leurs sujets qui étaient déchaînés.

« Votre Majesté, ne voyez-vous donc pas l'ingratitude du peuple envers la Couronne ? » dit Marie-Antoinette en regardant par le châssis du carrosse les menant vers leur destination.

« Madame, ai-je le choix ? » répliqua son époux.

Les hurlements des opposants à la royauté firent pleurer Madame Royale et le second dauphin. L'ambiance était des plus désagréables pour quiconque entourait la famille royale.

C'était la première visite du couple à Paris depuis la mise à sac de la prison. Les rues étaient bondées de gens et une odeur nauséabonde flottait dans l'air. Marie-Antoinette dut se boucher les narines lorsque le véhicule passa près d'une maison détruite par les révolutionnaires.

« Louis, regardez l'état lamentable des lieux. Paris n'est plus qu'un champ de bataille », se désespéra l'Autrichienne.

Le cortège qui transportait le couple royal s'arrêta finalement devant un édifice en pierre. Une dizaine d'hommes attendaient sur les escaliers de la mairie provisoire. De l'autre côté de la rue, quelques centaines de gens regardaient le roi et la reine descendre du carrosse. Le monarque se tourna et salua la foule qui resta de marbre. La souveraine, humiliée dans son orgueil, baissa légèrement la tête.

« Chers Majestés, soyez les bienvenues à Paris », dit le maire de la commune en guise d'introduction.

« Nous sommes honorés de nous retrouver ici en cette journée mémorable », répondit le chef de la famille royale.

« Veuillez accepter ce petit ruban aux couleurs de la capitale », proposa le politicien.

Louis XVI prit l'objet bleu et rouge, le regarda un instant, et l'accrocha sur son couvre-chef blanc. Le geste, pourtant insignifiant, déplut considérablement à la reine. Elle se sentait sale de participer à une telle mascarade. N'était-elle pas la fille de la puissante impératrice Marie-Thérèse ? Certes, sa mère avait rendu l'âme depuis un moment déjà, mais son sang coulait toujours dans les veines de l'Autrichienne. Voir son époux être ridiculisé de la sorte la rendait folle de rage.

Tout l'après-midi, le monarque et les Parisiens échangèrent des propos sur l'avenir de la France, un avenir plutôt sombre pour la Couronne et ses descendants. Autrefois adulé par le peuple, le souverain n'était plus que le reflet de lui-même. Encore maître du royaume, il n'avait plus l'autorité nécessaire pour entreprendre quoi que ce soit. Louis XVI, fils d'une lignée de plusieurs siècles, était réduit à un rôle incertain.

Sur le chemin du retour, le roi demeura insensible aux quolibets des hommes et des femmes. Même lorsque le véhicule fut immobilisé sur l'une des artères de la commune en raison de la densité de la circulation, le monarque resta le corps bien droit. Il ne voulait pas perdre la face devant le peuple, et encore moins devant son épouse. Le peu de dignité qu'il lui restait, le souverain voulait le conserver.

« Je vous trouve bien courageux », chuchota l'Étrangère dans le creux de l'oreille de Louis XVI.

Les semaines suivantes furent de véritables moments d'enfer pour toute la famille royale. Chacun des membres craignait pour sa vie. La garde, moins nombreuse, surveillait de manière continue les accès à la résidence royale. L'atmosphère était devenue insoutenable. Les courtisans avaient fui par les couloirs et les mauvaises langues s'étaient ralliées aux opposants de la royauté.

Le roi réunit les siens dans ses appartements à la fin de juillet 1789. Après de longues discussions avec la reine, il était parvenu à une décision importante. Pour la sécurité de ses proches, il devait les éloigner de Paris.

« Ma chère famille, Sa Majesté et moi croyons qu'il serait plus prudent que vous quittiez Versailles le plus rapidement possible. La sécurité n'est plus de mise en ces lieux », dit Louis XVI.

Marie-Antoinette, attristée par les événements, approuva de la tête les paroles de son époux.

« Qu'adviendra-t-il de Leurs Majestés et du dauphin ? » demanda la princesse Adélaïde au bord des larmes.

« Madame et moi resterons ici... ainsi que nos enfants ! » précisa-t-il.

Il fut décidé que les tantes du monarque se rendraient au château de Meudon, non loin de la capitale française. Les frères du souverain se retireraient dans leurs terres respectives. Face à la situation alarmante, tous acceptèrent sans broncher la décision du chef.

À son tour, Marie-Antoinette convoqua son cercle d'amis pour leur annoncer la nouvelle. Sous une pluie diluvienne, les confidents de la souveraine se présentèrent au Hameau de la Reine. Assis auprès de leur maîtresse, tous écoutèrent les paroles de la souveraine.

« Mes très chers amis, vous savez sans doute que le royaume est tombé entre les mains de mes ennemis. Depuis mon mariage avec Sa Majesté, et bien au-delà, ils ont détruit chacune des facettes de ma vie. Le jour du couronnement du roi, ils ont voulu m'assassiner..., ce fut le souverain qui en paya le prix. J'ai perdu mon premier enfant à cause de leurs méchancetés envers ma personne... mon cœur en souffrit. Ma santé a été affectée plus d'une fois par leurs gestes diaboliques. Leurs meurtriers ont

tué mon fils, le petit dauphin… », déclara nerveusement la souveraine.

La duchesse de Polignac regarda la reine, qui était
affaiblie par tant d'épreuves cruelles. Elle aurait
voulu la serrer dans ses bras et la rassurer quant à
son avenir. Mais Yolande de Polastron n'était pas
stupide. Elle savait très bien que l'avenir de la fille
des Habsbourg ne serait plus jamais comme à ses
débuts. Il fallait se tourner vers le changement, et
ce dernier n'était pas favorable à la royauté.

« Écoutez-moi ! Sa Majesté a ordonné que les
princesses royales et les comtes quittent le château
de Versailles dans les plus brefs délais », informa
l'Étrangère.

Les nobles présents furent étonnés d'entendre de
tels propos. La famille royale serait divisée. Pour
combien de temps ?

« J'ai décidé, pour votre sécurité, de vous demander de fuir d'ici. Je ne pourrais pas vivre en vous
sachant en danger », affirma-t-elle.

« Madame, je ne veux pas partir ! » lança tristement la princesse de Lamballe.

« Ma chère amie, il le faut ! Lorsque la tempête
aura cessé, nous nous retrouverons tous à nouveau
réunis ici », promit l'Autrichienne.

Dévasté par la demande de son amante, Hans Axel
de Fersen laissa couler une petite larme sur sa joue.

Elle aurait passé inaperçue si Marie-Antoinette ne l'avait pas remarquée.

Plus tard, alors que les deux amies s'étaient endormies, la reine s'approcha de son amoureux. Elle lui passa la main sur la nuque. Il fut surpris par ce geste soudain. Il leva les yeux vers elle et lui fit un sourire attristé.

« Mon chéri, pourquoi ce visage défait ? » interrogea l'Étrangère.

« Ma douce, vous me serez arrachée. Comment puis-je être heureux en cet instant pénible ? » lança le comte.

« Croyez-vous que je ne suis pas détruite en ce moment ? Croyez-vous que je prends plaisir à voir partir ceux que j'apprécie ? Si je le pouvais, je changerais les choses pour le mieux. Mais il m'est impossible de le faire », s'exclama l'Autrichienne, torturée.

Le Suédois se leva et entoura son amante entre ses bras réconfortants. Il aurait tout donné pour enrayer cette souffrance atroce qui rongeait la souveraine. Le comte de Fersen était même prêt à offrir sa vie pour sauver celle de l'Étrangère.

« Je le sais ! » dit-il sur un ton compréhensif.

« Si le roi ne peut sauver les siens, je ne peux pas faire davantage en ce qui me concerne. Ne pensez-vous pas que de vous perdre ne me rend pas malade ? » avoua la souveraine.

« Venez, Madame ! » proposa le noble.

Les deux amoureux sortirent du refuge et marchèrent main dans la main dans les sentiers du domaine. La pluie avait cessé et le parterre était encore mouillé. Peu importe, ils avaient besoin de s'afficher en dehors de leur cachette. L'astre lunaire illuminait les jardins du château de Versailles. Des hululements de hiboux égayaient les lieux endormis.

« Lorsque j'étais petite, je rêvais de devenir une grande dame. Je voulais me marier et avoir une famille nombreuse. Pour moi, l'idéal passait par la réussite de mon rang », expliqua la reine. Vous avez donc atteint votre objectif », répliqua le Scandinave.

« Vous croyez ? » lança-t-elle, incertaine de la réponse de son amant.

« Oui ! Vous avez marié le roi de France. Vous êtes devenue la reine et vous avez donné des enfants à votre époux », dit Hans Axel de Fersen.

« Peut-être… Mais, en ce moment, qui suis-je ? » demanda la fille des Habsbourg.

« Vous êtes ma maîtresse et la mère du futur souverain », répondit l'homme.

« La reine de France n'est plus grand-chose dans ce monde dépourvu de sens », conclut Marie-Antoinette.

Ne gouvernant plus qu'en théorie le royaume, Louis XVI essaya d'user de ces derniers pouvoirs pour régler les affaires politiques. Sans ministres ni entourage, le monarque n'avait plus de moyens pour se sortir de l'impasse. Il était à la merci des révolutionnaires.

La descente aux enfers de la Couronne royale commença réellement le 4 août, lorsque l'Assemblée nationale vota une loi abolissant de manière définitive les privilèges de la royauté, de la noblesse et du clergé. Trois semaines plus tard, les parlementaires adoptèrent à l'unanimité la Déclaration des droits de l'homme et du citoyen. Par ce document, le peuple français garantissait leur sécurité et leurs revendications. Ce n'était plus le roi qui protégeait ses sujets, mais ces derniers qui se protégeaient de leur maître.

Plus les semaines passaient, plus la patience des révolutionnaires envers le couple royal diminuait. Chaque réception ou banquet organisé pour le roi devenait une source de problèmes. Les opposants à la royauté n'avaient qu'une idée en tête : anéantir définitivement Louis XVI et Marie-Antoinette.

Le 5 octobre 1789, un événement confirmera hors de tout doute la colère du peuple. Une horde de femmes, principalement de Paris et des environs, marcha sur Versailles pour manifester sa fureur. Plusieurs centaines de Françaises réclamaient du pain pour nourrir leur famille. Elles criaient des insultes au roi et à la reine. Elles surnommèrent le souverain « le boulanger », son épouse, « la boulangère » et son héritier, « le petit mitron ». Des hommes armés s'étaient infiltrés parmi les mères afin d'assassiner le couple royal. La grogne avait atteint son paroxysme.

La fille des Habsbourg ne fut pas informée de la manifestation avant le retour du monarque. Parti à la chasse, le chef de la famille royale revint auprès de la reine lorsqu'un messager le renseigna à propos du soulèvement populaire.

« Sa Majesté est en danger, je dois retourner au château de Versailles », dit l'homme.

Louis XVI arriva en toute hâte à la résidence, accourut en direction de la chambre de son épouse et y pénétra.

« Louis, que faites-vous ici ? La chasse ne vous plaisait plus ? » s'enquit Marie-Antoinette en se regardant dans un miroir.

« Ma chère, ne vous alarmez pas, mais une manifestation se dirige vers le château », annonça le fils des Bourbon en tremblant de la voix.

« Pour quelle raison ? » demanda-t-elle.

« Mes conseillers m'ont mentionné que les femmes voulaient du pain », répondit-il.

L'Étrangère se retourna vers le roi et afficha une expression perplexe.

« Il n'y a plus de pain à Paris ? » interrogea la souveraine.

« Il semblerait que non... »

«Alors, si elles n'ont plus de pain, qu'elles mangent de la brioche ! » lança l'Autrichienne en se moquant de l'absurdité de sa réponse.

« Madame, la menace est sérieuse. Pourquoi réagissez-vous ainsi ? » s'informa Louis XVI.

« Vous êtes le roi de France. À qui croient-elles avoir affaire ? » s'écria la souveraine.

Constatant l'incapacité de son épouse à voir clair, il essaya de trouver des solutions de rechange pour freiner la manifestation populaire. Parmi les options envisagées, le monarque songea à fuir le château de Versailles pour se rendre à Rambouillet. L'idée fut vite écartée, car elle représentait trop de risques. Circuler sur les chemins du royaume était incertain pour quiconque, encore plus pour le couple royal. Il pensa également à bloquer la route menant à la résidence, mais la peur de faire couler du sang le dérangeait. La dernière solution, qui était la plus simple, était d'attendre le déroulement des choses. Le descendant des Bourbon décida de demeurer sur les lieux et de rencontrer quelques représentantes. Lorsque ces dernières furent devant le château, les discussions s'enflammèrent rapidement. Les femmes réclamaient de quoi manger, mais le souverain ne pouvait leur donner ce qu'elles voulaient.

En soirée, craignant pour la vie du monarque, le marquis de La Fayette se présenta au château de Versailles. Non pas par compassion pour le descendant de Clovis, mais par stratégie politique. Il avait été mandaté par le président de l'Assemblée nationale pour régler la situation. Les opposants de Louis XVI ne souhaitaient pas la mort du roi. Ce n'était pas par pure charité, mais plutôt par peur des représailles royalistes, tant de l'intérieur que de l'extérieur de la France. Après des pourparlers avec les manifestantes, le médiateur renvoya les Parisiennes hors des murs de la résidence du roi. Les membres de la famille royale se couchèrent et ne fermèrent pas l'œil de la nuit.

$\mathscr{I}$

Gilbert du Motier, marquis de La Fayette, est né en 1757 dans la région de la Loire. Issu d'une famille militaire, il a gagné ses lettres de noblesse lors de la guerre d'Indépendance américaine. Allié des insurgés, il combattit de manière énergique contre les Anglais. Il revint à Paris en véritable héros et participa à la politique révolutionnaire. Lors des États généraux de 1789, il assista aux réunions à titre de député. Membre de la noblesse, l'homme prit position pour une royauté modérée tout en cherchant à réduire les pouvoirs du monarque.

CHAPITRE IX
La Révolution française

Palais des Tuileries, France, 1789-1792

À L'AUBE du 6 octobre 1789, des révolutionnaires lourdement armés pénétrèrent de manière sauvage à l'intérieur du château de Versailles. Ils fracassèrent tout ce qui avait le malheur de se dresser sur leur passage. Des toiles resplendissantes furent déchirées, de la vaisselle rare fut cassée, du mobilier coûteux fut détruit et des statues nouvellement sculptées furent décapitées. Les hommes tuèrent, sans vergogne, une poignée de soldats postés devant les portes des appartements royaux. Rien ne semblait déranger les intrus, encore moins d'avoir du sang sur les mains.

« Où se cache l'Autrichienne ? » criaient les assaillants enragés.

Après une courte recherche, ils finirent par trouver la chambre de la reine. L'ennemie principale des opposants à la royauté se tenait de l'autre côté des portes. Marie-Antoinette, qui avait entendu des bruits suspects, se sauva en toute hâte par l'un des passages secrets qu'empruntait de façon occasionnelle Louis XVI. Elle se faufila, comme un animal traqué, jusqu'à la pièce où dormait son fils.

« Louis-Charles ! » hurla d'inquiétude la mère.

Juste avant l'arrivée de la souveraine, une jeune domestique s'était cachée avec le dauphin sous une table en bois, placée devant la porte de la chambre du garçon. L'Étrangère, affolée, prit la main de l'héritier et l'amena avec elle vers l'appartement de Madame Royale. En milieu de parcours, la petite princesse sortit en courant dans les escaliers, non loin de la reine.

« Ma chérie, venez ici ! » s'écria la souveraine en agitant la main.

Aussitôt, Marie-Thérèse reconnut sa mère et rejoignit d'un pas pressé la souveraine et son frère. Accompagnée de ses deux enfants, Marie-Antoinette chercha vivement une issue pour s'enfuir. Alors qu'elle ouvrit une porte au hasard, le roi apparut subitement devant eux.

« Madame, vous allez bien ? » s'informa-t-il.

« Oui, Votre Majesté ! Que se passe-t-il ? » demanda-t-elle, apeurée.

« Je crois que les révolutionnaires sont ici », répondit le monarque en chuchotant.

Maintenant réunie, la famille royale se précipita vers la salle du trône pour échapper au massacre qui se déroulait au château. Malheureusement, des hommes armés les attendaient dans l'immense pièce centrale. Face à leurs ennemis, le roi, la reine et leurs enfants traversèrent l'endroit la tête haute, mais les nerfs tendus. Les émeutiers s'écartèrent l'un à la suite de l'autre pour tracer un chemin jusqu'à un petit balcon. Dehors, la foule en colère scandait le surnom de la souveraine.

« L'Autrichienne ! L'Autrichienne ! »

En entendant les cris du peuple, la reine comprit qu'elle devait réagir sans tarder. Deux choix s'offraient à elle : soit faire la sourde oreille, soit leur donner ce qu'ils réclamaient. Sans que Louis XVI ne le lui conseille, la fille des Habsbourg se présenta devant les manifestants en furie. Tous la dévisagèrent avec mépris, mais aucun coup de feu ne fut déclenché. Elle resta debout un bref instant, les mains tremblantes, sans prononcer un mot. Puis, elle se retourna et revint sur ses pas, en direction de la famille royale. En se rendant près de son époux, elle remarqua au loin la présence d'un visage familier. Son ancienne dame de compagnie était cachée derrière deux hommes costauds. Sachant que l'Autrichienne l'avait vue, elle lui fit un clin d'œil en signe de moquerie. Sophie s'était vengée de la reine. À l'époque où elle fut chassée de l'entourage de sa maîtresse, la favorite avait juré de se faire justice un jour ou l'autre. Aujourd'hui, elle prenait part à l'émeute et espérait faire payer cher le geste de Marie-Antoinette.

Le chef des manifestants s'avança près du monarque et le fixa dans les yeux en soutenant son regard.

« Louis de Bourbon, j'ai l'ordre de vous escorter jusqu'à Paris. »

« Qui vous a donné cette directive ? » demanda le souverain.

« Vous aurez votre réponse bientôt ! » lança méchamment la tête dirigeante du soulèvement populaire.

Le roi, immobile, se résolut à accepter l'inacceptable. La famille royale fut conduite jusqu'à l'un de ses carrosses. Des hommes armés entourèrent le véhicule pour éviter toute fuite possible. Ils montèrent sur leurs chevaux et quittèrent le château de Versailles. Seuls avec leurs enfants à l'intérieur de leur prison sur roues, Louis XVI et son épouse s'échangèrent des regards d'incertitude. Celui qui régnait sur le royaume de France depuis plus de quinze ans ne gouvernait plus rien ni personne. Encore moins sa propre existence.

« Que va-t-il advenir de nous, Votre Majesté ? » s'enquit l'Autrichienne.

« Demeurez confiante… Dieu nous protège ! » fit pour toute réponse le fils des Bourbon.

« Dieu ! Il n'a fait que nous causer des problèmes, le Tout-Puissant. Quand est-il venu à notre secours ?

Où était-il lorsque notre premier enfant est mort ? Était-il là pour notre fils ? » fulmina la reine.

« Avez-vous perdu votre foi ? » demanda le roi.

« Ma foi, c'est plutôt le Seigneur qui m'a rejetée depuis longtemps », répliqua de manière brutale la fille des Habsbourg.

« Votre souffrance vous fait dire des choses qui dépassent votre pensée », conclut le monarque.

« Je ne crois pas ! » répliqua-t-elle.

À la suite de cette discussion mouvementée entre les deux époux, le couple royal garda le silence pendant un long moment. L'agitation que venaient de vivre les deux têtes couronnées avait réussi à créer une discorde entre eux. Les nerfs étaient à vif et l'inquiétude s'était emparée des occupants du véhicule.

Devant un marché de légumes, une femme se jeta sur le carrosse qui transportait les célèbres prisonniers. Elle reconnut aussitôt Marie-Antoinette à travers le châssis.

« L'Autrichienne, tu seras pendue ! » lança la Parisienne en crachant sur la voiture royale.

La souveraine éclata en sanglots devant son époux et ses deux enfants. Trop d'événements venaient de se produire et elle ne pouvait plus cacher sa tristesse. Humiliée, l'Étrangère se cacha le visage derrière ses mains pour échapper aux regards de sa famille.

« Ma douce, rien ne nous arrivera… je vous donne ma parole ! » promis Louis XVI, confiant en l'avenir.

Le cortège s'arrêta enfin devant la mairie provisoire de la capitale française. Sur place, les parlementaires attendaient avec impatience le roi. Le couple royal descendit du véhicule, main dans la main, et marcha jusqu'à l'intérieur de l'imposant bâtiment en pierre. Quelques centaines d'hommes, portant les couleurs bleu et rouge, se tenaient debout le long des murs de la pièce.

Le président de l'Assemblée nationale escorta le souverain et son épouse jusqu'au fauteuil situé au fond de la salle. Sans trop savoir à quoi s'attendre, le descendant de Clovis suivit le politicien. Il s'avança, anxieux, devant un parterre d'inconnus et d'opposants à la royauté.

« Votre Majesté, votre siège ! » dit l'hôte en pointant du doigt l'objet.

Quant à la reine, une place sur une petite chaise rembourrée lui fut présentée. Le monarque, assis sur le fauteuil prestigieux, écouta les paroles de plusieurs parlementaires. Tous crièrent des mots incompréhensibles dans le vacarme qui régnait dans l'immense bâtiment.

« Nous sommes ici aujourd'hui pour entériner des lois cruciales pour l'avenir de la France », dit en préambule un jeune intellectuel.

À ces mots, les gens rassemblés dans la salle se sont tus.

Au même instant, un homme vêtu de noir déposa une pile de documents devant Louis XVI. En regardant rapidement du coin de l'œil les dossiers, le souverain venait de comprendre la raison de sa présence. Ses opposants avaient décidé de lui faire signer les décrets votés ces dernières semaines. Par sa signature, le fils des Bourbon légitimerait le pouvoir, presque absolu, de l'Assemblée nationale, laquelle devenait l'instance politique suprême de la nation. Lorsque le geste historique devint réalité, la famille royale fut transférée au palais des Tuileries, dans les limites de Paris.

Le roi, la reine, Madame Royale et le dauphin s'installèrent dans une aile du palais. Moins somptueux que le château de Versailles, et sans aucun doute moins confortable, l'édifice n'avait rien pour réconforter Marie-Antoinette.

« Voici notre prison ! » s'exclama la souveraine en arrivant sur les lieux.

Le gouvernement provisoire français avait décidé de loger la famille royale, contre son gré, dans la capitale. Par cette décision unilatérale, les révolutionnaires voulaient s'assurer de contrôler les déplacements du monarque. Ils craignaient que ce dernier puisse lever une armée ou qu'il parvienne à sortir du royaume dans le but de s'exiler à l'étranger. Les opposants à la royauté avaient fourni une dizaine de domestiques au roi. Habituée à quelques centaines de serviteurs, Louis XVI et l'Autrichienne devaient maintenant composer avec un personnel on ne peut plus restreint.

Lorsque la fille des Habsbourg, incertaine de ses pas, pénétra à l'intérieur du palais des Tuileries, elle versa une larme. Celle qui était née au château de Schönbrunn et qui avait vécu les dix-neuf dernières années dans le plus majestueux domaine d'Europe se retrouvait confinée dans une quinzaine de pièces mal décorées et terriblement étroites. Qu'avait-elle fait au Seigneur pour mériter un tel sort ?

« Louis, est-il possible de vivre dans un tel endroit ? » demanda l'épouse royale.

« Ce n'est que temporaire… », dit l'homme pour l'encourager.

« Vraiment ? Vous dites ces paroles depuis le début de l'agitation populaire. Pourtant, rien ne s'améliore », commenta la reine, confuse devant l'enchaînement des événements.

Pendant quatre jours, Louis XVI et Marie-Antoinette attendirent avec inquiétude la suite de leur mésaventure. Aucun messager n'avait été mandaté pour informer le monarque de sa situation. Le couple royal passa ses ennuyantes journées à jouer aux cartes et à se remémorer des souvenirs d'un passé pas si lointain. Les prisonniers étaient sans cesse espionnés par des gardes au service des révolutionnaires. Le souverain et son épouse ne pouvaient échanger des secrets, car ils risquaient de se voir accusés d'avoir dit des paroles inacceptables aux yeux de leurs ennemis.

« Votre Majesté, vous souvenez-vous de notre première rencontre ? » interrogea l'Autrichienne en regardant par l'une des fenêtres barricadées.

« Comment oublier la plus belle journée de ma vie ? Vous étiez si timide et tellement magnifique à regarder. Je vous avais vue sur un médaillon, mais lorsque mes yeux croisèrent les vôtres, je compris aussitôt que mon cœur vous appartiendrait pour toujours », expliqua le Français avec une franchise inébranlable.

« J'étais si jeune... si naïve. Comment aurais-je pu penser un instant que mon avenir se terminerait ainsi », ajouta-t-elle en tremblant des lèvres.

« Ne baissez pas les bras. Rien n'est joué encore et tout peut changer », la rassura Louis XVI.

La fille des Habsbourg tourna brusquement la tête et fixa le souverain.

« Comment pouvez-vous encore croire que vous retournerez au château de Versailles ? Écoutez-moi, jamais nous reverrons les jardins que nous apprécions tant. Nous finirons nos vies, ici, enfermés entre ces murs », s'écria la reine en regardant la pièce où ils se tenaient.

Le matin du 10 octobre, un homme au physique défiguré par la maladie se présenta au palais des Tuileries. Il venait avertir le monarque que l'Assemblée nationale sollicitait d'urgence sa participation à une cérémonie officielle en journée. Ce n'était pas une invitation, mais bien un ordre formel.

« De quel événement est-il question ? » s'informa le fils des Bourbon.

« Votre Majesté, il m'est impossible de vous donner davantage de renseignements », répliqua l'individu sans montrer d'émotions.

Le représentant du gouvernement provisoire français retourna aussitôt vers son lieu d'origine. Au moment de sa courte visite, il ne manifesta que très peu de considération pour le souverain et son épouse. À dire vrai, il ne prit même pas la peine de regarder la reine.

« Quelle humiliation devrez-vous à nouveau subir ? Cesseront-ils de vous manquer de respect ? » fulmina Marie-Antoinette en tournant en rond dans la pièce mal ensoleillée.

Comme l'avait exigé le président de l'Assemblée nationale, Louis XVI et la reine arrivèrent devant le bâtiment en après-midi. Timides, ils y entrèrent et furent accueillis par le marquis de La Fayette. Une foule immense les y attendait pour débuter la cérémonie officielle.

« Vos Majestés, veuillez prendre place près de vos fauteuils respectifs », déclara-t-il sans même les regarder.

Les deux têtes couronnées exécutèrent machinalement la demande du politicien. Le roi resta debout, alors que l'Autrichienne s'enfonça dans son siège. La salle était aussi bondée que lors de la dernière visite du couple royal. Un détail visuel cependant attira la curiosité de Marie-Antoinette : une table avait été placée au milieu de la pièce, sur laquelle on avait déposé un ruban aux couleurs des révolutionnaires.

« Votre Majesté, nous vous avons convoqué pour vous annoncer des changements irréversibles concernant votre rôle dans le royaume de France », s'exclama le président en se grattant le bout du nez.

Inquiète en ce qui avait trait à la suite des événements, l'Étrangère attendait nerveusement le déroulement de la rencontre. Qu'allait il advenir d'eux après avoir vécu jusqu'à maintenant les pires moments de leur vie ? S'ils perdaient une partie importante de leurs prérogatives royales, son époux et elle ne dirigeraient plus rien ni personne.

« Les parlementaires réunis aujourd'hui ont voté en faveur d'un nouveau mode de promulgation des lois régissant la nation et l'État », poursuivit l'homme sur une note solennelle.

Il avait été délibérément décidé que la formule adoptée serait : « Louis, par la grâce de Dieu et la Loi constitutionnelle de l'État, roi des Français. » Une telle humiliation n'avait jamais été faite à un descendant d'un des premiers monarques chrétiens d'Europe.

En entendant les paroles du révolutionnaire, la fille des Habsbourg crut s'évanouir sur son fauteuil tant son cœur ne pouvait résister à une insulte de ce genre. Son époux, sacré en la cathédrale de Reims par la sainte ampoule, avait été réduit au simple titre de « roi des Français ». Cette désignation signifiait que, dès cet instant, Louis XVI n'était désormais que le chef de la nation, et non plus du pays. Jamais en Europe un souverain n'avait perdu autant de pouvoir en si peu de temps. Marie-Antoinette regarda le dirigeant de la famille royale et ressentit une grande tristesse pour lui. Comment avait-il ressenti ce terrible affront ? Était-il satisfait ou déçu ? L'épouse aurait tant désiré le serrer dans ses bras pour lui exprimer son soutien indéfectible.

Le marquis de La Fayette déposa le papier stipulant le changement de pouvoir devant les yeux de Louis XVI, comme pour lui signifier les mots exacts qu'il venait d'entendre. Le fils des Bourbon ne montra aucun signe de faiblesse sur son visage ni dans son attitude. Sa dignité était la seule chose qui lui restait. L'homme défait n'avait pas l'intention de la perdre.

« Vive la nation ! » crièrent à l'unisson les politiciens réunis.

Sur le chemin du retour, un lourd silence régnait à l'intérieur du véhicule. Ni le roi ni la reine ne s'adressèrent la parole. Le couple royal, sans en avoir discuté, savait pertinemment que la Couronne ne se relèverait jamais de cette journée catastrophique.

Marie-Antoinette regarda un long moment par le châssis. Était-ce de sa faute ? Avait-elle ruiné le trône de son fils par ses erreurs répétées ?

« Louis, nous devons quitter la capitale », murmura-t-elle.

« Que me dites-vous là ? Cessez cette folie ! » ordonna son époux.

« Sire, je suis sérieuse ! Nous devons fuir pendant que nous sommes toujours en vie », poursuivit l'Étrangère.

« Où irons-nous ? » interrogea le souverain sur un ton ironique.

« À Vienne ou en Espagne. Nos familles règnent en ces lieux », lui proposa-t-elle.

Louis XVI entra dans un mutisme total. Il devait songer à sauver ses enfants sans détruire les minces privilèges qui lui restaient. Si le roi partait en dehors des frontières du royaume, ses opposants en profiteraient pour s'approprier les pleins pouvoirs de l'État. Il pencha la tête vers l'avant et implora le Tout-Puissant de le guider dans sa réflexion.

Pendant de longues semaines, la famille royale demeura prisonnière dans ses appartements, au palais des Tuileries. Rares sont les visites qui furent autorisées, surtout celles de sympathisants envers la cause des royalistes. N'ayant aucune possibilité de sortir des limites de la résidence, le fils des Bourbon passa ses journées ennuyantes à élaborer des projets pour l'avenir du royaume. Des intentions qui ne pourraient jamais se concrétiser compte tenu de la situation politique actuelle.

« Louis, vous êtes ridicule ! Pensez plutôt à me préparer une évasion vers l'étranger », disait en colère l'Autrichienne.

Pendant son incarcération, la reine avait souvent des pensées pour le comte de Fersen. Son amoureux, qu'elle n'avait pas serré contre elle depuis fort longtemps, lui manquait cruellement. Où était-il ? Pensait-il au moins à elle ? Marie-Antoinette aurait tout sacrifié si Hans Axel de Fersen avait été le père de ses enfants. Non pas qu'elle ne ressentait aucun sentiment pour Louis XVI, mais bien parce qu'elle se tourmentait pour l'avenir de sa progéniture. Au point où la royauté en était réduite, son rang de reine n'avait plus vraiment d'intérêt à ses yeux.

Pendant que la fille des Habsbourg s'inquiétait du sort du Suédois, ce dernier s'acharnait à revoir son amoureuse. Il avait essayé, sans résultat, de se faufiler à la mairie provisoire de Paris pour se retrouver près d'elle. À chaque occasion qui se présentait, un obstacle de taille l'empêchait d'approcher la souveraine. On lui refusa même catégoriquement de la voir, ne serait-ce qu'un bref instant. Persévérant et entiché de l'Autrichienne, il n'allait pas s'avouer vaincu aussi facilement.

En janvier 1790, le Scandinave voyageait constamment entre la Suède, l'Autriche et la France. Il souhaitait monter une armée pour délivrer le couple royal des griffes des révolutionnaires. En colère contre les opposants de la royauté, l'empereur Joseph II entreprit d'envahir le royaume de son beau-frère. Par ce geste, il voulait renverser les ennemis de la Couronne et réinstaller Louis XVI sur son trône royal. Le risque était grand, mais plusieurs raisons le poussaient à agir de la sorte. Entre têtes couronnées, il était indispensable de contenir l'agitation française afin qu'elle n'atteigne pas toute l'Europe. Sur le plan personnel, Marie-Antoinette était sa sœur. Ses liens de sang l'obligeaient à prendre part à cette situation dramatique. Le chef des Habsbourg s'inquiétait beaucoup de l'opinion des autres souverains à son égard. À leurs yeux, il était de son devoir d'intervenir pour aider la reine de France. Il décida donc de collaborer avec le noble suédois et les partisans du fils des Bourbon. Tout semblait s'orienter vers une réussite, mais un malheur frappa Joseph II. L'Autrichien perdit la vie à la fin de février et emporta avec lui tous les espoirs du comte de Fersen. Sans les ressources financières et la force militaire viennoises, l'amant de l'Étrangère ne pouvait remporter la bataille.

Lors de la fête de la Fédération, le 14 juillet, le monarque, devant près de 300 000 Parisiens, prêta serment d'allégeance à la nation, à la loi et à son rôle constitutionnel. Une humiliation n'attendait pas l'autre lors de ces jours difficiles. Chaque semaine, il voyait son titre lui échapper des mains. Aucune décision n'était prise par Louis XVI et aucune liberté de circulation ne lui était permise. Les révolutionnaires, détenant la majorité des pouvoirs sur le territoire français, s'affairaient à effacer toutes les effigies faisant référence à la Couronne. Comme ce fut le cas en octobre lorsque l'Assemblée nationale remplaça l'étendard royal par le nouveau drapeau officiel de la France. Le bleu, le rouge et le blanc étaient maintenant les couleurs du royaume, ou de ce qui restait d'un royaume.

Décidée à prendre la fuite du palais des Tuileries, Marie-Antoinette planifiait avec soin un plan d'évasion. Elle avait réussi à convaincre une servante de jouer au messager pour que sa correspondance arrive à bon port. Dans la plus grande discrétion, la reine rédigeait des lettres codées au comte de Fersen. Les premières communications ne parvinrent pas à destination, et la fille des Habsbourg commença à craindre que ses billets furent remis entre les mains de ses ennemis. Finalement, elle reçut une réponse de son amant quelques jours avant la fin de l'année. Il était question de prendre la route vers Bruxelles, en territoire du frère de l'Étrangère. Les possessions territoriales de l'Empire autrichien s'étendaient jusqu'à cet endroit. Dans son projet, elle ne pouvait en aucun cas compter sur l'aide armée de Léopold II. Malgré le lien de sang fraternel qui les unissait, le nouveau souverain prônait davantage l'acceptation du rôle restreint du roi qu'imposaient les révolutionnaires. Selon lui, la royauté française en sortirait plus forte et amplement gagnante. L'épouse de Louis XVI ne voyait absolument pas les choses du même œil que son frère. Elle ne pouvait pas demander l'intervention du comte de

Mercy-Argenteau, car ce dernier avait été muté aux Pays-Bas.

Au début du printemps de 1791, le marquis de La Fayette se rendit au palais des Tuileries pour discuter avec la reine. Il ordonna aux gardes de laisser la reine déchue l'accompagner dans les jardins. Vêtue d'une robe moins élégante que celles qu'elle portait autrefois, Marie-Antoinette se promena avec le politicien. Cette sortie à l'extérieur lui fut agréable, mais la discussion avec l'homme le fut beaucoup moins.

« Madame, depuis combien d'années êtes-vous mariée au roi ? »

« Depuis vingt ans maintenant », répondit l'Étrangère du tac au tac.

« Aimez-vous Sa Majesté ? » demanda l'homme.

« Absolument ! Pourquoi une telle question ? » interrogea-t-elle sur un ton insulté.

« Que souhaitez-vous pour vos enfants ? Pour votre fils... et votre fille ! » s'enquit Gilbert de Motier.

« Je ne sais pas où vous voulez en venir. Mais j'aime mon époux ainsi que ma famille », déclara l'Autrichienne.

« Si vous aviez la chance de divorcer de Louis de Bourbon, vous pourriez quitter la France librement et amener le dauphin et Madame Royale avec vous », proposa le marquis de La Fayette.

« Écoutez-moi ! Jamais je ne ferai une chose aussi abominable. Sa Majesté est le père de mes enfants et, qui plus est, votre souverain », lança la fille des Habsbourg en provoquant du regard son interlocuteur.

« Faites à votre guise ! » dit ce dernier en quittant les lieux.

Quelques semaines plus tard, Louis XVI finit par s'avouer que son trône n'était plus qu'illusion. Constatant la situation dans laquelle se trouvaient les membres de sa famille, il prit une décision radicale. Devant l'inévitable, il dut réagir sans plus tarder. Après mûre réflexion, le monarque discuta sérieusement avec Marie-Antoinette au sujet d'une possible issue pour eux.

« Ma douce, nous devons nous évader de notre prison. Toute cette comédie n'a aucun sens, ni pour nous ni pour la France », déclara le fils des Bourbon.

« Vous avez raison ! » affirma-t-elle.

« Laissez-moi trouver une solution pour nous échapper d'ici », dit-il.

« Votre Majesté, vous m'aviez fait savoir que vous ne vouliez pas fuir. Alors je ne vous ai jamais reparlé de mes projets d'évasion », s'exclama la reine en chuchotant.

« Avez-vous réussi à communiquer avec nos alliés ? » demanda le souverain.

« Absolument ! Le comte de Fersen a préparé un plan simple mais efficace », annonça l'Étrangère.

Lorsque Louis XVI entendit le nom de l'amant de son épouse, il ressentit une peine l'envahir. Malgré toutes les épreuves que l'Autrichienne avait vécues, elle n'avait jamais oublié le Suédois. Était-ce une idée si géniale que de quitter la France ? Une fois de l'autre côté de la frontière, celle pour qui son cœur battait depuis deux décennies allait-elle se jeter dans les bras de son rival ? Le moment était trop crucial pour nourrir de telles pensées de jalousie. Le fils des Bourbon chassa ses inquiétudes et se concentra sur les explications de Marie-Antoinette.

« À la mi-juin, quelques hommes armés viendront nous chercher dans la capitale. Ils attendront la nuit et entreront par différentes issues. Avec l'aide de notre servante espionne, nous sortirons du palais sans difficulté. Dehors, un carrosse sera prêt pour nous recevoir », décrivit en détail l'Étrangère.

« Pour la route, nous aurons besoin de nourriture et d'eau », intervint le souverain.

« Hans Axel de Fersen organisera le projet. N'ayez crainte ! » rassura la fille des Habsbourg.

Tel qu'il a été prévu, au début de l'été, alors que la journée commençait à peine, les partisans du couple royal se présentèrent sur les lieux. Pour réaliser ce tour de force, le Scandinave s'était entouré d'une poignée de soldats. S'ils n'étaient pas très nombreux, ils étaient néanmoins courageux et valeureux. Ils pénétrèrent sans problème à l'intérieur du palais des Tuileries. Les royalistes tuèrent les gardes et délivrèrent la famille royale. Avec la complicité d'une servante, le roi, la reine et leurs enfants s'enfuirent de l'endroit.

« Vos Majestés doivent demeurées vigilantes. Les routes sont incertaines et dangereuses », expliqua le comte de Fersen.

Cachés derrière un léger rideau noir, les souverains tremblaient à l'idée d'être interceptés par des révolutionnaires. Si cela devait se produire, ceux-ci n'allaient sûrement pas leur rendre la vie facile. Ils sortirent finalement de Paris sans complications. Ils étaient loin d'être au bout de l'itinéraire qui les mènerait vers la liberté, la route étant encore très longue avant de crier victoire. Mais ils avaient franchi l'étape la plus périlleuse de l'aventure, se félicitait Hans Axel de Fersen. À l'extérieur de la capitale, les embuscades étaient, en effet, plus rares.

« Mère, allons-nous au château de Versailles ? » demanda la princesse Marie-Thérèse.

« Non, mon enfant. Nous devons nous rendre dans un endroit hors du royaume », expliqua en douceur Marie-Antoinette à sa fille.

« Madame Royale, un jour nous retournerons à notre résidence. Pour l'instant, nous devons rester silencieux pour ne pas attirer l'attention de nos ennemis », ajouta Louis XVI pour sa part.

Roulant depuis un certain temps, le monarque, ennuyé par le trajet, ouvrit le rideau de sa fenêtre. Il regarda par le châssis et admira les paysages qui défilaient devant ses yeux. Tout semblait si tranquille, presque inerte. Devant ce calme, un sentiment de sécurité s'empara de l'homme.

« Madame, regardez autour de vous. Le royaume semble si serein », dit le souverain.

Marie-Antoinette déplaça délicatement le rideau et constata la quiétude des lieux. Cette zone semblait ne pas avoir été touchée par le courant révolutionnaire. Depuis leur départ, c'était la première fois qu'elle n'était pas envahie par la peur.

« Votre Majesté a raison », répondit l'Étrangère.

Après avoir roulé une partie de la journée, le véhicule et ses soldats arrivèrent enfin au premier relais où devait les attendre une troupe armée. En raison du retard considérable de la famille royale, les hommes s'étaient impatientés et avaient quitté Pont-de-Somme-Vesle depuis une heure déjà. Devant ce changement inattendu, le couple royal poursuivit sa route sans cette escorte jusqu'à l'arrêt suivant, à Sainte-Menehould. Arrivé dans le petit village, le véhicule commença à ralentir sa cadence.

« Pourquoi n'avançons-nous plus à vive allure ? » demanda Louis XVI la tête hors de la portière.

« Sire ! Ne vous montrez surtout pas ! » s'écria le Suédois.

L'imprudence du monarque prit une grande ampleur. Même si le haut de son corps ne fut à l'extérieur du carrosse que l'espace d'un instant, le maître de poste de l'endroit put identifier le visage du roi. La nouvelle fit le tour de la région aussi vite que l'éclair. Avertie par la rumeur, une foule de Français attendait dans les rues de la commune voisine. Lorsque le cortège arriva à Varennes-en-Argonne, il était trop tard pour passer incognito. Le rêve de fuir vers l'étranger venait de s'écrouler ainsi que toute chance de liberté.

« Votre Majesté, que devons-nous faire ? » demanda la reine.

« Ma chère, il ne nous reste plus qu'à saluer nos sujets », répondit candidement le souverain.

Tant le fils des Bourbon que son épouse savaient que leur dernier espoir venait de s'effondrer. Ils ne pourraient plus sortir de France. Après cette tentative d'évasion ratée, les révolutionnaires n'allaient pas rester sans sévir. Déjà emprisonnés comme des bêtes, ils paieraient cher les conséquences de leur geste.

« Sortez de votre carrosse ! » ordonna une voix masculine.

Aussitôt, Louis XVI et Marie-Antoinette descendirent du véhicule. Les enfants demeurèrent à l'intérieur, assis sur leur siège. Une chaleur suffocante rendait l'air presque irrespirable. Une centaine de gens, curieux de la présence des célèbres fuyards, entouraient le couple royal.

« Louis de Bourbon, vous avez commis une grave erreur en essayant de quitter la France », lança un soldat sur un ton acrimonieux.

Dès cet instant, le roi et la famille royale furent escortés par un peloton de cavaliers jusqu'à Paris, où les attendaient les opposants à la royauté. Un climat de terreur s'était installé autour d'eux. Les gens, par centaines, scandaient des mots sinistres aux souverains.

« À mort le roi ! Pendons l'Autrichienne ! » hurlaient les manifestants.

Les prisonniers furent rapidement ramenés au palais des Tuileries. La garde fut doublée et les servantes limitées à cinq. Le marquis de La Fayette fut nommé responsable du lieu d'incarcération des Bourbon. Son rôle, majeur vu les circonstances, était de s'assurer qu'aucune autre évasion vers l'étranger ne puisse se reproduire. Il avait la ferme intention de ne pas laisser s'échapper les têtes couronnées.

S'étant faufilé hors de la foule lors de l'arrestation du couple royal, Hans Axel de Fersen retourna en Suède. Il avait quitté la France en toute hâte et s'était dirigé vers son pays. Il ne voulait pas être capturé, non pas par crainte de la suite des événements, mais plutôt pour être utile aux prisonniers. En liberté, le Scandinave pouvait mieux aider la cause de la royauté.

Après l'échec monumental du 20 juin, la souveraine écrivit un court message à celui qui fut à la tête de leur fuite ratée. Elle tenait à informer son amant de leur nouvelle situation. Dans sa lettre, la reine ne relatait pas les faits de la vraie manière, car elle ne voulait pas l'alarmer.

Cher ami,

Rassurez-vous, nous vivons. Les chefs de l'Assemblée nationale ont l'air de vouloir se montrer doux à notre égard. Parlez à mes parents de démarches du dehors des frontières de la France. S'ils ont peur, il faut composer suivant leur crainte.

Marie-Antoinette

Se voyant refuser toute visite, aussi brève fut-elle, Marie-Antoinette passa ses interminables journées à écrire à ses proches, ne sachant s'ils recevraient un jour ses messages. Dans l'un d'eux, qu'elle adressa au comte de Fersen, elle expliqua l'attitude du souverain face à leur condition.

Monsieur le comte,

Le roi pense que l'étroite prison où il est retenu et l'état de dégradation totale dans lequel se trouve la royauté, l'Assemblée nationale ne lui laissant plus faire aucun acte quelconque, sont assez connus des puissances étrangères pour qu'il soit nécessaire ici d'expliquer tout cela.

Sa Majesté pense également que c'est par la voie des négociations seule que leur secours pourrait être utile, à lui et à son royaume. Que le recours à la force ne doit être que secondaire, si l'on se refusait ici à toute forme de négociations.

Le souverain pense aussi que la force une fois utilisée, même après une première déclaration, serait un danger incalculable, non seulement pour sa personne et la famille royale, mais même pour tous les Français qui, à l'intérieur du royaume, ne pensent pas dans le sens des révolutionnaires.

Le roi pense qu'en s'accordant un plein pouvoir illimité tel qu'il est composé, même en le datant du 20 juin 1789, serait dangereux pour lui, compte tenu de l'état dans lequel il se trouve. Il est impossible qu'il ne fût pas communiqué, et tous les cabinets ne sont pas également secrets.

Votre amie,

Marie-Antoinette

La correspondance de l'Autrichienne, même avec son amoureux, devint moins intime, non pas par manque de respect envers ses alliés, mais davantage pour se protéger contre les révolutionnaires qui pouvaient tomber en tout temps sur ses lettres. Les temps étaient devenus beaucoup plus dangereux pour la famille royale et ses alliés.

Le Suédois essaya d'organiser une nouvelle évasion pour le roi. Il ne voulait pas baisser les bras, encore moins abandonner celle qu'il aimait avec passion. Le Scandinave travailla avec acharnement auprès des têtes couronnées européennes pour les convaincre de venir au secours des souverains français. La tâche était difficile, car jamais une révolution n'avait anéanti la monarchie dans un pays. Il n'existait aucun précédent dans l'histoire sur lequel se fonder pour la suite des événements.

Dans un message envoyé le 10 octobre, le comte de Fersen décrivit la situation dans laquelle se trouvaient les autres alliés.

Madame,

Je vous plains d'avoir été forcés de sanctionner les actes de vos ennemis, mais je sens votre position, elle est si affreuse, et il n'y avait pas d'autre parti. J'ai par ailleurs la consolation que quelques gens raisonnables sont du même avis que vous, mais qu'allez-vous faire, tout espoir est-il perdu ? S'il en reste, ne vous laissez pas abattre, et, si vous voulez être aidée, j'espère qu'on pourra le faire. Mais, pour cela, il faudrait savoir vos désirs et vos projets, afin de modérer ou d'exciter la bonne volonté du roi de Suède et des autres puissances, car, dans tous les cas, les princes doivent n'être qu'une aide auxiliaire. Les souverains de Prusse, de Naples, de Sardaigne et d'Espagne sont fort bien, surtout les trois premiers. La Suède se sacrifiera pour vous. L'Angle-terre a assuré l'Europe de sa neutralité. L'empereur est le moins disposé à intervenir, il est faible et indiscret. Il promet tout, mais son ministère, qui craint de se compromettre et qui voudrait éviter de s'en mêler, le retient surtout de prendre part aux discussions. De là la contradiction que vous avez vue dans ses lettres et ce qu'il faisait. J'y ai été envoyé par le roi avec des pouvoirs illimités pour proposer et approuver tout ce qui pourrait vous servir.

Voici quelques questions auxquelles il serait néces-saire de répondre ; pour que cela soit moins long, je les ai numérotées. Vous pourrez indiquer par un, deux et trois celles que vous priorisez.

1. Comptez-vous sincèrement combattre la révolution et croyez-vous qu'il n'y a aucun autre moyen d'agir ?

2. Voulez-vous qu'on vous aide ou voulez vous qu'on cesse toute négociation avec les cours d'Europe ?

3. Avez-vous un plan et quel est-il ?

Pardonnez-moi toutes ces questions, je me flatte que vous n'y verrez que mon désir de vous servir et une preuve d'attachement et de dévouement sans bornes.

Votre fidèle ami,

Hans Axel de Fersen

La reine, grâce à l'aide de partisans de la royauté, réussissait à recevoir la correspondance de certains de ses proches, dont le Suédois. Quelques-unes de ses lettres étaient malheureusement interceptées et lues par les révolutionnaires avant de lui être réacheminées. Consciente de l'intrusion de ces derniers dans ses échanges écrits, elle demeurait très abstraite dans ses mots.

Plus le temps avançait, plus le monarque se rendait à l'évidence que personne ne viendrait lui porter secours. Il ne pouvait compter que sur sa personne et sur son épouse. Louis XVI n'avait plus aucun pouvoir et n'était même plus maître de sa propre vie. L'Assemblée nationale, qui changea de nom pour celui d'Assemblée législative, gérait toutes les affaires du royaume. Les parlementaires contrôlaient les dossiers économique, militaire et financier. Quant à l'Église catholique, elle n'avait plus le faste d'autrefois. Les cardinaux, en majorité loyaux envers le roi, devaient de manière continue se cacher dans leurs palais épiscopaux. Autant la religion était de mèche avec le royaume dans l'Ancien Régime, autant elle était rejetée sous la gouverne des opposants. La France que Marie-Antoinette connue en 1770 n'était plus aujourd'hui que l'ombre d'elle-même.

Le 10 août 1792, presque trois ans après le début de la Révolution française, la chute de la royauté atteignit son apogée. Lors d'un soulèvement populaire, les Parisiens se ruèrent sur le palais des Tuileries. Ils pénétrèrent à l'intérieur et assassinèrent la totalité des gardes. Assis autour d'une table, Louis XVI et sa famille mangeaient calmement.

Alertée par le vacarme, l'Autrichienne se leva brusquement de sa chaise.

« Votre Majesté, ils sont venus nous tuer ! » cria-t-elle.

Le monarque, souffrant d'embonpoint, accourut avec ses enfants pour s'évader des lieux. Des cris affreux se firent entendre aux quatre coins du bâtiment. Les servantes furent poignardées à mort. Les planchers étaient recouverts de sang et de cadavres. Madame Royale, dans sa fuite, glissa sur une flaque de liquide rouge. Constatant la maladresse de cette dernière, Marie-Antoinette revint sur ses pas et aida sa fille à se relever.

« Ma chérie, venez avec moi ! » hurla Louis XVI dans le cadre d'une porte.

La reine, énervée, se précipita avec Marie-Thérèse vers son époux. Derrière elles, deux hommes armés couraient en leur direction. Les deux membres de la famille royale eurent juste le temps d'entrer dans la pièce où se tenaient le souverain et son fils. Un coup de feu retentit dans le couloir et une balle alla se loger dans la porte en bois. Les prisonnières échappèrent par miracle à l'attentat contre leur personne.

« Louis, où allons-nous nous cacher ? » demanda, essoufflée, l'Étrangère.

Le Français regarda autour de lui. Rien ne pouvait permettre à sa famille de se réfugier dans un lieu adéquat. Soudain, il remarqua une fenêtre fracassée.

316

Le roi s'en approcha et regarda à l'extérieur du palais. Dans la cour, il vit des chevaux attelés à un carrosse. La manœuvre pour s'y rendre semblait risquée, mais aucune autre issue n'était possible.

« Madame, nous devons sortir d'ici », s'exclama le descendant de Clovis en pointant du doigt le véhicule.

« Êtes-vous fou ! Nous allons nous casser le cou », répliqua énergiquement la femme.

« Ma douce, voyez-vous une autre solution ? » lança-t-il.

Sachant qu'il n'y avait aucun autre moyen sécuritaire pour eux, l'Autrichienne suivit l'idée de son époux. Le roi sortit le premier. Il fut suivi du dauphin. Hésitante, Madame Royale courut derrière eux. Lorsque les enfants pénétrèrent à l'intérieur de la voiture, Marie-Antoinette rejoignit le monarque aussitôt.

« Madame, prenez place auprès d'eux. Je vais m'occuper des chevaux », ordonna Louis XVI.

Le souverain prit le contrôle du véhicule et fit avancer les animaux par un coup de fouet. La famille royale sortit finalement de la cour du palais des Tuileries. Assise sur le banc, la mère remarqua les taches rouges sur le vêtement de sa fille. Un malaise lui traversa le corps à la vue de cette couleur maudite. L'homme dirigea le carrosse vers l'édifice où se tenait l'Assemblée législative. Arrivés sur les lieux, le roi et les siens entrèrent en toute hâte dans le bâtiment. Lorsque le souverain ouvrit les portes de la salle où se déroulaient les débats des parlementaires, le président cessa aussitôt les délibérations.

« Que se passe-t-il ? » interrogea à voix haute le politicien.

Louis XVI s'avança jusqu'au fauteuil de l'orateur et prit la parole.

« Des assassins sont venus attaquer le palais des Tuileries. Ma famille et moi sommes en danger », s'exclama le monarque.

Dès qu'il entendit les propos du fils des Bourbon, le marquis de La Fayette se leva au milieu des députés. Ce que les victimes ne savaient pas, c'était que le noble avait lui-même ordonné ce massacre. Il était le maître d'œuvre de cette tuerie et de la plupart des malheurs des sympathisants de la royauté.

« Monsieur le président, nous devons suspendre l'Assemblée législative », proposa-t-il.

Tous regardèrent le politicien interpellé et attendirent sa réponse.

« Je déclare la suspension provisoire ! » dit-il.

Aussitôt, Gilbert de Motier reconduisit la famille royale jusqu'à la prison du Temple. L'endroit n'avait rien de convivial pour quiconque, encore moins

318

pour des têtes couronnées. Une odeur de mort flottait dans l'air et des traces de moisissure se voyaient sur la partie basse des murs de pierre. Le marquis de La Fayette ordonna l'emprisonnement du roi dans une cellule et les autres dans une pièce distincte. Sa décision donna lieu à une véritable scène déchirante.

« Non ! » s'écria l'héritier du trône.

« Vous n'avez pas le droit ! » lança la reine en se jeta sur le politicien.

Deux hommes armés séparèrent Marie-Antoinette du représentant de l'Assemblée législative. Ils l'amenèrent – ainsi que ses enfants – dans une aile plus éloignée. Par ce geste délibéré, les opposants à la royauté avaient comme objectif de détruire les liens qui unissaient la famille royale.

« Lâchez Sa Majesté ! » fulmina Louis XVI.

« Monsieur, il n'y a plus de royauté, donc plus de reine », annonça Gilbert de Motier en grinçant des dents.

Le souverain, estomaqué par les paroles du député, ne comprit pas le sens de la phrase. S'il était toujours vivant ainsi que son fils, alors la Couronne existait encore. Ce que le monarque ignorait, c'était que pendant le transfert de la famille royale vers la prison du Temple le président avait rouvert les délibérations parlementaires. D'une forte majorité, la suspension de Louis XVI comme roi des Français fut voté. En d'autres termes, Louis XVI avait été unilatéralement chassé de son trône par les révolutionnaires.

Enfermée dans une cellule insalubre, l'Autrichienne essayait de réconforter ses enfants. Dans la pièce étroite, deux lits de fortune, un bassinet ainsi qu'une table et deux chaises meublaient l'endroit. Seule une petite fenêtre mal lavée permettait à la lumière du jour d'éclairer les lieux. Elle n'avait jamais vu un lieu aussi malpropre.

« Mère, pourquoi ces hommes sont-ils si méchants avec nous ? » demanda Louis-Charles en pleurant.

« Mon petit, il ne faut pas verser de larmes. Sa Majesté nous reviendra bientôt », rassura l'Étrangère sans être sûre d'elle.

Le mois suivant, le peuple massacra une majorité des partisans de la royauté. La capitale fut mise à feu et à sang. Les révolutionnaires entrèrent dans les résidences de la noblesse et massacrèrent des familles entières. Des biens furent volés et des femmes de l'ancienne Cour royale, violées. L'une des plus célèbres confidentes de la reine, Marie-Thérèse Louise de Savoie-Carignan, fut assassinée sauvagement par un petit groupe d'hommes armés. Ces derniers égorgèrent la princesse de Lamballe de sang-froid et la démembrèrent en petits morceaux. Ils abandonnèrent des parties du corps dans une ruelle et accrochèrent sa tête sur une pique. Les meurtriers se promenèrent dans Paris en brandissant leur trophée.

« À mort l'Autrichienne ! » hurlaient les opposants à la royauté.

Dans un élan de méchanceté sans bornes, ils se ruèrent vers la prison du Temple. Les individus se postèrent sous la fenêtre de la cellule de Marie-Antoinette et crièrent son nom sans relâche. Curieuse, Madame Royale regarda entre les barreaux et reconnut immédiatement le visage ensanglanté de l'amie de sa mère. Un frisson de terreur traversa le corps de la gamine.

« Princesse ! » cria de toutes ses forces la fille de la reine.

Sans réfléchir un seul instant, l'Étrangère bondit vers son enfant pour la serrer contre elle. Se trouvant par le fait même près de la fenêtre, ses yeux versèrent des larmes lorsqu'elle identifia la tête de la victime. Une extrême tristesse s'empara d'elle. Celle qui avait partagé les joies et les peines de la souveraine venait de périr sous la rage des révolutionnaires.

« Je vous hais ! » laissa échapper Marie-Antoinette.

Le bruit de la foule étouffa les paroles de la prisonnière et aucun opposant ne prêta attention à sa réaction.

Une semaine après ces agitations meurtrières, l'Assemblée législative mit sur pied une convention nationale. L'instance décisionnelle vota à l'unanimité l'abolition formelle de la royauté en France.

Dès lors, la proclamation de la République française fut annoncée. Par ce changement historique, Louis XVI perdit la totalité de ses titres, de ses biens et de ses privilèges. Les membres de la famille royale qui vivaient à l'étranger furent interdits de séjour en sol français. Humiliation ultime, l'ancien roi fut rebaptisé Louis Capet par les révolutionnaires, en référence à l'un des premiers monarques du royaume. Plus aucun respect n'était accordé aux symboles de la royauté, ce qui incluait surtout le roi et la reine.

Devenu un simple citoyen, le prisonnier du Temple attendait avec impatience la suite des événements. Il se doutait qu'avec la fin de l'Ancien Régime ses jours étaient comptés. Enfermé dans sa cellule, sans nouvelles des siens, il passait ses journées à écrire des documents sur sa vie lorsqu'il était à la tête du royaume. Croyant peut-être que l'histoire le reconnaîtrait comme l'un des plus grands monarques français.

Les révolutionnaires les plus radicaux n'avaient pas l'intention de s'arrêter là. De plus en plus nombreux, ils influencèrent les parlementaires pour qu'ils soutiennent leur revendication. Cette dernière était précise, et ô combien significative. Les opposants à l'ancien souverain réclamaient haut et fort la peine de mort pour Louis Capet. Pendant de longues délibérations, les politiciens discutèrent de l'avenir du dernier monarque de la dynastie des Bourbon. Le marquis de La Fayette fut mandaté par l'Assemblée législative pour dénicher des preuves qui pouvaient incriminer le prisonnier. Gilbert de Motier envoya des hommes fouiller le château de Versailles. Quelques papiers plus ou moins inoffensifs furent présentés aux parlementaires. Mais la véritable découverte fut lorsque les gardes regardèrent dans le petit bureau en bois qui ornait la cellule du condamné. S'y trouvait une panoplie de lettres échangées avec les partisans à l'étranger et dont s'empara le marquis de La Fayette. Ramenés du palais des Tuileries par les soldats, les documents avaient été remis à l'ancien dirigeant. Ce dernier avait caché les messages de ses correspondants dans le fond du meuble, sous une bible volumineuse. Cette erreur de jugement fut fatale pour l'accusé.

À la fin de l'année 1792, la Convention nationale, de nouveau en caucus, délibéra sur le sort du détenu. Après des discussions mouvementées, un vote écrasant déclara Louis Capet coupable de conspiration contre la liberté publique et la sûreté générale de l'État. Une fois cette accusation faite, il ne restait plus qu'à trouver la punition idéale. Les parlementaires échangèrent longuement sur l'avenir de l'ancien roi. Les plus radicaux exigèrent la peine de mort sur l'échafaud, alors que les autres souhaitèrent une détention à perpétuité. Un seul député, d'allégeance royaliste, ne vota pas lors des délibérations. Le jugement final fut annoncé le 20 janvier, durant la nuit, en faveur de l'exécution du dernier souverain.

Louis Capet recevra, par messager, la triste nouvelle tôt le matin. Par une simple lettre d'une page envoyée par le président de l'Assemblée législative, il apprendra que sa vie lui sera volée, et ce, dès le lendemain matin. Seul, le fils des Bourbon se jeta sur le plancher de sa cellule et versa un ruisseau de larmes. Il maudissait le Tout-Puissant de l'avoir abandonné. Pour la première fois de sa vie, il regretta d'avoir porté la Couronne royale française.

« Pourquoi ? J'ai servi mon royaume et les Saintes Écritures avec diligence », cria-t-il en frappant le sol de ses poings.

En après-midi, le marquis de La Fayette rendit une brève visite à Marie-Antoinette. Assise sur son lit inconfortable et vêtue d'un bonnet blanc, elle accueillit le politicien. À l'arrivée de l'homme, les enfants jouaient aux cartes. Les distractions étant peu nombreuses, Marie-Thérèse et Louis-Charles apprirent à manier le jeu habilement. La vie dans une cellule n'était pas l'endroit idéal pour divertir quiconque, encore moins des gamins.

« Madame, je suis ici pour vous annoncer une nouvelle. Ce que j'ai à vous dire ne vous plaira pas », dit Gilbert de Motier en guise d'introduction.

« Monsieur, soyez assuré que plus rien ne m'étonne dans ce monde cruel », lança-t-elle avec condescendance.

« Je crois que mes paroles, elles, vous dérangeront sûrement », dit le marquis sur un ton provocateur.

L'Étrangère, surprise par l'attitude de son inter-locuteur, écouta avec attention les mots qui sorti-rent de la bouche du messager.

« Louis Capet, dernier roi des Français, a été déclaré coupable de trahison envers la nation et l'État », déclara-t-il sans broncher.

« Mensonges ! Ce ne sont que des mensonges ! » rétorqua la femme.

« L'Assemblée législative, avec une très forte majorité, a voté pour la peine de mort », l'informa le politicien.

Les propos de cet homme bouleversèrent l'Autri-chienne. Elle était certaine que son époux finirait ses jours en prison. Jamais la fille des Habsbourg n'avait imaginé que la fin du roi arriverait si vite. Traumatisée par les paroles du général, elle demeura inerte sur son lit. Ce dernier venait de frapper exactement là où il voulait, soit dans le cœur de la détenue.

« Madame, Louis Capet sera exécuté demain. Dieu ait son âme ! » dit-il en quittant la pièce.

Les enfants, témoins de la rencontre, versèrent des larmes et hurlèrent de tristesse. Leur père, qu'ils n'avaient pas vu depuis un long moment, serait tué par les révolutionnaires. Même si elle ne compre-nait pas l'entièreté de la situation, la fille de l'ancien roi savait qu'un malheur venait de les frapper de plein fouet.

« Mère, sauvez Sa Majesté ! » supplia l'aînée.

Le teint pâle, l'ancienne reine se leva et fut en proie à un profond malaise. Elle tomba sur le plancher, se heurta le front sur le bord de la table et ferma les paupières. Elle venait de s'évanouir, car le choc fut à ce point brutal à son cœur. Alerté par les cris du garçon, un garde entra dans la cellule. Inquiet de retrouver Marie-Antoinette allongée sur le sol, il fit venir un médecin en vitesse.

Pendant ce temps, le prisonnier fit une requête auprès du président de l'Assemblée législative. Il demanda un délai de trois jours pour préparer sa mort ainsi que l'autorisation de serrer sa famille dans ses bras une dernière fois. Le sursis fut refusé mais le deuxième souhait accordé. Louis Capet n'avait qu'une seule journée devant lui avant de rejoindre le Tout-Puissant.

En soirée, alors que la lune était haute dans le ciel noir, les gardes escortèrent le condamné jusqu'à la pièce où étaient enfermés son épouse et ses deux enfants. Lorsque la porte s'ouvrit, l'homme pénétra à l'intérieur en toute hâte. Il n'avait pas été en compagnie des siens depuis des mois. Debout auprès de sa fille et de son fils, l'Autrichienne regarda avec tendresse celui qu'elle aimait depuis deux décennies. À nouveau réunie, la famille vivait ses pires moments. L'ancien roi s'approcha de son garçon, se pencha et le serra contre sa poitrine. Ce fils tant désiré et tant choyé lui serait enlevé de manière cruelle.

« N'oubliez jamais qui vous êtes. Vous êtes le successeur d'une longue lignée de rois. L'héritier du trône des Bourbon », chuchota-t-il à l'oreille de Louis-Charles.

Il se releva maladroitement, un rhumatisme lui rongeant avec douleur les articulations, et déposa un baiser sur la joue de Marie-Thérèse. Elle était devenue une splendide petite demoiselle. Ce qu'il préférait d'elle, c'étaient ses yeux, les mêmes que ceux de sa mère.

« Ma chérie, protégez votre frère. Vous êtes l'aînée et je compte sur vous », dit le père.

« Votre Majesté, je vous le promets ! » jura l'enfant.

Par la suite, Louis Capet se tourna vers son épouse. Malgré les épreuves du moment, elle demeurait la femme la plus jolie à ses yeux. Il l'avait toujours aimée et ce sentiment le suivrait jusqu'à sa mort. Il ne lui avait jamais parlé de ses infidélités avec le comte de Fersen, et n'avait pas l'intention de le faire non plus. Elle l'avait appuyé au cours de leur mariage, et pour lui, c'était le principal. Le reste lui importait peu et n'avait aucune incidence sur ses sentiments envers elle.

« Ma douce, je vous remercie de m'avoir rendu si heureux. Vous avez été une épouse merveilleuse, une mère attentionnée et une grande reine », déclara le dernier monarque de France.

« Votre Majesté, pour moi, vous demeurerez à jamais le roi de France. Peu importe ce que nos ennemis diront, l'histoire vous donnera raison », lança l'Étrangère.

Il embrassa Marie-Antoinette sur la bouche avec passion. Les épreuves n'avaient pas détruit leur amour. Elle avait été la seule femme de sa vie et le restera à jamais. La famille se serra les uns contre les autres. Chacun versa des larmes de tristesse et une souffrance atroce envahit la cellule insalubre.

Le temps passa vite et les gardes rouvrirent la porte. Ils prirent le prisonnier par le bras et l'arracha aux siens de façon sauvage. Le moment de la séparation définitive était arrivé. Il ne fallait surtout pas compter sur la compassion des gendarmes pour comprendre la situation qui se déroulait sous leurs yeux.

« Je vous en prie… Lâchez-le ! » cria l'Autrichienne en frappa l'un des hommes armés.

Les enfants se débattirent, mais furent projetés dans le fond de la pièce. Le détenu fut sorti de force et ramené dans l'aile où il était enfermé. Il savait que cette rencontre avec son épouse était la dernière. Que la fin était proche.

De nouveau seul, l'ancien souverain passa la nuit à prier le Seigneur. Dans la noirceur, il demanda à Dieu de veiller sur sa famille et de lui pardonner ses fautes. Agenouillé devant son lit, il médita en silence, un chapelet au poignet. Le fils des Bourbon, âgé de trente-huit ans, serait la première tête couronnée française à se faire assassiner par ses sujets.

« Dieu, dans votre grande bonté, pardonnez mes péchés. Si certaines fautes furent commises, ce fut contre mon gré et de manière totalement inconsciente. J'ai toujours mis l'intérêt de la France et de mon peuple avant les miens », avoua avec humilité le détenu.

CHAPITRE X
La fin d'une vie tumultueuse

Prison de la Conciergerie, France, 1793

LE MATIN du 21 janvier 1793, Louis Capet, dernier roi de France, fut amené de force sur la place de la Révolution, devant une foule plus que nombreuse. L'Assemblée législative, représentée par cinq ministres influents, souhaitait en finir avec le fils des Bourbon et avec ce qu'il représentait sur le plan symbolique. Après d'innombrables tentatives pour détruire la famille royale, le coup fatal devait enfin avoir lieu.

Les vêtements que portait le prisonnier n'avaient rien de majestueux ni de coûteux. Le condamné fut traîné par des hommes armés jusqu'à la plateforme en bois qui se dressait devant les curieux amassés sur les lieux. Enchaîné par de lourds boulets, il monta les marches avec difficulté. Lorsqu'il arriva en haut de l'escalier, l'ancien monarque regarda les Français qui criaient son nom. Il n'avait pas de haine envers eux, mais davantage de pitié de les voir se faire manipuler par le gouvernement provisoire.

« Louis Capet ! Louis Capet ! »

Il s'avança d'un pied ferme au-devant de la foule et, d'une voix forte, il prit la parole. Ses articulations lui faisaient terriblement souffrir.

« Bon peuple, je suis ici aujourd'hui par la volonté de l'Assemblée législative. J'ai été accusé de trahison à la nation et à l'État. Je vous affirme qu'il s'agit d'un mensonge et que je suis innocent », déclara-t-il sur un ton solennel.

Le peuple cessa aussitôt les cris et écouta avec attention les paroles du condamné. Les mots qu'il prononçait semèrent le doute dans la tête des gens. Peut-être était-il vraiment une victime des révolutionnaires ? Il n'était peut-être qu'un bouc émissaire. Constatant le début d'un revirement de situation, l'un des représentants du gouvernement provisoire ordonna, sans plus attendre, de procéder à l'exécution du coupable. Sans tarder, deux hommes retirèrent les boulets et bandèrent soigneusement les yeux de l'ancien souverain.

« L'Assemblée législative ordonne sur l'heure la peine de mort pour Louis Capet », déclara un individu de petite taille et vêtu de noir.

Trois gardes costauds aidèrent le fils des Bourbon à s'agenouiller devant une gigantesque guillotine. Ils lui placèrent la tête entre deux morceaux de bois, reculèrent et descendirent les escaliers. Un prêtre catholique monta sur la plateforme et fit la lecture des derniers sacrements. Le détenu écouta avec calme les paroles du représentant de la sainte Église.

« Jésus-Christ, notre Seigneur, veuillez accueillir dans votre royaume notre frère », prononça le religieux.

L'air était froid et une fine neige tombait des nuages grisâtres. Lorsque l'homme à la soutane noire termina de prononcer ses paroles, le condamné était prêt pour la suite des événements. Il repensa à son épouse et à ses enfants et remercia le ciel d'avoir été choyé par la vie.

« Dieu, protégez ma famille ! » murmura le prisonnier.

À 10 heures et 22 minutes, la lame d'acier trancha la tête de Louis Capet. Le peuple demeura silencieux lorsque la partie supérieure du corps tomba dans un panier en osier. Les révolutionnaires avaient assassiné légalement leur roi et anéanti la royauté millénaire. Louis XVI avait régné sur le royaume de France pendant dix-huit ans. Des années de ce souverain à la tête du royaume, il ne restait plus que des miettes. Ce que ses ancêtres avaient bâti disparaissait de manière subite avec sa mort.

Enfermée dans sa cellule exécrable, Marie-Antoinette n'avait pas assisté à cette terrible scène d'horreur. Elle avait passé la matinée à prier le Seigneur pour le repos de l'âme de son époux. La nouvelle du décès de Louis lui fut communiquée par un jeune messager. Envoyé par l'Assemblée législative, l'homme l'informa de la façon dont s'était déroulé l'événement. Il raconta en détail les derniers moments de celui qu'elle aimait.

332

Lorsqu'il sortit de la pièce, l'Étrangère pleura toutes les larmes de son corps.

« Dieu, pourquoi nous avoir abandonnés ? » s'exclama-t-elle de douleur.

Elle se jeta sur le sol poussiéreux et trembla de tout son être. Elle ne pouvait supporter cette souffrance et l'avenir ne semblait pas vouloir s'améliorer. Comment pourrait-elle combattre les révolutionnaires ? Dans les faits, Marie-Antoinette n'était plus reine, elle était seulement une femme sans défense. Elle n'avait donc plus aucun recours pour renverser la décision du gouvernement provisoire concernant ses enfants et sa propre personne.

« Seigneur, prenez-moi, mais sauvez mes enfants ! Je vous en conjure, écoutez ma requête. Je ne suis qu'une mère qui s'inquiète », s'écria-t-elle en pleurant.

Sa fille et son fils, témoins de sa crise, se cachèrent dans un coin sombre. La peur s'était emparée d'eux. Leur père venait d'être exécuté et leur mère était entièrement désespérée de la situation. Louis-Charles se boucha les oreilles avec les mains, tandis que Marie-Thérèse se contorsionnait sur le plancher. Le choc fut brutal pour eux.

Les jours qui suivirent la disparition brutale de Louis Capet furent temporairement tranquilles dans la République de France. Les révolutionnaires contrôlaient les affaires politiques de l'État. Le clergé, en particulier les cardinaux, s'était soumis à l'autorité despotique de l'Assemblée législative. Les propriétés de l'Ancien Régime furent vendues à de riches commerçants et à des membres de la noblesse qui s'étaient ralliés à la cause des ennemis de la royauté. Ironiquement, malgré la chute spectaculaire de la Couronne royale, la situation des pauvres et du peuple en général ne s'était pas améliorée. Au contraire, elle s'était amplifiée de façon dramatique et inégale. La nourriture manquait et la richesse n'était pas équitable entre les classes sociales. Ceux qui avaient critiqué le faste du château de Versailles semblaient opter pour un style de vie comparable. Certains Français commençaient même à soulever en public l'hypothèse d'un complot des révolutionnaires contre le roi. Des rumeurs sur la montée possible du fils de Louis XVI sur le trône circulaient dans les chaumières de la capitale. Nerveux à l'idée de voir s'établir la restauration de la royauté, les parlementaires débattirent pour la première fois du cas de Marie-Antoinette. Elle représentait un espoir pour les nostalgiques, ce que les politiciens n'appréciaient guère.

« Si la royauté reprend le contrôle de la France, nous serons les premiers à subir les représailles par le sang », dénonça un député républicain.

En mars 1793, des intellectuels parisiens organisèrent des manifestations près de l'édifice qui abritait l'Assemblée législative. Ils espéraient, par ces agitations subites, convaincre les opposants de Marie-Antoinette de traîner l'ancienne reine devant un tribunal révolutionnaire. Non seulement ils réclamaient cette demande, mais exigeaient également qu'elle se déroule dans un laps de temps très court. Devant l'humeur de ce groupe, non négligeable, le gouvernement provisoire dut accepter la requête dite populaire.

Mandaté par les dirigeants révolutionnaires, le marquis de La Fayette rencontra la prisonnière pour l'informer des débats qui se déroulaient dans les instances politiques. Sans passer par quatre chemins, il décrivit vers quoi s'orientait l'avenir de la détenue. Déconnectée de la situation, elle se moqua des propos de Gilbert de Motier.

« Je ne suis qu'une femme, quelle menace puis-je causer ? Je ne faisais qu'écouter ce que mon époux me disait de faire. Et en aucun cas Sa Majesté m'a demandé de nuire aux intérêts du royaume et de ses sujets », dit-elle sur un ton nonchalant

Devant l'attitude forte de l'Autrichienne, le président de l'Assemblée législative ordonna de retirer Louis-Charles de la garde de sa mère. Selon lui, sans son fils, elle finirait peut-être par craindre la foudre qui s'abattait sur elle. Lorsque les soldats entrèrent dans la cellule de Marie-Antoinette pour lui enlever son enfant, cette dernière assomma l'un des hommes avec un chandelier.

« Lâchez le dauphin ! » s'écria en colère l'Étrangère.

Une crise sans précédent eut lieu sur place. Folle de rage, la prisonnière combattit avec toutes les forces qu'elle avait pour retenir son fils. Ce dernier représentait à ses yeux tout ce qui restait de la royauté. N'était-il pas l'héritier du trône des Bourbon ? Toujours pour soumettre l'ancienne souveraine, le marquis de La Fayette la sépara également de sa fille. Âgée de près de quinze ans, Marie-Thérèse réagit avec violence au moment où on essaya de l'emporter de force. Elle griffa l'un des gardes d'un geste brusque. Enragé, l'homme la frappa au visage et quelques gouttes de sang s'écoulèrent du nez de Madame Royale. À bout de souffle, la veuve n'eut plus la force de se battre et dut lâcher prise. Elle se retrouva complètement seule à partir du mois d'août. Dès cet instant, l'Étrangère se sentit dépérir, tant physiquement que psychologiquement. Plus rien ne semblait avoir de l'importance pour elle.

Les révolutionnaires, loin de cesser de l'humilier, la firent transférer vers une autre prison. Elle fut envoyée à la Conciergerie, un vieux bâtiment qui avait été transformé en lieu de détention. L'endroit était beaucoup plus pénible que le Temple. Le lendemain de ce déménagement précipité, un tribunal suprême fut mis sur pied par le président de l'Assemblée législative. Il avait comme mandat de faire le procès de l'accusée. En réalité, ce n'était pas un procès, mais davantage un moyen de se débarrasser d'elle. Dès le départ, il n'y avait aucun signe d'impartialité chez les participants. Tous, sans exception, voulaient en finir avec l'Autrichienne.

Pendant plusieurs semaines, celle-ci fut soumise à d'interminables interrogatoires farfelus. Ses réponses étaient mal retranscrites et reprises à l'avantage de ses opposants. Les avocats, envoyés par les révolutionnaires, harcelèrent chaque jour la prisonnière. Des fouilles pour trouver des preuves qui pouvaient l'incriminer furent entreprises. Devant le peu de documents découverts, les ennemis de la fille des Habsbourg inventèrent de faux papiers. Rien ne semblait arrêter ses adversaires afin de la détruire dans son intégrité.

Le 3 octobre, après avoir inventé des accusations de toutes pièces, les républicains convoquèrent Marie-Antoinette devant le fameux Tribunal révolutionnaire. Sur place, des dizaines d'hommes l'attendaient pour l'anéantir. Depuis le mariage de la jeune femme avec le dauphin Louis, ils l'avaient détestée presque avec plaisir. C'était l'occasion pour eux d'aliéner les chances de cette prisonnière gênante.

« Accusée, présentez-vous devant les juges ! » ordonna une voix grave.

Marie-Antoinette s'avança avec élégance au milieu de la salle. Devant elle était installée une longue table en bois. Des révolutionnaires, au nombre de neuf, jouaient les magistrats. Elle comprit dès cet instant que son procès n'aurait rien de juste. Comment pouvait-il en être autrement si ses accusateurs représentaient également la justice ? L'un d'eux lui fit signe de s'asseoir sur une banquette en bois. L'Étrangère s'exécuta et prit place à l'endroit désigné. Un jeune juriste se leva et alla se tenir, debout, devant l'assistance.

« Chers Français, nous sommes ici pour le procès de la veuve de Louis Capet. Selon les preuves et les témoignages recueillis, la prisonnière est accusée de haute trahison envers la République de France. Que le procès de cette femme soit honnête et partial », déclara-t-il à voix haute.

Non loin de la fille des Habsbourg, deux jeunes avocats avaient comme mandat de la représenter devant le Tribunal révolutionnaire. Il semblait peu expérimenté et sans volonté réelle. *Je n'ai aucun ami en cette salle*, songea la condamnée. Malgré le ravin dans lequel ses ennemis voulaient la pousser, elle n'était nullement tendue. Après toutes les blessures dont avait été affligée la famille royale, ce procès n'était que la suite logique des choses. Elle ne s'attendait à rien qui pouvait la sortir de l'état dans lequel sa personne était réduite.

« Quel est votre nom, votre âge, votre profession, votre pays et votre demeure ? » poursuivit l'homme de loi.

La mère du dernier héritier de la dynastie des Bourbon se leva dignement et répondit à la question.

« Marie-Antoinette d'Autriche, âgée de trente-sept ans et veuve du roi de France. »

Aussitôt, on lui demanda en rafale une foule de renseignements. Sans même avoir la chance d'expliquer son point de vue, elle fut coupable de tout. Les opposants à la royauté lui montrèrent des lettres, pour la plupart fausses, afin de l'intimider. Ils récitèrent des témoignages, majoritairement inventés, dans le but de la faire parler. Durant ce long et pénible procès qui dura plusieurs jours, elle resta insensible aux propos des révolutionnaires. Même lorsque des accusations d'influence sur Louis XVI ou de négociations avec l'Autriche lui furent adressées, elle demeura d'un calme déconcertant. Tout comme son défunt époux, sa dignité était la seule chose qui lui restait.

Plus les audiences du Tribunal avançaient, plus il devenait évident qu'il s'agissait d'une grossière imposture. Au-delà de quarante témoins furent appelés à la barre. Presque la totalité des individus étaient inconnus de la mémoire de la fille des Habsbourg. Pis, une partie d'entre eux n'avait jamais mis les pieds au château de Versailles. Le plus grotesque du procès fut le dépôt du témoignage du fils de la veuve. Dans ce document, Louis-Charles, âgé de huit ans, reconnaissait que sa mère avait eu un comportement incestueux à son égard. L'enfant, après des menaces insistantes, avait signé ces aveux contre son gré. L'Étrangère savait que les révolutionnaires avaient poussé sa progéniture à faire un acte totalement dépourvu de sens.

En raison du silence de l'Autrichienne devant cette accusation, le président de l'instance de justice l'interpella de façon brutale.

« Pourquoi refusez-vous de réagir devant une preuve aussi accablante ? »

Marie-Antoinette se leva calmement et regarda les gens assis au fond de la pièce.

« Si je n'ai pas répondu, c'est que la nature elle-même refuse de répondre à une telle accusation faite à une mère. J'en appelle à toutes celles qui peuvent se trouver ici ! » s'exclama-t-elle sur un ton déterminé.

Après avoir prononcé ces phrases, l'ancienne reine reprit aussitôt sa place sur son banc. La foule, surtout les femmes, approuva l'Étrangère sans détour. Elle venait de gagner l'opinion populaire par ce cri maternel. Voyant que les Français changeaient d'attitude à son égard, le président du Tribunal révolutionnaire mit un terme à cette séance. Il ordonna de renvoyer la prisonnière à sa cellule. En quittant le bâtiment, elle se tourna vers l'un de ses avocats en souriant.

« N'ai-je pas mis trop de dignité dans ma réponse ? » dit-elle sur un ton sarcastique.

Non loin de là, Henriette, l'une de ses anciennes servantes, entendit les paroles de la fille des Habsbourg. Les mots qui sortirent de la bouche de son ancienne maîtresse lui avaient fait ressentir une certaine pitié pour elle.

« Elle a répondu comme un ange, on ne fera que la déporter », lança-t-elle.

Les jours suivants, le gouvernement provisoire remit quatre questions aux membres du jury. À partir des réponses, les opposants à la royauté envisageaient de légitimer leurs cruelles actions. Ils voulaient savoir si la reine avait négocié des ententes avec les puissances étrangères ; si elle était consciente de la gravité de ses relations avec les autres États ; si elle avait participé à une manœuvre pour allumer une guerre civile à l'intérieur de la France ; et si elle était consciente d'avoir participé à cette conspiration.

Après une courte délibération, et malgré le fait qu'il n'existait aucune preuve, les jurés tranchèrent en défaveur de la femme. Il fallait éliminer l'ennemie qui représentait le plus grand danger pour les idées républicaines. Les révolutionnaires agissaient comme des chiens enragés et rien ne pouvait leur faire changer d'avis.

En soirée, à la prison de la Conciergerie, la détenue reçut une visite inattendue. Étant sur le point de se mettre au lit, elle fut dérangée par quelqu'un qui frappa à la porte de sa cellule. L'ancienne souveraine, fatiguée mais curieuse, se précipita vers le seul accès de la pièce. De l'autre côté, dans le couloir, une ancienne servante du couple royal s'approcha du trou de la serrure.

« Madame, je suis Joséphine, je travaillais dans les cuisines du château de Versailles », chuchota la voix féminine.

L'oreille collée contre la porte, Marie-Antoinette écouta avec attention les propos de la visiteuse.

Croyant à une ruse des révolutionnaires pour la faire parler, elle resta muette un instant.

« Je suis ici pour vous donner des informations sur vos enfants », déclara la femme.

Une joie immense et quasi incontrôlable s'empara de l'Étrangère. Depuis un long moment, elle n'avait reçu aucune nouvelle au sujet de son fils et de sa fille. Elle avait si souvent prié le Seigneur pour les voir une dernière fois avant de rendre l'âme. Une larme coula sur sa joue et son cœur s'enflamma de bonheur. Depuis les dernières années, il s'agissait sûrement de l'un de ses plus beaux jours.

« Joséphine, vous prenez un grand risque en venant ici », dit l'Autrichienne.

« Votre Majesté, le garde de nuit est mon neveu. Il est parti se dégourdir les jambes », expliqua la visiteuse.

Profitant de l'absence de l'homme, la cuisinière s'était faufilée jusqu'au couloir menant à la porte de la cellule de l'ancienne reine de France. Prenant son courage à deux mains, elle avait décidé de jouer le tout pour le tout.

« J'ai toujours respecté Sa Majesté le roi. Vous étiez son épouse et c'est pour cette raison que je me permets de venir vous voir. Le dauphin, pauvre enfant, est surveillé jour et nuit par le cordonnier de la prison. Il est maltraité… moins bien qu'un chien galeux », poursuivit-elle.

342

Sachant la situation intenable dans laquelle se trouvait Louis-Charles, la mère serra les poings tant la souffrance la tenaillait à l'intérieur.

« Madame Royale… Je dois quitter ! » lança Joséphine, paniquée.

« Restez ! Restez ! Je vous en prie ! Ma fille… ! » s'écria la prisonnière en pleurant.

La mère fut incapable de fermer l'œil de la nuit. Il y avait tellement d'images qui se bousculaient dans sa tête ! L'inquiétude pour son fils et sa fille la rongeait atrocement.

Le 15 octobre 1793, sous un ciel gris, Marie-Antoinette fut ramenée devant ses bourreaux. Pour cette dernière audience devant le Tribunal révolutionnaire, il avait été décidé d'asseoir la détenue au milieu de la salle. Après une ultime tentative de discréditation, les opposants à la royauté annoncèrent finalement le verdict de la condamnée.

« Accusée, levez-vous ! » ordonna le responsable de l'instance de justice.

L'Autrichienne, vêtue de noir, exécuta avec élégance la demande de l'homme. Elle comprenait très bien ce qui l'attendait en cette journée sombre. Après l'assassinat de son époux, neuf mois plus tôt, il était inévitable que l'Étrangère reçoive les mêmes traitements.

« Marie-Antoinette, dite d'Autriche, veuve de Louis Capet, je vous condamne à la peine de mort.

Le jugement prononcé à cet instant sera exécuté sur la place de la Révolution, imprimé et affiché dans toute la République française », déclara le président du Tribunal révolutionnaire.

Celle qui fut reine pendant dix-huit ans ne manifesta aucune réaction au moment de la sentence. Elle s'était longuement préparée à cette cruelle possibilité. Rien ne pouvait changer son destin tragique. La royauté n'existait plus, donc personne n'était en position de force pour intervenir en sa faveur.

L'Étrangère, imperturbable, fut escortée par une poignée d'hommes armés. Elle prit place dans un carrosse et traversa la commune jusqu'à la prison de la Conciergerie. Sur son passage, la foule était divisée sur le sort de leur ancienne souveraine, à la suite de l'annonce de l'exécution. Certains lui criaient des grossièretés épouvantables alors que d'autres, sincères, lui scandaient des mots d'encouragement.

En soirée, juste avant de faire ses prières au Tout Puissant, elle décida de rédiger une lettre à la sœur de son époux, Élisabeth de Bourbon. Fidèle au couple royal jusqu'à la fin, cette dernière était la seule en qui Marie-Antoinette avait une confiance inébranlable.

C'est à vous, ma chère sœur, que j'écris pour la dernière fois.

Je viens d'être condamnée non pas à une mort honteuse – elle ne l'est que pour les criminels – mais à aller rejoindre votre frère. Comme lui innocente, j'espère montrer la même fermeté que lui dans ses derniers moments. Je suis calme comme on l'est quand la conscience ne nous reproche rien, j'ai un profond regret d'abandonner mes pauvres enfants. Vous savez que je n'existais que pour eux et pour vous, ma bonne et tendre sœur. Vous qui avez par votre amitié tout sacrifié pour être avec nous, dans quelle situation je vous laisse ! J'ai appris par le plaidoyer même du procès que ma fille était séparée de vous. Hélas ! La pauvre enfant, je n'ose pas lui écrire, elle ne recevrait pas ma lettre. Je ne sais même pas si celle-ci vous parviendra. Recevez pour eux deux ici ma bénédiction. J'espère qu'un jour, lorsqu'ils seront plus grands, ils pourront se réunir avec vous et jouir en entier de vos tendres soins. Qu'ils pensent tous deux à ce que je n'ai cessé de leur inspirer, que les principes et l'exécution exacte de ses devoirs sont la première base de la vie, que leur amitié et leur confiance mutuelle feront leur bonheur. Que ma fille sente qu'à l'âge qu'elle a elle doit toujours aider son frère, et ce, grâce aux conseils que pourront lui inspirer l'expérience qu'elle aura de plus que lui et l'amitié qu'elle lui portera, que mon fils, à son tour, rende à sa sœur tous les soins, tous les services que l'amitié peut inspirer, qu'ils sentent enfin tous deux que, dans quelque position qu'ils puissent se trouver, ils ne seront vraiment heureux que par leur union, qu'ils prennent exemple sur nous. Combien, dans nos malheurs, notre amitié nous a donné de consolation, et dans le bonheur on jouit doublement quand on peut le partager avec un ami, et où peut-on en trouver de plus tendre, de plus uni si ce n'est dans sa propre famille ? Que mon fils n'oublie jamais les derniers mots de son père que je lui répète expressément : qu'il ne cherche jamais à venger notre mort. J'ai à vous parler d'une chose bien pénible à mon cœur. Je sais combien cet enfant doit vous avoir fait de la peine : pardonnez-lui, ma chère sœur, pensez à l'âge qu'il a et combien il est facile de faire dire à un enfant ce qu'on veut, et même ce qu'il ne comprend pas. Un jour viendra, j'espère, où il ne sentira que mieux le prix de vos bontés et de votre tendresse pour tous deux. Il me reste à vous confier encore mes dernières pensées. J'aurais voulu les écrire dès le commencement du procès, mais outre le fait qu'on ne me laissait pas écrire, la marche a été si rapide que je n'en aurais réellement pas eu le temps.

Je meurs dans la religion catholique, apostolique et romaine, dans celle de mes pères, dans celle où j'ai été élevée, et que j'ai toujours professée. N'ayant aucune consolation spirituelle à attendre, ne sachant s'il existe encore ici des prêtres de cette religion, et même le lieu où je suis les exposerait trop s'ils y entraient une fois. Je demande sincèrement pardon à Dieu de toutes les fautes que j'ai pu commettre depuis que j'existe. J'espère que, dans sa bonté, il voudra bien recevoir mes derniers vœux, ainsi que ceux que je fais depuis longtemps, pour qu'il veuille bien recevoir mon âme dans sa miséricorde et sa bonté. Je demande pardon à tous ceux que je connais et à vous, ma sœur, en particulier, de toutes les peines que, sans le vouloir, j'aurais pu leur causer. Je pardonne à tous mes ennemis le mal qu'ils m'ont fait. Je dis ici adieu à mes tantes et à tous mes frères et sœurs. J'avais des amis, l'idée d'en être séparée à jamais et leurs peines sont un des plus grands regrets que j'emporte en mourant. Qu'ils sachent du moins que jusqu'à mon dernier moment j'ai pensé à eux.

Adieu, ma bonne et tendre sœur. Puisse cette lettre vous arriver. Pensez toujours à moi, je vous embrasse de tout mon cœur, ainsi que ces pauvres et chers enfants. Mon Dieu ! Qu'il est déchirant de les quitter pour toujours ! Adieu, adieu, je ne vais plus que m'occuper de mes devoirs spirituels. Comme je ne suis pas libre dans mes actions, on m'amènera peut-être un prêtre, mais je proteste ici que je ne lui dirai pas un mot et que je le traiterai comme un être absolument étranger.

Votre sœur dévouée,

Marie-Antoinette

Impitoyables envers la prisonnière, les révolutionnaires refusèrent de transmettre cette lettre à sa destinataire. Même les dernières volontés de la condamnée furent bafouées par ses ennemis. Jamais la sœur du dernier roi de France n'aura pris connaissance des états d'âme de celle qui partagea le trône et les obligations du royaume de son frère pendant près de deux décennies. Élisabeth de Bourbon, tout comme le monarque, mourra guillotinée l'année suivante. Un peu comme pour Louis XVI et son épouse, le sort s'était acharné sur l'ancienne princesse.

Cette nuit-là, l'ancienne souveraine repensa à chacun des joyeux souvenirs ayant marqué sa vie. Ils étaient nombreux et avaient embelli les moments sombres de l'Autrichienne. Les années de jeunesse qu'elle vécut à la Cour impériale du château de Schönbrunn. Le nombre incalculable de journées que l'archiduchesse passa à s'amuser avec ses frères et sœurs. La complicité profonde qui unissait les enfants de la dynastie des Habsbourg. Le mariage grandiose avec le dauphin. Le couronnement de son époux à titre de roi de France. Les naissances de ses quatre enfants. La première rencontre avec le comte de Fersen. Les nuits intimes avec le noble Suédois. Tant d'instants merveilleux qu'elle garderait jalousement jusqu'à sa mort.

Certes, l'Autrichienne avait été critiquée et malmenée par plusieurs ennemis durant toute sa vie en sol français. Mais elle avait aussi pu compter sur un cercle d'amis qui l'avait aidée à vaincre les nombreuses tempêtes. Leurs généreuses qualités allaient lui manquer de manière cruelle. La compréhension et le dévouement de la princesse de Lamballe, victime des révolutionnaires ; la joie de vivre et l'humour de la duchesse de Polignac, exilée à l'extérieur des frontières ; ainsi que l'amour et la sensualité de Hans Axel de Fersen, tout cela resterait à jamais dans sa mémoire. Sans eux, la vie à la Cour royale aurait été misérable.

Après avoir fait le bilan positif de son existence, elle décida de s'agenouiller devant un crucifix. L'objet de culte avait été placé par un prêtre catholique, la veille, sur le mur au-dessus du lit. Devant Dieu, Marie-Antoinette voulait se faire pardonner ses péchés. C'était pour elle l'occasion de préparer sa mort de manière digne. Seule dans sa cellule, la prisonnière entra en communion avec le Tout-Puissant.

« Seigneur, ayez pitié de moi. Lorsque j'étais reine, j'ai toujours fait de mon mieux pour vous servir. J'ai affectionné et chéri mon époux. J'ai protégé et aimé tendrement mes enfants. J'ai défendu les Saintes Écritures... », dit-elle, interrompue par une visite inattendue.

Un individu, au visage familier, entra dans la pièce. Elle se retourna et reconnut tout de suite l'homme. L'archevêque d'Amiens, un ami du passé, avait reçu la permission des autorités concernées de rencontrer la condamnée. Sympathisant de la royauté, le religieux avait caché ses allégeances dans le but de rester vivant. Dans cette France si complexe et complexée, le silence était devenu la règle d'or. Malgré tout, il avait pris le risque d'aller à la rencontre de l'ennemie principale des révolutionnaires.

« Madame, je suis si heureux de vous revoir », déclara le prélat.

Avec l'aide du catholique, l'Étrangère se releva doucement. Celle qu'il avait servie avec loyauté au cours des années précédentes était devenue maigre et fatiguée. La misère et le temps, qui s'étaient acharnés contre l'Autrichienne, avaient fait leur ravage. Mais le visage angélique de la protectrice de la région du nord de la France n'avait pas changé. Sa spontanéité était demeurée bien vivante ainsi que son esprit vif.

« Monseigneur, vous avez joué avec le feu en venant à la Conciergerie. Mais votre présence est la plus belle surprise de la soirée », lança-t-elle sur un ton humoristique.

Elle prit place sur son lit et l'archevêque resta debout, non loin d'elle. Ils échangèrent pendant un long moment sur la situation politique du pays. Homme avisé, Gabriel de La Motte donna son opinion sur les faits qui s'étaient déroulés en France. Chaque sujet qu'il abordait permettait à la femme d'oublier un peu l'état dans lequel elle se trouvait. L'ami le savait et profitait de son humour pour faire rire la prisonnière. N'était-ce pas là le but de la rencontre ?

« Votre Majesté, pourquoi avoir résisté devant les menaces incessantes de vos ennemis ? » demanda le prélat.

« Monseigneur, je suis née archiduchesse d'Autriche. Le sang des Habsbourg coule dans mes veines. Qui aurais-je été si j'avais tourné le dos à mes ancêtres ? » rétorqua-t-elle.

« Je comprends ! Mais avec la mort du roi, vous ne défendez plus la royauté », dit l'homme d'Église.

« Au contraire ! Plus que jamais j'ai des raisons sincères de me battre. Mon époux ne doit pas avoir été assassiné pour rien. De plus, mon fils, le dauphin, est légitime sur le trône des Bourbon. Ne croyez-vous pas que ces deux arguments soient suffisamment justifiables ? » lança Marie-Antoinette.

« Absolument ! » répondit-il.

Avant de partir, le religieux fit le signe de la croix pour bénir la détenue. Elle le remercia et lui déposa un baiser sur la joue. Il frappa à la porte et les gardes ouvrirent aussitôt. L'archevêque d'Amiens quitta les lieux avec un chagrin immense. Il n'avait pas sauvé son ancienne maîtresse, mais avait réussi à lui faire part de son amitié. Il fut bouleversé de voir autant de force dans une personne que les dernières années avaient rendue misérable.

Alors que la prisonnière s'apprêtait à poursuivre ses prières, un étranger pénétra dans sa cellule. *Tant de visiteurs en si peu de temps, il fallait bien que la mort se pointe le bout du nez pour que j'aie droit à ce divertissement*, pensa-t-elle avec humour. Un prêtre, envoyé par l'Assemblée législative, avait comme mission d'entendre la dernière confession de l'Étrangère. Naïve mais pas idiote, elle savait trop bien que le catholique colporterait chaque mot qui sortirait de sa bouche. N'ayant rien de vraiment vrai à lui reprocher, ses ennemis utiliseraient ses phrases pour salir à jamais son image. Elle décida donc de refuser les services de l'homme d'Église.

« Madame, si vous repoussez mon absolution, vous n'entrerez pas dans le royaume de Dieu », s'exclama le visiteur, surpris par l'attitude de Marie-Antoinette.

« Si vous êtes le représentant de ceux qui ont assassiné Sa Majesté le roi, alors je ne veux en aucun cas entrer dans *votre* paradis », dit la condamnée.

« Parfait ! Vous quitterez ce monde en refusant la main du Tout-Puissant ! » répliqua-t-il sur un ton de confrontation.

Après avoir passé une nuit blanche, elle était enfin prête pour l'étape finale. Vers 10 heures, celle qui vivait ses derniers moments enfila une robe grisâtre sans valeur. Elle retira le peu de bijoux qui lui restait et les déposa dans un petit sac en cordage. Lorsqu'elle eut fini, l'Étrangère, très sereine, prit place sur une chaise. Calme malgré son misérable sort, elle attendait l'escorte qui la mènerait jusqu'à l'échafaud. Pendant ce temps, elle examina soigneusement ses mains endolories et replaça son vêtement froissé.

Comme prévu, quatre hommes armés pénétrèrent dans la pièce qui lui avait servi de prison. Le prêtre, qu'elle avait reçu quelques heures auparavant, accompagnait les gardes dans leur devoir. Le marquis de La Fayette, au premier rang depuis le déclenchement de la Révolution française, était également du cortège.

Il s'approcha du visage de la détenue et la fixa froidement dans les yeux. L'ennemi espérait déceler de la peur chez l'ancienne souveraine, mais il n'en fut rien. Elle demeura de marbre face à cette tentative d'intimidation.

« Veuve de Louis Capet, vous êtes attendue sur la place de la Révolution », dit-il.

« Je suis prête ! » répondit-elle avec nonchalance.

Elle suivit son escorte jusqu'à une charrette en bois, tirée par deux chevaux noirs. Sur place, elle regarda autour et ne vit aucun carrosse pouvant l'amener vers sa destination ultime.

« Monsieur le marquis, comment vais-je me rendre là-bas ? » interrogea la femme.

Les individus qui se tenaient derrière la prisonnière éclatèrent de rire.

« Mais au moyen de cette charrette ! » s'exclama Gilbert de Motier sur un ton dégradant.

Humiliée, Marie-Antoinette ne fut pas étonnée de la réaction méchante des révolutionnaires. Elle monta dans la voiture et resta debout, droite sur ses jambes. Deux gardes se postèrent devant le véhicule, et deux autres derrière. L'homme d'Église et le député marchèrent d'un pas solennel à la suite du cortège.

La traversée entre la prison de la Conciergerie et la place de la Révolution dura près d'une heure. Tout le long du trajet, une foule nombreuse s'était amassée pour entrevoir l'Autrichienne une dernière fois. Certains scandaient des injures à son égard, alors que d'autres lui demandèrent de leur pardonner. Des enfants, qui s'amusaient près d'une fontaine, lancèrent des cailloux à la condamnée. L'un des projectiles heurta de manière violente le front de l'Étrangère. Le prêtre, témoin de la scène, demanda qu'on arrête la charrette quelques instants. Il s'approcha, affolé, de la détenue pour s'assurer qu'elle allait bien.

« Madame, êtes-vous blessée ? »

« Mon brave, ce n'est rien. Cela n'est pas comparable à la souffrance qui m'accable depuis des mois », répliqua-t-elle en souriant.

L'homme d'Église resta muet devant la réponse inattendue de la prisonnière. Aucun mot ne sortit de sa bouche tant le courage peu commun de la fille des Habsbourg le bouleversait. À cet instant précis, il comprit que cette dernière n'était pas coupable des fautes que ses opposants lui reprochaient. Le religieux avait ressenti une pureté jaillir de la détenue.

Le cortège arriva au moment prévu sur les lieux de l'exécution. Plus de mille Français attendaient qu'ait lieu la sentence du Tribunal révolutionnaire, malgré le vent glacial qui soufflait sur la place. Marie-Antoinette, les poignets liés, descendit de la charrette de fortune. Elle s'avança près de la plate-forme où se déroulerait sa décapitation. L'Étrangère regarda autour d'elle et baissa la tête légèrement. C'était sur ce sol que, près de neuf mois auparavant, son époux avait été exécuté de la même manière qu'elle allait l'être. Tout comme lui, l'ancienne souveraine périrait sous l'échafaud de ses ennemis. Le sort en avait décidé ainsi et personne, en particulier l'empereur d'Autriche, n'était intervenu en sa faveur. Elle n'allait plus revoir ses enfants et ne pouvait absolument pas compter sur sa famille pour les protéger. La condamnée était inquiète pour sa progéniture, et avec raison.

Le marquis de La Fayette fit un signe de la tête à la prisonnière pour lui faire savoir qu'elle pouvait commencer à monter l'escalier. L'Étrangère exécuta sa demanda et se retrouva devant une immense foule. Pour la première fois depuis son incarcération, elle ressentit une peur l'envahir. Ce n'était pas celle de la mort, mais celle des adieux. Tout était joué, et elle avait perdu. Lorsqu'elle avait mis les pieds dans le royaume de France, en 1770, l'archiduchesse d'Autriche avait dû se départir de son passé viennois. Aujourd'hui, celle qui avait régné aux côtés de son époux devait laisser derrière elle toute sa vie.

Marie-Antoinette prit la parole devant la guillotine comme le voulait la coutume. Elle fixa, au loin, une église démembrée par les révolutionnaires. Ainsi, en ne voyant pas les nombreux visages qui la scrutaient, elle pourrait parler avec son cœur. Il lui était pénible de prononcer les paroles qu'elle s'apprêtait à dire. La douleur de quitter ceux qu'elle aimait était plus atroce encore que la mort elle-même.

« Mon bon peuple de France. L'Assemblée législative a jugé en ma défaveur. Je ne peux en vouloir à mes ennemis, ils ont suivi leur cœur. Je vais rejoindre mon époux et le père de mes enfants. Je fais mes adieux à ce monde avec le chagrin de laisser derrière moi mon fils et ma fille. Pour une mère, rien n'est plus déchirant que ces moments... », déclara l'Autrichienne en retenant ses larmes.

Caché dans la foule, un homme écoutait avec tristesse les paroles de la détenue. Le comte de Fersen, l'amant de l'ancienne reine, tremblait au fond de lui. Celle qu'il aimait avec passion était sur le point de se faire assassiner par ses opposants. Ces derniers l'avaient harcelée et humiliée avec une telle détermination pendant des années ! Aujourd'hui, les révolutionnaires voyaient finalement leur œuvre s'accomplir. Diverses images se bousculaient dans la tête du Suédois. Toutes ces nuits, caché dans le Hameau de la Reine ou au Petit Trianon, il les avait savourées une à une. Que lui resterait-il après le départ de son amoureuse ? Il n'avait jamais su si les enfants du couple royal avaient été les siens. Marie-Antoinette apporterait jalousement son secret avec elle. Si le Scandinave avait eu le pouvoir de changer de place avec la fille des Habsbourg, il l'aurait fait sans hésiter. Ses sentiments envers la condamnée étaient plus forts que ce qu'il avait ressenti pour les autres femmes.

« Notre Père, qui es aux cieux, que ton nom soit sanctifié, que ton règne vienne, que ta volonté soit faite sur la terre comme au ciel. Donne-nous aujourd'hui notre pain de ce jour. Pardonne-nous nos offenses, comme nous pardonnons aussi à ceux qui nous ont offensés, et ne nous soumets pas à la tentation mais délivre-nous du mal. Ainsi soit-il ! » enchaîna-t-elle.

Lorsque Marie-Antoinette termina sa prière, elle recula et, ce faisant, marcha sur le pied du bourreau.

« Veuillez m'excuser de cette maladresse », dit la prisonnière en baissant la tête devant l'homme masqué.

Pour cacher ses cheveux et empêcher qu'ils nuisent à la manœuvre, un bonnet blanc fut déposé sur sa tête par un garde armé. Seule une petite mèche dépassa le long de son cou gracile. Le bourreau l'aida à s'installer sous la lame tranchante et lui délia les poignets. La condamnée regarda vers le sol, mais ses yeux furent attirés par une silhouette masculine qui lui était familière. Elle reconnut aussi-tôt Hans Axel de Fersen. Une larme coula le long de sa joue pâle. Il était venu lui faire ses adieux. Il ne l'avait donc pas oubliée.

Alors que le coup fut porté par l'individu qui avait la charge d'actionner la houlette, elle laissa échap-per un sourire sincère à l'amour de sa vie. Il eut le temps de lui répondre par une larme. La tête fut tranchée froidement et roula sur la plateforme. L'ancienne reine de France, née archiduchesse d'Autriche, quittait le monde terrestre pour rejoin-dre Louis XVI. Le noble ferma les paupières et s'écroula sur le sol tant la scène l'avait déchiré. Il maudissait les assassins de sa maîtresse, mais également le Tout-Puissant de n'être pas intervenu pour sauver la vie de celle qui était partie avec son cœur. Il s'en voulait également d'avoir échoué dans toutes ses tentatives pour la secourir.

Immédiatement après l'exécution de Marie-Antoinette, quatre hommes amenèrent son corps avec eux. Témoin de la scène, le prêtre qui l'avait escortée monta sur l'échafaud. Il regarda les lieux et se jeta à genoux sur les planches mouillées et tachées de sang.

« Dieu, pourquoi ai-je laissé ces assassins réaliser leur œuvre maudite ? »

Le catholique, en se relevant, remarqua quelques cheveux au pied de la guillotine. Il comprit qu'il s'agissait de ceux de Marie-Antoinette. Il prit la mèche dans le creux de sa main et la regarda attentivement. Afin de se souvenir de cet avant-midi où il abandonna comme un lâche une reine sans défense, l'homme d'Église rapporta avec lui la précieuse relique.

Le soir, alors que la foule s'était dispersée, Hans Axel de Fersen retourna sur la place de la Révolution. Seul, il revoyait en détail, en regardant l'échafaud, le tragique sort de son amante. Le Scandinave ne pouvait retenir la souffrance qui le torturait depuis le début de la journée. Il s'approcha de la plateforme et découvrit une coulée de sang. Le liquide rouge dégoulinait sur le sable et était absorbé par cette poussière beige. L'homme trempa sa main tremblante dans ce qui restait de la décapitée. Soudain, il sortit un couteau de son vêtement et se trancha le haut du bras. Il prit le sang de l'ancienne reine de France et le déposa sur sa plaie ouverte.

« Ma douce, vous coulerez en moi jusqu'à ma mort ! » lança l'amoureux.

Par ce geste inusité, le Suédois avait l'impression de faire vivre Marie-Antoinette dans son corps. Était-il devenu fou ? Dans certaines situations troublantes, le cœur enfreint les lois de la rationalité.

Le lendemain du terrible événement, le corps de la fille des Habsbourg fut inhumé dans une fosse commune à Paris. La tête entre les deux jambes, elle avait été jetée comme un vulgaire morceau de viande. Aucune messe ne fut dite en son honneur ni aucun recueillement autorisé sur les lieux de l'exécution. Les révolutionnaires, tout comme ils l'avaient fait avec le défunt roi, ne voulaient pas que le peuple puisse faire d'elle une martyre chrétienne et royale. Les couleurs du deuil furent interdites ainsi que les effigies à l'image de la souveraine. La République de France avait détruit la royauté, et toute velléité de référence à l'Ancien Régime n'était tolérée. Sa Majesté la reine Marie-Antoinette de France n'était plus qu'un souvenir dans la tête des Français.

L'annonce de la décapitation de la fille des Habsbourg fut mal reçue par la plupart des royautés d'Europe. Chacune des têtes couronnées craignait pour son trône et pour ses pouvoirs politiques. Afin de ne pas alimenter toute idée révolutionnaire dans certains pays, les monarques décidèrent de ne pas réagir avec violence à l'égard de la République française. Leur seul geste relevait de la sphère diplomatique. Les royaumes de Suède et d'Espagne ainsi que l'empire d'Autriche rappelèrent leur ambassadeur. En signe de protestation, aucun diplomate ne représentait ses territoires auprès de la capitale. Malheureusement, cette action ne donna aucun résultat tangible et n'intimida nullement le gouvernement provisoire. Malgré les appels répétés du comte de Fersen pour punir les meurtriers de son amante, rien ne fut fait.

Seuls les amis de la défunte n'acceptèrent pas le geste sauvage des révolutionnaires. La duchesse de Polignac, l'archevêque d'Amiens et un nombre important d'artistes regrettèrent avec amertume la disparition de Marie-Antoinette. Pour ses ennemis, elle était une nuisance, pour eux, elle incarnait l'évolution de la France.

∂

Le destin des enfants royaux fut tragique pour lui et tourmenté pour elle. Marie-Thérèse de Bourbon, dite Madame Royale, sera finalement libérée en décembre 1795. Elle était âgée de dix-sept ans. Dans sa cellule de la prison du Temple, elle aurait gravé ce message sur l'un des murs.

« Marie-Thérèse est la plus malheureuse personne du monde. Elle ne peut obtenir de nouvelles de sa mère, pas même d'être réunie à elle quoiqu'elle l'ait demandé mille fois. Vive ma bonne mère que j'aime bien et de laquelle je ne peux avoir de nouvelles. Ô mon Dieu, pardonnez à ceux qui ont fait mourir mes parents. Ô mon père, veillez sur moi du haut du ciel. Ô mon Dieu, pardonnez à ceux qui ont fait souffrir mes parents. »

Elle se rendra à Vienne, pays natal de sa mère, pour vivre à la Cour impériale. En juin 1799, la fille de Louis XVI épousera son cousin, le duc d'Angoulême. Elle deviendra veuve à soixante-six ans et n'aura aucun enfant. Elle décédera le 19 octobre 1851, en Autriche, et sera inhumée dans un monastère en Europe de l'Est. Durant sa longue vie, elle aura vécu de nombreux exils mouvementés.

Le dauphin, Louis-Charles de Bourbon, n'aura pas la chance de grandir. Séparé de sa sœur, il vivra aux côtés d'un cordonnier pendant quelque temps. Le garçon sera transféré dans un autre lieu et se retrouvera à nouveau seul. Il sera enfermé le restant de ses jours dans un cachot, sans hygiène ni aide de l'extérieur. Il mourra le 8 juin 1795, à l'âge de dix ans, d'une péritonite tuberculeuse.

Après la disparition de Marie-Antoinette, Hans Axel de Fersen retournera en Suède. Il consacrera le reste de sa vie à s'occuper de sa carrière prolifique. Il prendra part à plusieurs intrigues royales dans son royaume. Il mourra de manière atroce le 20 juin 1810, à Stockholm. Lors d'une émeute dans la capitale, le noble sera lapidé par la foule en colère.

REPÈRES CHRONOLOGIQUES

2 novembre 1755
Marie-Antoinette naît au palais de la Hofburg, à Vienne, en Autriche. Elle est le quinzième enfant de l'empereur François Ier et de l'impératrice Marie-Thérèse.

17 avril 1770
L'archiduchesse d'Autriche renonce officiellement à ses droits sur la Couronne impériale.

Avril 1770
Marie-Antoinette quitte son pays natal et se rend au royaume de France.

16 mai 1770
La nouvelle dauphine de France épouse l'héritier du trône des Bourbon, Louis, au château de Versailles.

Janvier 1774
Le comte Hans Axel de Fersen rencontre la future reine de France pour la première fois.

10 mai 1774
Marie-Antoinette, à la suite de la mort de son beau-père, Louis XV, devient reine de France et de Navarre aux côtés de son époux, le nouveau roi Louis XVI.

362

19 décembre 1778
La reine de France accouche de son premier enfant,
la princesse Marie-Thérèse, dite « Madame Royale ».

22 octobre 1781
Marie-Antoinette donne naissance à son second
enfant, le dauphin Louis Joseph Xavier François.

27 mars 1785
La souveraine française accouche d'un troisième
enfant et deuxième fils, le prince Louis-Charles,
appelé duc de Normandie.

Juillet 1785
« L'affaire du Collier » éclate et rend très impopu-
laire Marie-Antoinette, déjà très contestée par la
noblesse, le clergé et le peuple.

9 juillet 1786
Le dernier enfant du couple royal naît, la princesse
Sophie-Béatrice.

19 juin 1787
La deuxième fille de Marie-Antoinette, Sophie-
Béatrice, décède prématurément.

5 mai 1789
Les États généraux sont proclamés dans le royaume
de France, ce qui aura un effet désastreux sur la
monarchie absolue.

4 juin 1789
Le dauphin Louis Joseph Xavier François, fils du
couple royal, meurt.

5 et 6 octobre 1789
Le peuple se soulève et envahit le château de Versailles. La famille royale est escortée par les manifestants révolutionnaires.

10 octobre 1789
Louis XVI perd son titre de « roi de France » et devient simplement « roi des Français ».

20 juin 1791
La tentative d'évasion de la famille royale vers l'étranger, orchestré par le comte de Fersen, avorte de manière lamentable.

10 août 1792
Une insurrection au palais des Tuileries force la famille royale à trouver refuge à l'Assemblée législative de France.

Septembre 1792
Le corps de la princesse de Lamballe, amie de Marie-Antoinette, est démembré et arboré devant les fenêtres de la prisonnière royale.

26 décembre 1792
La Convention française déclare Louis XVI coupable de conspiration contre la liberté publique et la sûreté générale de l'État.

21 janvier 1793
Louis XVI, dernier monarque, est froidement exécuté.

3 octobre 1793
Marie-Antoinette comparaît devant le Tribunal

révolutionnaire qui l'accuse de trahison et de conspiration avec les puissances étrangères.

16 octobre 1793
La reine de France, Marie-Antoinette, est exécutée.

REMERCIEMENTS

La rédaction de *Marie-Antoinette, la souveraine maudite* m'a demandé un effort plus soutenu que l'écriture du manuscrit précédent. Pour toutes ces heures de travail, pour ces absences physiques ou mentales et pour tous ces moments où je fus isolé des miens, je tiens absolument à remercier certaines personnes qui me sont chères :

À toi, Frédéric, mon conjoint, pour tes encouragements répétés et pour tes rappels concernant mes échéanciers, que j'avais quelque peu de difficulté à respecter. Je sais aujourd'hui que, sans toi, je n'aurais pas eu la même discipline et maintenu le même rythme. Je sais ta fierté en ce qui a trait à ma carrière littéraire, et cela fait chaud au cœur d'avoir quelqu'un qui croit en soi et qui le manifeste publiquement. Sans toi, je ne serais pas qui je suis. Tu es la lumière au bout du tunnel.

À mon éditeur, Daniel Bertrand, ainsi qu'à toute son équipe, pour sa disponibilité relativement à mes questions, pour sa compréhension à l'égard de mes besoins et pour sa solidarité vis-à-vis de mes idées. Les Éditeurs réunis sont très proches de leurs auteurs. Cette attitude est stimulante pour un écrivain.

À l'ancien coordonnateur de TVR9 (la télévision communautaire de la Vallée-du-Richelieu), monsieur Jules Blais, pour m'avoir donné la chance d'animer l'émission littéraire *À vos signets*! Le fait d'être en contact avec des auteurs me donnait une motivation et une énergie essentielles pour la poursuite de ma création.

Aux membres de ma belle-famille, les Daviault, pour leur gentillesse de m'avoir accueilli parmi eux. Vous êtes la belle-famille idéale! Chaque jour, j'apprends davantage grâce à vous.

Enfin, aux lecteurs et aux lectrices... Tant que vous serez passionnés de lecture, nous, les auteurs, pourrons continuer d'exister.

Transcontinental
IMPRESSION
IMPRIMERIE GAGNÉ

IMPRIMÉ AU CANADA